Ce qui se passe au CONGRÈS

RESTE AU CONGRÈS !

Catalogage avant publication de Bibliothèque et Archives nationales du Québec et Bibliothèque et Archives Canada

Dubois, Amélie

Ce qui se passe au congrès reste au congrès !

ISBN 978-2-89585-458-6

I. Titre.

PS8607.U219C42 2013 C843'.6 C2013-940890-8

PS9607.U219C42 2013

Les Éditeurs réunis bénéficient du soutien financier de la SODEC et du Programme de crédits d'impôt du gouvernement du Québec.

Nous remercions le Conseil des Arts du Canada de l'aide accordée à notre programme de publication.

Nous reconnaissons l'aide financière du gouvernement du Canada par l'entremise du Fonds du livre du Canada pour nos activités d'édition.

Édition :
LES ÉDITEURS RÉUNIS
www.lesediteursreunis.com

Distribution au Canada :
PROLOGUE
www.prologue.ca

Distribution en Europe :
DNM
www.librairieduquebec.fr

Suivez Amélie Dubois et
Les Éditeurs réunis sur Facebook.

Imprimé au Canada

Dépôt légal : 2013
Bibliothèque et Archives nationales du Québec
Bibliothèque nationale du Canada

AMÉLIE DUBOIS

Ce qui se passe au CONGRÈS

RESTE AU CONGRÈS !

LES ÉDITEURS RÉUNIS

De la même auteure

Oui, je le veux... et vite!, Les Éditeurs réunis, 2012.

Ce qui se passe au Mexique reste au Mexique!, Les Éditeurs réunis, 2012.

Ce qui se passe à Cuba reste à Cuba!, Les Éditeurs réunis, 2015.

SÉRIE « CHICK LIT » :

Tome 1. *La consœurie qui boit le champagne*, Les Éditeurs réunis, 2011.

Tome 2. *Une consœur à la mer!*, Les Éditeurs réunis, 2011.

Tome 3. *104, avenue de la Consœurie*, Les Éditeurs réunis, 2011.

Tome 4. *Vie de couple à saveur d'Orient*, Les Éditeurs réunis, 2012.

Tome 5. *Soleil, nuages et autres cadeaux du ciel*, Les Éditeurs réunis, 2013.

Tome 6. *S'aimer à l'européenne*, Les Éditeurs réunis, 2014.

www.facebook.com/pages/Amélie-Dubois

ame_dubois

L'apparence prend toujours le dessus sur le réel, le masque sur le masqué. On montre pour cacher mais on montre surtout pour montrer...

– Jean-Pierre Martel

... et ce, encore plus durant un congrès !

– Amélie Dubois

PROLOGUE

(À lire en s'imaginant la voix charismatique et langoureuse de Charles Tisseyre...)

Depuis que le monde moderne du travail existe, les réunions sous forme de « congrès » sont devenues incontournables pour bon nombre de travailleurs. Que ce soit dans le but de se perfectionner, de partager leur expérience ou leur savoir, d'acquérir de nouvelles connaissances ou encore d'en apprendre davantage sur les formalités inhérentes à leur emploi, les gens se réunissent, et le font habituellement dans des hôtels luxueux. Or, la science nous démontre que les véritables fondements de ce type d'événement tendent à diverger de ceux sous-tendus. Malgré la noble motivation des participants, appelés ici les congressistes, l'ambiance générale s'avérera parfois plus festive qu'éducative ; ce qui s'annonce comme un enrichissement professionnel évoluera plus souvent qu'autrement en une partie de plaisir entre collègues.

En général, on observe que, entre les séminaires ou les ateliers, les buffets du matin regorgeront à tout coup de brioches, de pâtisseries, de charcuteries et de café frais afin de remettre d'aplomb les participants qui se sont couchés à des heures indues. Certains congrès offriront même des activités et des jeux destinés à générer des rencontres entre les gens, qui proviennent souvent des quatre coins du pays. Le soir venu, des activités thématiques et autres prestations culturelles seront proposées afin de divertir l'assemblée.

Certains percevront cette expérience comme un répit de leur vie familiale chargée tandis que d'autres y verront l'opportunité de multiplier les escapades sexuelles sans conséquence. Dans de rares cas, les congressistes feront preuve d'une réelle motivation en participant à un maximum d'activités, mais nombre de leurs collègues feront simplement une halte au buffet du matin pour finalement se prélasser dans le spa intérieur de l'hôtel, prétextant effrontément mériter ce genre de vacances payées par la compagnie.

L'alcool, carburant par excellence de tels événements, engendrera des situations aux conséquences non négligeables. Passant de l'humiliation publique à la perte de crédit devant les hauts dirigeants de l'entreprise, des congressistes repartiront la tête basse et pleine de regrets. À l'opposé, les individus prêts à tout pour arriver à leurs fins profiteront de la proximité qu'offrent ces congrès pour soudoyer leur supérieur afin d'obtenir la promotion rêvée.

Pour le patronat ou le comité chargé de l'organisation de ces fascinants lieux d'interaction, le manque de rigueur des employés sera tributaire des heures supplémentaires effectuées pour pouvoir y participer. Il faut également savoir que, plus le congrès sera populeux, plus il sera ingérable, ce qui rendra la participation réelle des congressistes difficile à évaluer. Face à ce phénomène social, un questionnement demeure : à qui ce genre d'événement profite-t-il le plus ?

Katia frappe deux petits coups sur le coffre de la voiture de Caroline pour lui signifier qu'elle veut y placer ses bagages. Le congrès est ENFIN terminé. Au moment de prendre place sur le siège arrière, la dernière arrivée est inondée de reproches par ses deux amies, déjà à bord :

— Coudonc ? Es-tu allée faire une saucette dans la piscine ? lance Vicky, exaspérée.

— C'était ben long ! prétend Caroline, assise derrière le volant depuis presque quinze minutes.

— *My God ! Calmos amigos*, rétorque Katia, irritée par l'accueil un peu brusque de ses comparses.

— Embraye, Caro ! Je veux juste décamper d'icitte et retourner au plus sacrant à Gatineau. Il faut vraiment qu'on parte en douce, s'impatiente Vicky en observant nerveusement la voiture de police toujours stationnée devant l'hôtel.

— Oui, cibole, et avec grand plaisir ma chère, commente à son tour Katia, en se tournant pour surveiller elle aussi la voiture de police.

— C'est que... il y a une autre auto de police à la sortie, là-bas, se rend compte la conductrice en braquant le volant vers ladite sortie du complexe hôtelier Hilton de Québec, où se tenait leur congrès sur l'éducation.

— Ah, *shit*! Je n'avais pas remarqué, panique Vicky en s'allongeant le cou pour constater à son tour la présence dudit véhicule.

— OK, tout va bien, on est normales. On n'a rien fait de mal dans le fond, précise Katia, l'air peu convaincu.

— Eille, on est tout sauf normales. Et c'est pas vrai qu'on n'a rien fait..., murmure Caroline, qui souhaite ardemment que le policier, maintenant debout près de son véhicule, ne les intercepte pas au passage.

— Pas en lien avec ce qui les intéresse, du moins. Je pense..., rectifie Katia, pour calmer la nervosité palpable qui a envahi la voiture de Caroline.

Malheureusement, l'homme en uniforme lui fait signe d'immobiliser son véhicule en agitant une main vers le bas.

— On est normales, tente de nouveau de se convaincre Vicky avant d'inspirer profondément.

— Bonjour, monsieur l'agent! lui sourit Caroline en ouvrant juste à moitié sa vitre automatique.

— Bonjour, mesdames. Compte tenu de ce qui s'est passé à l'hôtel hier soir, avez-vous remarqué quelque chose d'anormal durant votre séjour: des gens suspects, des événements inhabituels?

— Quelque chose d'anormal? Non! Rien, rien, rien... Rien!

— Rien, rien, rien, ajoute Vicky, comme si les quatre «rien» de Caroline n'avaient pas été suffisants.

— OK...

L'homme semble tout de même suspecter les filles; il les observe longuement, l'une après l'autre. Il pose une question supplémentaire:

— Vous participiez à quel congrès exactement?

— Euh... celui des... comptables agréés, ment cavalièrement Caroline, dont l'hésitation fut beaucoup trop longue.

Immédiatement après avoir entendu le mensonge effronté de leur collègue enseignante, Vicky et Katia tournent la tête en direction opposée pour ainsi éviter de croiser le regard de qui que ce soit.

— D'où venez-vous?

Caroline poursuit sur sa lancée mensongère:

— Victoriaville. On travaille ensemble pour la firme Grant Thornton.

D'instinct, Vicky s'enfonce dans son siège comme si elle souhaitait y disparaître à tout jamais. À l'arrière, Katia fait claquer sa langue contre son palais, l'air candide.

— Ouais, d'accord. Bon bien, bonne journée, mesdames. Si quelque chose vous revient concernant les événements d'hier soir, contactez sans hésiter le Service de police de la Ville de Québec. Voici une carte.

— Oui, nous en avions déjà une. Parfait! Merci!

Caroline remonte sa vitre en continuant de paraître « normale » ; elle sourit au policier et appuie sur l'accélérateur. Lorsqu'elle emprunte finalement la rue adjacente, les filles restent toutes silencieuses pour un moment, comme si le policier, maintenant loin, pouvait encore les entendre.

Une fois le véhicule bien engagé sur la route, Katia crache à son amie :

— T'es cinglée ou quoi ? Voyons ? Qu'est-ce que t'aurais fait s'il t'avait demandé ton permis de conduire ? « Euh, je ne comprends pas, madame. Vous travaillez à Victoriaville, mais votre adresse civique m'indique que vous habitez à Gatineau ? »

— Je le sais pas, moi ! crie la menteuse, soulagée, mais encore un peu sous le choc d'avoir osé déclarer des propos fallacieux à un agent de la paix menant une enquête.

— J'ai chaud ; je me sens pas bien, confesse Vicky, qui secoue énergiquement le collet de son chemisier.

— À lui, il fallait dire la vérité, voyons ! explique Katia, toujours très émotive.

— On a dit des menteries pendant tout le foutu congrès. Je ne savais plus du tout quoi dire ou pas, moi, pleurniche Caroline, pas du tout à l'aise quand il s'agit de raconter des faussetés.

— C'est pas grave, là ; c'est fini ! tente de les rassurer Vicky en regardant de nouveau derrière.

— J'espère que c'est enfin fini, oui. Ce n'est pas encore certain. On court toujours le risque de se faire accuser de fraude…

— En effet, approuve Vicky, qui grignote nerveusement l'ongle de son pouce en se retournant une fois de plus, comme si elle craignait de se faire suivre.

— De fraude ? Il faut pas exagérer, les filles, rectifie Katia, avec tout de même un trémolo d'inquiétude dans la voix.

— Surtout toi, en fait, Katia ; c'est TON nom qui est écrit, je te ferais remarquer, note Caro.

— Pas besoin de se rappeler que ce qui s'est passé au congrès reste au congrès, hein ? déclare Katia, avant d'expirer très fort, soulagée de quitter enfin Québec.

— Eille, c'est quoi l'affaire ? Chaque fois qu'on se retrouve quelque part ensemble, ça tourne mal ? L'an passé, c'était au Mexique, et là…, fait remarquer Vicky.

Les baguettes en l'air, Katia exagère :

— C'est rendu une devise nationale dans notre cas. Bientôt, ça va être quoi ? Ce qui se passe à l'épicerie reste à l'épicerie ? Ce qui se passe sur le trottoir reste sur le trottoir ?

— On a un mauvais karma, les filles, conclut Caroline, attristée, en secouant la tête pour appuyer sa déprimante déclaration.

— Tu dis ! Et on n'a pas accumulé de points karmiques favorables pour que ça change ce week-end, souligne Vicky avec abattement.

— En tout cas, on n'est pas aussi pires que ceux qui ont été mêlés à ce qui s'est passé hier soir, raisonne Caroline en repensant aux événements dramatiques survenus la veille.

— Non, hein? Vraiment pas fort..., acquiesce Katia. Mais la question reste: comment ç'a pu se produire? Honnêtement, avec ce que je viens juste d'apprendre, je m'en sacre pas mal!

— C'est qui qui a eu la bonne idée de proposer ce maudit congrès-là? se plaint Vicky, comme si la faute de toutes leurs mésaventures revenait directement à cette personne.

— Pfft! Beau sous-entendu. C'est pas ma faute du tout, tu sauras. Vous étiez TRÈS intéressées au départ, je vous signale, réagit Caroline, offusquée de devoir maintenant porter le blâme.

— Franchement, Vicky, c'est vrai que c'est pas sa faute.

— Bah! Moi, je n'aurais jamais eu l'intention de participer à un congrès si tu ne nous avais pas «vendu» ton projet.

— Dans ma tête non plus, notre week-end ne se passait pas comme ça, figure-toi donc. C'est pas mon problème si vous vous sentez obligées de vous dévergonder partout où on passe.

— Notre faute alors? Pour ce qui est de se dévergonder, je parlerais pas à ta place, Caro, lui lance un peu abruptement Vicky.

— Ah, les filles, ARRÊTEZ! C'est trop tard de toute façon. Et c'est vrai, Vicky, qu'on voulait toutes y aller de notre plein gré...

DEUX MOIS PLUS TÔT...

Assis bien confortablement sur des chaises en plastique dans un coin du gymnase de la polyvalente, les enseignants attendent patiemment la venue du directeur pour son traditionnel discours de la rentrée des classes, qui aura lieu dans quelques jours.

Un amalgame de fébrilité face à la nouvelle année scolaire qui commence et de désolation face à la fin des vacances estivales règne dans l'air. Un sentiment ambivalent pèse dans l'esprit des profs, qui oscille entre des pensées du genre : « Youpi ! Voilà une belle année qui s'annonce ! » ou encore : « Dieu du ciel, que je serais volontiers resté dans ma piscine pour une autre semaine... »

Naturellement, la réunion a des airs de déjà-vu pour la plupart des participants : présentation des nouveaux enseignants et du personnel de soutien, nouveaux règlements en vigueur, règles importantes à ne pas oublier, annonce des activités spéciales de l'année scolaire à venir, congrès proposés, cours en formation continue offerts au personnel, modalités particulières relatives à l'accueil des élèves, activités de la rentrée, alouette.

À la fin de la rencontre qui paraît interminable pour la majorité en raison des longues vacances d'été passées à flâner, les filles accompagnent Vicky jusqu'à sa classe d'arts ; par curiosité, elles veulent voir les nouvelles tables hautes que la commission scolaire lui a gracieusement fournies en ce début d'année.

Appréciant le nouveau *look* de la classe de leur amie, les filles commentent avec entrain :

—Wow! C'est super beau!

—Je suis bien contente! Ça faisait juste trois ans qu'on leur demandait.

— C'est le *fun* que t'aies obtenu une tâche d'enseignement complète, Vicky, souligne Katia, ravie pour sa collègue.

—Oui, surtout après le maudit voyage au Mexique de l'an dernier, qui m'a coûté les yeux de la tête. Je vous avoue que j'ai respiré à nouveau en apprenant la nouvelle.

Caroline, les yeux rivés sur la feuille remise en début de réunion et qui énumère les activités de perfectionnement professionnel proposées au cours de l'année, suggère sans trop réfléchir:

—On devrait aller à un congrès ensemble cette année...

—Lequel? s'intéresse Katia, qui se penche sur l'épaule de Caroline pour jeter un œil sur sa feuille, la sienne ayant fini dans une corbeille de recyclage dès sa sortie de la réunion.

—Je ne sais pas trop..., hésite Caroline en analysant les différentes options.

Vicky se joint à elles, tout de même intéressée un tantinet par l'idée.

—La journée qui porte sur «La créativité dans l'enseignement»? propose-t-elle.

—Non, ça en prendrait un qui dure plusieurs jours, s'oppose Caro, toujours concentrée à lire les activités offertes.

— C'est comme le Village Vacances Valcartier, plaisante Katia, mi-sérieuse. Une journée, c'est pas assez !

— Sinon, il y a l'atelier de deux jours «Faire bouger nos jeunes», probablement juste pour les profs d'éducation physique... ou celui à Québec sur «L'enseignement au secondaire, partenaire pour nous faire avancer», du ministère de l'Éducation... Sûrement archiplate !

— Peut-être, mais c'est une activité sur quatre jours et qui se passe à Québec en plus, fait valoir Caroline, désireuse de s'évader un peu de sa routine.

— Bof ! Moi, les tables rondes sur notre beau système d'éducation, pas trop mon fort, commente Katia, devenue subitement moins intéressée.

— Non mais, pensez-y les filles : de belles vacances payées à Québec...

— TOUT est payé ? demande Vicky, surprise, car elle sait que, d'habitude, ce n'est pas le cas.

— Non, pas les frais de déplacement, mais la chambre, oui. Il faudrait demander pour les repas, réfléchit Caro étant donné que cette information ne figure pas sur la feuille.

— L'horaire est probablement tout le temps hyperchargé et il doit y avoir des conférences à n'en plus finir, affirme Katia, qui fait la tête. J'ai d'autres choses à faire de mes trop courts week-ends.

— Moi aussi, renchérit Vicky, qui a regagné son bureau pour classer différents articles de bricolage qui en jonchent la surface.

— Vous oubliez l'essentiel : les bons repas au resto, la chambre luxueuse au Hilton, la piscine de l'hôtel, le spa détente, le magasinage entre filles à Québec... les beaux mecs en congrès.

Sur ces mots, Vicky lève la tête. Sa relation avec Christian s'étant terminée au cours de l'été, elle est de nouveau célibataire. L'idée de faire de nouvelles rencontres est loin de lui déplaire. Katia, toujours seule également[1], se montre à son tour intéressée par cette dernière perspective.

— Comment ça, des beaux mecs en congrès ?

Comme si Caroline était depuis toujours une sommité mondiale en matière de congrès, les deux filles l'écoutent, pendues à ses lèvres.

— Il y a plein d'hommes qui fréquentent les congrès, tout le monde sait ça ! Des hommes en veston-cravate, chics et riches, avance Caro, même si elle n'a jamais participé à un congrès de sa sainte vie.

— T'es certaine ?

— Ben oui ! Et avec deux jours de congé d'enseignement en plus, ce serait trop parfait. Je suis sûre qu'il y a beaucoup de temps libre au programme, ajoute-t-elle encore, complètement à l'aveuglette.

---

1. Pour les curieux : Katia a discuté à quelques reprises avec Pierre-Yves – le comique qui s'était payé sa tête pendant tout le voyage – à son retour du Mexique, mais les cinq heures de route séparant leur ville respective leur ont vite fait comprendre que leur relation s'avérerait impossible.

— Ah oui ? Dans ce cas-là..., fait Katia, qui commence à fléchir, en regardant son acolyte célibataire du coin de l'œil.

— J'imagine que tout le monde voudra y aller, alors ? présume Vicky, compte tenu des circonstances avantageuses et indéniables que son amie vient de dépeindre.

— Je ne sais pas trop, mais on perd rien de tenter notre chance. Je vais de ce pas donner nos noms au directeur, dit-elle, enthousiaste, en quittant ses deux amies pour s'acquitter de sa mission.

L'ambiance ayant quelque peu dégénéré depuis que des accusations de responsabilité pèsent sur Caroline, Vicky tente de ramener la situation.

— De toute manière, juste à la façon dont l'aventure avait commencé, on aurait dû rebrousser chemin au premier obstacle. C'était un signe, comme un mauvais présage.

— Tu parles de l'auto de Katia ?

Celle-ci écume de rage juste en se remémorant la scène pathétique.

— Oui, t'as raison ! Non mais, il faut vraiment acheter un char presque neuf pour que ça arrive. Maudit vendeur de chars à marde, je les déteste TOUS ! Je peux pas croire que je me suis fait avoir à ce point-là…

Au volant de sa nouvelle voiture achetée la veille, Katia installe son GPS dans un socle ventousé[2] au pare-brise avant d'annoncer fièrement :

— Et c'est parti ! Avec mon nouveau bébé en plus ! C'est tellement excitant !

— Réalisez-vous que nos collègues vont entrer en classe dans deux heures et que nous on s'en va tout bonnement se promener à Québec ? savoure Caroline en levant la tête pour respirer le bonheur.

— Ils ne se sont pas levés à cette heure de fous-là par contre, gémit Vicky, qui scrute avec désolation les cernes sous ses yeux dans un petit miroir de poche.

— On a vraiment été chanceuses que le directeur nous autorise à y aller toutes les trois.

— Tu dis. Il ne m'a pas répondu quand je lui ai demandé si beaucoup de profs s'étaient inscrits, se désole Caro, qui aurait bien aimé savoir.

---

2. Quel beau participe passé ! À paraître assurément dans le dictionnaire *Le Petit Dubois illustré*.

— Ouin, c'est bizarre ça. Pourquoi? se demande aussi Katia.

— Je sais pas. Pour pas faire suer les autres, peut-être.

Encore engourdies par le sommeil, les filles observent en silence le paysage automnal magnifique qui présente, depuis quelques semaines, une multitude de teintes colorées. Elles viennent à peine de s'engager sur l'autoroute 50 en direction est lorsque Katia regarde son tableau de bord, étonnée:

— Voyons?

— Quoi?

— Je sais pas, l'auto...

En effet, l'aiguille du compte-tour oscille vers le bas, et on entend un bruit de moteur qui toussote. Par réflexe, elle ralentit afin de se ranger sur le côté pour voir ce qui se passe. Le moteur émet alors plusieurs râlements sporadiques avant de se taire complètement. N'ayant pas eu le temps de se ranger sur l'accotement, elle se retrouve donc immobilisée entre la chaussée de droite et le bas-côté. Les cadrans de son tableau de bord s'allument soudainement un à un; certains signaux clignotent même.

— Hein? Calvince! C'est quoi l'affaire? lâche-t-elle en tentant de redémarrer son véhicule.

Rien. Pas un son. Aucun contact ne semble vouloir se faire. Visiblement, les signaux lumineux tentent de communiquer que le véhicule a un problème mécanique évident, mais les filles n'y comprennent rien. Katia essaie de saisir le message:

— Le cercle rouge avec les trois lignes de chaque côté qui « flashent » et l'autre en forme de carré, savez-vous ce que ça veut dire ?

— Ne demande pas ça à moi. J'ai jamais mis le nez sous un capot de voiture de ma vie, confesse Vicky, qui ne désire surtout pas être consultée pour une analyse mécanique potentielle.

— On doit manquer d'essence, conclut Caroline, tout aussi incompétente.

— Ben non, j'ai fait le plein hier soir. Eille ! Super ! Ça vaut vraiment la peine d'acheter un char neuf ! Quessé ça ?

Un poids lourd arrive à toute vitesse et klaxonne furieusement les filles en passant près d'elles. Comme si ce dernier pouvait l'entendre, Katia crie à tue-tête :

— GROS COLON ! Tu vois ben qu'on est en panne !

— Allume tes feux clignotants d'urgence au moins, on va se faire rentrer dedans, suggère avec pertinence Caroline.

— Qu'est-ce qu'on fait ?

— Je vais appeler le garage, vocifère Katia, qui ouvre sa boîte à gants pour y saisir les papiers de la récente transaction.

Vu l'heure matinale, elle n'obtient pas de réponse au numéro d'urgence du concessionnaire d'automobiles. Elle tente le cellulaire du vendeur, qui ne répond pas non plus. Une seconde voiture klaxonne sauvagement en les frôlant.

— Voyons ? Les gens sont caves ou quoi ? aboie encore Katia, ne sachant pas du tout quoi faire.

— Je suis membre du CAA, on va faire remorquer le véhicule chez ton concessionnaire au moins, propose Caroline en sortant sa carte et son cellulaire.

— Pfft, souffle Katia, réellement en furie de subir pareille avarie le matin du grand départ.

Après avoir tenté d'orienter du mieux qu'elle pouvait la répartitrice du service de remorquage, Caro éteint son appareil. Pendant ce temps, un bon samaritain immobilise son véhicule devant celui des filles. Un homme en sort. Il s'approche de la vitre du passager avant, et précise aux filles :

— Bonjour. Vous pouvez pas rester de même à moitié dans le chemin, c'est dangereux.

— Eille, le clown ! Veux-tu le pousser, le char, toi ? lui crache Katia en se penchant vers la vitre pour s'adresser à lui.

— C'est ce que je m'en venais gentiment vous proposer, mais laissez faire, arrangez-vous, esti ! fait le type, insulté de cette réponse bête, alors qu'il voulait seulement se montrer serviable.

Il remonte à bord de son automobile et démarre en trombe avant de disparaître. Silence dans le véhicule des filles. Aucune n'ose dire quoi que ce soit à Katia, totalement hors d'elle.

— Pas grave. On va attendre la remorqueuse. Ça sera pas long, l'encourage Caroline.

— Non mais, tsé, le vendeur de chars avec son petit air fendant qui me dit : « Ben non, t'auras jamais de problème avec ce char-là, ma championne!» Eille, laisse faire, le cave!

En silence, les filles fouinent sur leur téléphone intelligent, le temps que la dépanneuse arrive.

Une bonne heure et demie plus tard, elles se retrouvent dans la cour de la maison de Caroline, transférant à la hâte leurs bagages du taxi à la voiture de celle-ci.

— Départ, prise deux! claironne gaiement Caroline en fermant le coffre.

La mésaventure n'a pas ombragé la bonne humeur de la jeune mère de famille. Elle court embrasser son fils et son *chum*, encore en pyjama, dans le portique de la maison; elle revient en trottinant joyeusement vers le véhicule.

— Niaisage. On aurait plus du tiers de la route de fait, tonne encore Katia, maintenant assise à l'arrière.

Sans opinion sur le sujet, Vicky bâille et soulève les épaules en guise de réponse.

— Non mais, quand il m'a rappelée plus tard avec son ton condescendant pour me dire: «Madame, c'est un peu votre faute. Si vous aviez pris l'assurance dépannage express en tout temps, et non juste celle de base... » Quoi ? Euh, non, excuse-moi, le con, mais t'es un crosseur, et ton service d'assistance en cas de problème mécanique, c'est de la grosse marde, express en tout temps ou pas. J'ai juste hâte d'aller le voir demain matin pour lui dire ma façon de penser, peste encore Katia.

— Souviens-toi : tu nous as promis à ce moment-là de ne jamais t'amouracher d'un vendeur de chars de ta vie ! lui rappelle Vicky, comme si c'était réellement important.

— Oh que oui ! Je vais m'en souvenir et tenir ma promesse. J'aurais beau rencontrer un vendeur de Lamborghini, riche à craquer et mannequin à temps partiel pour la ligne de sous-vêtements Calvin Klein, ce serait *NO WAY* ! rugit Katia en soufflant exagérément avec sa bouche.

— On appelle ça : la haine-viscérale-du-vendeur-à-la-commission, formule Caro, qui invente à brûle-pourpoint une terminologie amusante pour décrire la frustration de son amie.

— On aurait dû rebrousser chemin pour retourner tranquillement se coucher en se disant que les astres nous envoyaient bel et bien un signe évident, rumine Vicky, déçue de ne pas avoir été au diapason avec les potentiels signes de l'au-delà.

Caroline approuve sans hésiter :

— En effet, on aurait évité notre super arrivée « incognito ».

— Ouin...

En pénétrant dans le gigantesque stationnement souterrain, les filles cherchent désespérément l'entrée directe pour l'hôtel Hilton.

— On est juste une heure trente en retard...

— On leur dira qu'on a eu un problème de voiture. Ça peut arriver à tout le monde et c'est vrai, en plus, réplique Caroline avec une implacable logique, en tournant le volant vers une zone qui semble près des ascenseurs.

— Personne ne nous croira, même si c'est la vérité. C'est pas plus crédible que de dire «mon chien a mangé mon devoir», lui explique Katia, elle-même très sceptique lorsqu'on lui sert ce genre d'excuse facile.

Dès qu'elles se savent rendues à bon port, Vicky prend la tête des opérations. Elle s'élance à la réception de l'hôtel afin d'obtenir illico la clé de la chambre, pendant que les deux autres filles restent près des bagages, prêtes à se précipiter dans l'ascenseur. Heureusement, il n'y a pas de file d'attente. Empreinte de sa carte de crédit, signature de la feuille qui spécifie qu'il s'agit d'une chambre non-fumeurs, instructions pour les aires de divertissement... Tout se déroule rapidement.

Dans un branle-bas de combat digne d'une Course destination monde, les filles gagnent l'ascenseur et patientent avec fébrilité tandis qu'il s'achemine vers le sixième étage, où se trouve leur chambre. Lorsque ce dernier s'immobilise, une voix féminine enregistrée leur signale dans les deux langues: «Sixième étage, *sixth floor*».

— Euh, c'est moi qui ai mal saisi ou on vient de nous annoncer le «*sexe floor*»? plaisante Katia en écartant les bras.

La voix légèrement métallique semble en effet avoir dit «sexe» au lieu de «*sixth*»[3].

— Ha! ha! ha! Trop vrai! glousse Vicky.

— C'est un message subliminal ou quoi? Bienvenue à l'étage du sexe! reprend Katia, qui a presque envie de refermer les portes pour l'entendre de nouveau.

— Au Hilton de Québec, ça joue aux fesses particulièrement au sixième. Les autres étages sont plus tranquilles, rigole encore Vicky.

— Bon, revenez-en, là. Je vous rappelle qu'on est toujours en retard, grommelle Caroline pour les ramener à la réalité, avant d'emprunter le corridor menant à leur chambre d'un pas décidé en tenant fermement la poignée de sa valise à roulettes.

Dix minutes après s'être délestées de leurs bagages, les filles arrivent enfin à la salle de conférences, où a lieu

3. Fait indéniable; la prochaine fois que vous irez à l'hôtel, allez au sixième juste pour entendre le message... ;)

l'accueil des congressistes. Il s'agit d'une immense pièce située directement dans le complexe hôtelier. Les grandes portes sont naturellement fermées. Elles hésitent un instant avant de prendre leur courage à deux mains pour y entrer. Indécise, Katia tourne la poignée et tire vers elle. Un silence de plomb règne à l'intérieur. Une femme en complet et deux hommes en cravate se trouvent sur la scène, à l'avant. Les trois quarts des congressistes se tournent pour toiser les nouveaux arrivants, qui dérangent le discours inaugural prononcé par la représentante que la ministre de l'Éducation a déléguée. Pour dérider l'assistance et du coup taquiner les retardataires, elle prononce au micro :

— Bienvenue, mesdames ! Un problème de voiture, je présume ?

Sans même la contredire, les filles lèvent les mains en signe d'excuse, riant jaune de son allusion à saveur humoristique. Sans se consulter, elles se dirigent vers les premières places disponibles, toutes à des tables différentes, le but étant bien évidemment de se planquer quelque part le plus vite possible. L'oratrice, quelque peu importunée par le dérangement, hésite avant de poursuivre. « Je disais donc... dans l'optique d'une énergie évolutive en matière d'éducation, le gouvernement est bien heureux de tenir ce sommet et de partager sa vision de l'avenir pour un Québec éduqué et porteur de connaissances... »

Vicky, de biais avec la table de Katia, jette un œil dans sa direction. Celle-ci fait de même en agrandissant les yeux pour montrer son soulagement d'être finalement assise. Caroline, la tête bien haute, écoute passionnément la conférencière.

Katia, qui s'était royalement ennuyée durant cette ouverture de congrès, conclut :

— *Anyway*, c'était pas un drame de manquer les discours plates du début.

Bien qu'elle conduise, Caroline observe rapidement son reflet dans le rétroviseur de son véhicule et semble faire un sursaut.

— Excusez-moi de sacrer, mais ostie, je me regarde et j'en reviens pas encore...

Malgré qu'elle ne soit pas encore remise des émotions vécues lors du départ de l'hôtel, Vicky sourit tout de même en coin, avant d'avouer à son amie :

— Je commence tranquillement à m'y faire, moi.

— C'est vrai ? On dirait que ça te va de mieux en mieux, rigole à son tour Katia avant de détourner le regard pour rire silencieusement en direction de la lunette arrière.

— Vous êtes pas drôles, les filles, c'est l'horreur. Et je ne peux rien faire avant mardi. Je vais faire quoi pour enseigner, demain ? s'affole Caroline, toujours préoccupée à outrance par ce détail.

— Mets un foulard hijab. C'est la seule chose que l'école nous autorise à porter sur la tête, envoie Vicky avec dérision.

— Ben oui, je me convertis d'un coup. Paf!

— Tu diras que c'était pour ton déguisement d'Halloween, propose simplement Katia.

— Déguisée en quoi? râle Caroline. Dire que j'arrivais tout juste de chez ma coiffeuse, mercredi dernier, et que mes cheveux étaient super beaux. Les filles, regardez-moi le côté de la tête, panique-t-elle encore en se touchant le sommet de l'oreille.

— Oui, on a vu. Mais c'était quoi aussi l'idée d'accepter, Caro? T'es trop bonasse. Tu te méfies pas assez en général dans la vie, affirme Vicky, même si, après coup, elle prend conscience de l'inutilité de son commentaire.

— Elle m'a convaincue au téléphone et je vous signale que c'était pour aider quelqu'un qui avait des ennuis. Vous l'avez entendue comme moi sur le mains libres...

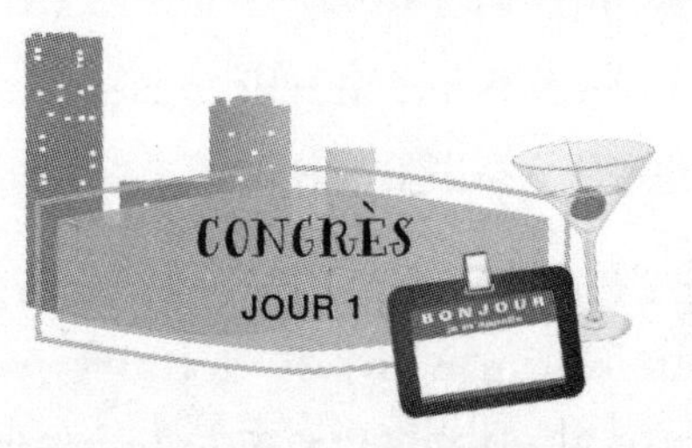

Toujours dans la voiture les menant à leur congrès de rêve, les filles discutent lorsque le téléphone portable de Caroline sonne. Elle répond en appuyant sur la fonction mains libres, histoire de pouvoir discuter tout en conduisant.

— Allo?

— Allo, Caro! C'est Niki!

Intriguée que sa coiffeuse l'appelle de la sorte, Caroline lui dit :

— Salut, ça va bien ? Qu'est-ce qui se passe ?

— En fait, j'ai un gros service à te demander.

— Vas-y !

— Quand t'es venue au salon hier, tu m'as dit que tu assistais ce week-end à un truc-machin à Québec, pas vrai ?

— Oui, on est en route justement. C'est un congrès de profs au Hilton, juste à côté du Centre des congrès.

— Ah, super ! Écoute, ma meilleure amie a un pépin. Elle participe à un mégaconcours de coiffure ce soir, justement au Centre des congrès de Québec, et son modèle vient de se désister à la dernière minute.

— OK…, répond Caro, pas certaine de saisir ce que Niki attend d'elle.

— T'as les cheveux mi-longs et sans teinture… c'est exactement ce qu'il lui faut.

— Tu veux que je sois son cobaye ? Elle va me faire quoi ?

— C'est un concours « teinture et coupe de base ». Peut-être des mèches aussi, mais ça sera quelque chose de simple, donc pas de trucs trop extravagants ou de coiffure haute. Habituellement, c'est très mode, très contemporain, mais ne t'inquiète pas, pas de couleurs « flyées » comme du rose ou du bleu.

— Oui… Mais ça dépend c'est quand, car je n'ai pas encore l'horaire du congrès.

— En arrivant à Québec, rappelle-moi et je vais confirmer avec mon amie. Je crois que c'est ce soir, autour de seize heures. Ça ne dure pas plus de deux heures. Elle te donnera un panier de produits capillaires gratuit à la fin du concours. Et si tu n'aimes pas le résultat, je te promets de te faire un truc à ton goût dès mardi, sans frais. Mais je ne m'inquiète pas du tout, elle est vraiment bonne, je t'assure. Elle est styliste-coloriste et elle travaille dans un des salons les plus réputés de Québec. Elle a déjà gagné plusieurs concours. Elle est vraiment dans la merde en ce moment.

— Ah bien, OK. On se parle plus tard pour voir si ça concorde avec mon horaire.

En raccrochant, elle se fait légèrement dévisager par ses copines. Étonnée, Katia la questionne :

— Tu vas le faire ?

— Pourquoi pas ! Elle est désespérée, la fille, justifie Caroline en bonne samaritaine.

— C'est risqué. Et si t'aimes pas le résultat ? fait valoir Vicky, qui n'oserait pas faire une chose pareille.

— J'ai les mêmes cheveux depuis toujours : ma petite coupe carrée aux épaules, ordinaire et sans éclat. Voilà une bonne façon de provoquer du changement. De toute façon, rien ne peut être pire que mes affreuses tresses au Mexique, rationalise Caro en se remémorant l'horrible chevelure qu'elle avait tant regrettée.

— Ha ! ha ! ha ! Non, ça peut pas être pire, en effet, rigole Katia, qui se rappelle également cet amusant souvenir.

— C'est vrai, dans le fond, t'es probablement chanceuse ; un service de styliste gratuit effectué par une pro en plus, réalise Vicky, de plus en plus envieuse de l'opportunité de son amie.

— Ouin, vu de même. Moi aussi j'aurais peut-être aimé ça, songe à son tour Katia en se palpant la tête.

— Je te jure, à la fin, je t'enviais carrément, avoue finalement Vicky.

— En plus, la coiffeuse était tellement déçue de pas avoir gagné le concours qu'elle a oublié de me remettre mon panier de produits. Elle m'a à peine dit merci en réalité. Non mais, remercie-moi un minimum au moins, peste Caroline, très amère face à la conclusion de cette épopée.

— Elle t'a jamais demandé ton avis pour savoir s'il y avait des trucs que tu ne voulais absolument pas ? demande Katia.

— Eille, tout s'est passé si vite, et elle était super stressée car elle tenait absolument à gagner. C'est un peu fou ce type de concours, explique Caro. Je pensais pas du tout que ça se déroulait comme ça...

Dans le courant de l'après-midi, Caroline reçoit sa confirmation à titre de participante au concours de coiffure. Celle-ci confie aux filles qu'elle est un peu inquiète de s'éclipser en douce de la salle de conférences.

— Vous croyez que les organisateurs vont se rendre compte que je ne suis pas au 5 à 7 ?

— Ben non, ils avaient l'air de dire que c'était optionnel, que c'était juste une occasion de fraterniser avec les participants du congrès. L'important, c'est le souper et la soirée après, je crois.

— Probablement que la plupart des gens vont aller se préparer à leur chambre et arriver plus tard de toute façon, l'encourage aussi Vicky. Vas-y, c'est tellement excitant ; j'ai hâte de voir le résultat ! Chanceuse !

— Bon, j'y vais, elle m'attend. C'est dans l'autre bâtiment, tout juste à côté. J'espère trouver l'endroit facilement.

— À tantôt !

Avec une nervosité indéniable, Caroline se dirige d'un pas rapide vers l'immeuble en question.

Un comité d'accueil en poste près des grandes portes ouvertes semble justement guider les arrivants vers la salle où a lieu le concours de coiffure. En déclinant son nom au complet, Caroline entend une fille, immobile près de l'entrée, l'interpeller :

— Allo ! C'est moi, Steffy. Je t'attendais.

— Allo !

— Ah oui ! Tes cheveux sont vraiment parfaits. Vite, on n'a pas de temps à perdre, ça commence dans cinq minutes.

Dans une course folle, elle suit la coiffeuse jusqu'à une grande scène tout au fond de la salle. L'ambiance très spéciale de l'endroit la frappe de plein fouet. La musique *lounge*, diffusée par un D.J. en poste au milieu de la pièce, est très forte ; des lumières scintillent de part et d'autre, tellement qu'on se croirait presque dans une discothèque. Il y fait tout de même sombre, et le large podium est éclairé comme s'il s'agissait d'un défilé de mode branché. Un animateur, vêtu d'un costume argenté flamboyant, se tient en avant de la grande scène, micro en main. Il annonce que le concours débutera sous peu. Les spectateurs applaudissent bruyamment. En prenant place sur une chaise de cuir devant l'assistance, Caroline, maintenant très emballée par le projet, se sent comme une superstar. Plusieurs photographes la prennent en photo de très près et sous tous les angles. Elle sourit discrètement, les joues un peu rougies, intimidée par toute cette attention.

Quelques minutes plus tard, le signal de départ est donné par un canon qui envoie une vague de confettis en l'air, à droite de la scène. Steffy s'active en lui disant :

— C'est parti ! Merci beaucoup d'avoir accepté, tu me sauves la vie.

Caroline, désireuse de se faire faire quelque chose en particulier, lui précise :

— J'aimerais bien avoir des mèches un peu plus pâles avec...

Steffy, très rapide dans ses gestes, lui coupe la parole sans hésiter :

— Non, non, je sais déjà ce que je vais te faire. Je me suis préparée d'avance. J'ai juste peur de manquer de temps. Je sais exactement le style que je veux exploiter.

— OK...

La styliste effectue plusieurs mélanges de produits avant de lui appliquer habilement la mixture à des endroits précis et stratégiques sur sa chevelure. Elle recouvre minutieusement les mèches une à une avec des papiers métalliques.

Après les quinze minutes d'attente requises pour que ce nouveau décolorant révolutionnaire effectue un travail ultrarapide, Steffy dirige de façon expéditive Caroline vers les lavabos alignés à l'arrière de la scène.

— Vite, vite, vite !

— Mon Dieu ! C'est stressant, hein ? fait Caro en trottinant à petits pas derrière elle.

— Oui, il me reste une heure vingt-cinq minutes pour la coloration, la coupe et la mise en plis.

— Quelle couleur as-tu choisie ?

Sans répondre à sa question, Steffy lui explique :

— C'est vraiment de super produits capillaires qui demandent la moitié moins de temps d'attente que les marques habituelles, mais la couleur ne tiendra pas longtemps, je t'avertis.

— Dommage.

La deuxième visite au lavabo terminée, Steffy commence la coupe, après avoir séché sommairement les cheveux de sa cobaye avec une serviette. Curieusement, elle n'utilise pas les ciseaux habituels d'un coiffeur, mais bien une simple lame, qui semble par ailleurs très bien affilée.

— Quel genre de coupe tu me fais ? demande Caro, qui ne dispose d'aucune glace pour se regarder, la salle en étant complètement dépourvue.

Des photographes viennent de nouveau la prendre en photo. Elle leur sourit à belles dents, à présent très à l'aise avec le contexte.

— Un truc simple, je vais miser sur la finesse des lignes de la coupe asymétrique.

En souriant de nouveau à un juge qui approche avec un bloc-notes où écrire ses impressions, Caroline répète :

— Asymétrique comment ?

— Tu vas voir, ça va être super beau.

Les yeux rougis d'avoir pleuré à chaudes larmes dans les toilettes qui font face à la salle du congrès où elle est attendue, Caroline se décide enfin à y entrer. Le souper commencera sous peu, elle doit donc y aller. Sa feuille de planification lui indique qu'elle a été assignée à la table numéro vingt-sept.

Naturellement, la personne responsable d'accueillir les participants à l'entrée la dévisage drôlement en la voyant approcher.

—Table vingt-sept, lui mentionne Caroline en regardant par terre.

La femme ne peut s'empêcher de lui demander, l'air très sérieux:

—Vous êtes... euh... professeure?

—Oui...

—C'est par là, la deuxième table au fond près du mur, lui indique-t-elle, toujours complètement abasourdie par le *look* extravagant de la nouvelle arrivante.

La soirée n'étant pas encore officiellement commencée, tous les congressistes bavardent en faisant connaissance avec les convives présents à leur table. Les filles ne sont malheureusement pas assises ensemble, l'objectif de l'activité étant de connaître de nouveaux partenaires et collègues qui œuvrent dans le monde de l'enseignement.

Vicky, qui avait justement le nez en l'air, porte la main à sa bouche en voyant Caroline passer près de sa table pour se rendre à la sienne. Comme celle-ci arrive presque la dernière, plusieurs tournent la tête sur son passage. Katia, qui entend une femme près d'elle s'écrier: «Mon Dieu!», lève aussi les yeux pour connaître la raison de sa stupéfaction soudaine. Elle aperçoit Caroline, qui repère la vingt-sept puis y prend place.

— Ayoye! lance Katia à voix haute, sans que les personnes autour d'elle ne se doutent que la femme aux cheveux bigarrés s'avère son amie.

— C'est fou à quel point les gens sont prêts à faire n'importe quoi pour attirer l'attention. Franchement! Je me demande bien dans quelle sphère de l'enseignement cette femme-là travaille, réagit la voisine de table de Katia, manifestement outrée.

— Non, non, ne la jugez pas. C'est ma collègue, qui est enseignante de français. Elle vient juste de participer à un concours de coiffure pour dépanner quelqu'un. Elle ne devait pas s'attendre à ce genre de résultat..., rectifie candidement Katia, qui s'allonge encore plus le cou pour bien apercevoir son amie.

Sa coupe, plus qu'extravagante, laisse entrevoir une variété de couleurs, passant du noir au blond très pâle dans les pointes. Au milieu de sa tête, une ligne bien définie et rouge flamboyant semble diviser son crâne en deux. Tous ses cheveux sont ramenés sur un côté et, de loin, on dirait que l'autre côté est rasé sur environ dix centimètres à partir du sommet de son oreille jusqu'à la nuque. L'ensemble de sa chevelure forme une seule et même vague, d'apparence très rigide. La racine de ses cheveux est crêpée assez haut au-dessus de sa tête, puis tombe ensuite dans une ondulation faisant pointer la base de ses cheveux en direction opposée à son visage. Un *look* inspiré des années yé-yé, mais avec une touche ultramoderne.

En s'assoyant à sa table, Caroline, qui se sent incontestablement jugée, déclare, humiliée :

— Ma coupe est très spéciale ; je viens de participer à un concours de coiffure au Centre des congrès pour dépanner une amie et je n'ai pas eu le temps d'aller à ma chambre pour tenter de réparer les dégâts.

— Ah non, euh... c'est... euh... beau. Original ! ment sans hésiter une femme, assise devant elle, pour se montrer sympathique.

— Oui, oui, c'est..., débute une autre femme, sans toutefois trouver les mots ni le courage de terminer sa phrase.

Heureusement, le maître de cérémonie prend tout à coup la parole à l'avant de la salle, épargnant donc à cette femme de devoir proférer à son tour un mensonge.

— Quand je t'ai vue arriver, je ca-po-tais, avoue Vicky.

— Tout le monde te regardait !

— OK, j'ai eu l'air d'une vraie folle, ça va, je le sais.

— Mais en même temps, je me disais : « Ah, c'est pas si grave dans le fond, personne de notre école ne va la voir », se souvient Katia.

— Exact ! Je me disais la même chose et ça m'a aidée à me calmer les nerfs un peu. Jusqu'à ce que le jeu d'échange de tables commence et que j'aperçoive...

— Ben oui ! C'est fou ! Pourquoi il nous a pas dit qu'il serait présent ? Les hommes ont tous des visages à deux faces ! lance Katia, toujours dépitée de sa fin de congrès.

— Aucune idée..., balbutie Vicky, qui se pose également la même question.

Après que les congressistes eurent mangé leur entrée à la première table qu'on leur avait assignée, le maître de cérémonie annonce qu'un second numéro de table se trouve sous leur assiette décorative. Tous doivent se diriger vers leur nouvelle table pour le potage. Dans une ambiance d'excitation, chacun se salue avant de quitter son siège pour procéder à la seconde étape de ce souper échangiste. Les trois filles en profitent pour se réunir au centre de la salle afin de bavarder un peu.

— Simonaque, Caro ! Tes cheveux ? lui exprime Vicky en arrivant tout près d'elle.

— Ne m'en parle pas ! J'ai pleuré dans les toilettes pendant vingt minutes tantôt. Il faut pas que j'y pense. C'est l'horreur, avoue celle-ci, fort honteuse, en enfonçant ses doigts dans sa chevelure hyperlaquée.

— C'est pas si pire que ça. Nous, on te connaît, donc on sait que c'est pas du tout ton genre, tente de la rassurer Katia, qui fait pivoter sa compagne d'un demi-tour pour bien analyser le désastre.

— Non, c'est une vraie honte. Je dois préciser aux gens que je suis prof de français. Pas très crédible, le *look* punk, dans un congrès du ministère de l'Éducation, rationalise Caro, presque au bord des larmes de nouveau.

— Dis-toi au moins que tu croiseras personne que tu connais ici. Les gens vont croire que t'es simplement une prof un peu originale, c'est tout! prétend Vicky, qui essaie à son tour de la réconforter, en continuant d'analyser les cheveux de son amie, les yeux plissés. Elle t'a carrément rasé le côté de la tête?

— Je sais. Quand j'ai réalisé que le truc qui faisait du bruit dans ses mains était un rasoir électrique, il était, disons, un peu trop tard pour intervenir...

— Ouin...

En s'avançant comme on le fait pour confier un secret, Katia lui partage une information importante:

— Dans un tout autre ordre d'idées, on a vu un méchant beau gars!

Ce détail futile étant à des années-lumière de ses préoccupations actuelles, Caro se montre tout de même à l'écoute de son amie en demandant:

— Où ça?

Excitée comme une puce, Vicky enchaîne:

— À gauche, là-bas... Le gars debout avec la chemise rayée noir et blanc...

Caroline cherche quelques instants du regard avant de repérer le grand et solide gaillard qui se trouve de biais avec elles. Elle ne peut s'empêcher d'agrandir les yeux.

— *My God!* Hein? lui lance Katia, totalement émoustillée, heureuse de la voir ainsi confirmer leur fameuse découverte.

— Un genre de mélange entre Brad et Bradley[4], je capote! rajoute Vicky.

En effet, le type ressemble à un mannequin et paraît très élégant. De côté, on voit se dessiner sa mâchoire carrée et saillante, qui lui donne l'air de poser pour une affiche publicitaire de parfum ou de lunettes de soleil. Ses cheveux courts et bruns sont parfaitement taillés, et son menton est piqué d'une barbe de quelques jours tout aussi bien taillée. Même de loin, le jeune quarantenaire possède une posture et une prestance quasi royales.

— Tellement *sexy*... On l'a justement surnommé «le 6e» en référence au «*sexe floor*», explique Katia à Caroline, pour la mettre au courant du surnom de ce dieu grec.

— Le 6e? répète Caro, en doutant de la qualité dudit surnom.

— Salut, mes trois préférées! murmure alors un homme en guise d'introduction en arrivant derrière elles.

Stupéfaites, les filles se retournent en même temps pour voir qui les interpelle de la sorte.

— Marc? sursaute Vicky en apercevant l'enseignant d'éducation physique de deuxième cycle de leur polyvalente.

---

4. Encore Cooper... Je sais, je sais. Votre auteure semble peu originale dans ses fantasmes hollywoodiens.

Marc est d'ailleurs celui qui avait trouvé la vidéo compromettante des filles durant leur voyage au Mexique, l'année dernière.

— Surprise ! fait celui-ci en haussant les épaules, amusé de découvrir de l'ahurissement dans le regard médusé de ses collègues.

— T'es là...

— Oui, je suis là ! C'est bien moi, je pense, plaisante celui-ci en se caressant le torse, comme s'il prenait conscience de son corps au même moment.

Les trois amies semblent interloquées et restent bouche bée. Il lorgne un peu la coiffure spectaculaire de sa collègue enseignante de français, avant de se moquer :

— À ce que je vois, t'es déjà prête pour le *party* d'Halloween de samedi soir, Caroline ?

— C'est ça, oui, je me suis prise d'avance cette année...

— On savait pas que tu serais ici. C'est le *fun*, ment Vicky en lui adressant le pire sourire forcé de toute l'histoire des mimiques faciales du monde entier.

— Oui, le directeur m'a envoyé en mission pour m'assurer que vous ne feriez pas honte à notre école. Au cas où vous auriez envie de vous mettre les boules à l'air autour de la piscine de l'hôtel, des trucs comme ça[5], déclare Marc, sans gêne, un sourire narquois sur les lèvres.

---

5. Lire *Ce qui se passe au Mexique reste au Mexique !* pour comprendre...

— Ha ! ha ! ha ! fait Caroline avec un rire forcé, rougissant tout de même un peu.

— Sans blague, un collègue avec qui j'ai étudié à l'université m'a écrit la semaine dernière pour me dire qu'il venait ici en fin de semaine. J'ai donc demandé au directeur de m'inscrire à la dernière minute et il a accepté. C'est génial, hein ?

— Ben oui, toi ! fait mine d'approuver Vicky, l'air très déçu que celui-ci vienne s'immiscer dans leur week-end de « vacances de filles ».

— Faites pas trop les folles. Je vous ai à l'œil ! rigole-t-il en reculant de quelques pas.

Comme le maître de cérémonie prie tout le monde de prendre place pour la suite du service, les filles se dévisagent en silence avant de se rendre à leur tour à leur nouvelle table.

Les filles réfléchissent à ce dernier détail, qui avait sans conteste ennuagé le début de leur fin de semaine de rêve.

— Ouin…, se remémore Caro, sans ajouter rien de plus.

— C'était tellement décevant de le voir là. Je me suis dit : « Bon, si on s'éclate, il va tout moucharder », explique Katia.

— Finalement, on l'a presque pas vu du week-end, il me semble, se rappelle Vicky.

— Il s'est sûrement envoyé en l'air avec la fille dont on a entendu parler...

— Aucune idée. Il faut dire qu'on était souvent « ailleurs », évoque Vicky.

— Reste qu'il se retrouve encore une fois propriétaire d'une vidéo compromettante sur nous, s'inquiète Caro, les yeux rivés sur la route.

— Oui, mais tout ça faisait partie d'un spectacle en bonne et due forme. Ça ne compte pas.

— Il voulait juste faire son comique, je crois. Il n'a rien fait l'an dernier avec notre film, finalement, les rassure Vicky d'un ton convaincu. Pourquoi il ferait ça, de toute façon ?

— Un jour, on va recevoir une lettre de menaces stipulant qu'on doit lui remettre de l'argent sinon il déclarera tout à nos familles et à nos amis, exagère Caroline, toujours aussi dramatique.

— Ou, encore, il va nous donner rendez-vous quelque part et nous forcer à lui faire des trucs sexuels dégradants. Mais Marc étant beau bonhomme, je serais pas contre l'idée, avoue Katia, qui se lèche les lèvres avec appétit en songeant à la chose.

— Beau, peut-être, mais chiant comme pas un, précise Vicky.

— Quand je repense à ta face, quand tu t'es aperçue que « le 6e » était assis à ta table, s'amuse Caroline en s'adressant à Katia.

— Les filles, je capotais ! Sérieusement, les gens se présentaient à voix haute et je n'écoutais pas pantoute. Je le regardais sûrement en ayant la bouche ouverte comme une tarte, décrit Katia en se mimant pour montrer l'image d'elle ce jour-là. Je me demandais comment me tenir, comment être charmante... Je ne pensais qu'à ça, j'étais obsédée raide dingue par ce dont j'avais l'air.

— Et c'est là que tu as découvert..., présume Vicky avec une moue de désolation digne d'accompagner un « mes sympathies » à un enterrement.

— Oui... la réalité m'a vite rattrapée, disons. Quelle erreur de la nature humaine ! Pourquoi c'est tombé sur lui, hein ? Pourquoi ? demande Katia en levant bien haut les bras, l'air de questionner directement Dieu le Père en personne.

Katia avance dans une rangée en regardant bien les numéros de table. Elle cherche la sienne, la trente-quatre. Comme elle repère la trente-cinq et la trente-sept, elle pivote sur elle-même en se disant que la trente-quatre se trouvera probablement de biais avec celles-ci. Bingo ! Elle fige presque sur place en apercevant le beau gars, alias le 6e, déjà assis. Reprenant vite ses esprits, elle pousse carrément un homme avec les hanches afin de lui subtiliser la chaise libre qu'il convoitait. Katia se retrouve ainsi voisine de l'homme mannequin. Personne ne remarque sa manœuvre cavalière sauf le pauvre type bousculé, qui recule d'un pas. Un peu saisi mais vaincu, il rebrousse chemin vers une place libre, à l'autre bout de la grande table circulaire. Sans le regarder, Katia s'installe en souriant jusqu'aux oreilles à monsieur le 6e, qui l'accueille en montrant aussi les dents. Des dents d'une blancheur immaculée, parfaitement alignées dans une bouche tout aussi impeccable que le reste de sa personne. Katia tourne la tête, cherchant des yeux ses amies, afin de partager avec elles l'extraordinaire nouvelle. Elle croise le regard de Caroline. Discrètement, elle ouvre la bouche et écarquille les yeux pour tenter de lui faire comprendre la situation excitante. Caro fait dévier son regard et remarque en effet que son amie siège à côté du bel apollon. Elle lui sourit en retour, contente pour elle.

Trop préoccupée à replacer son chemisier et à adopter une posture féminine et lascive en rejetant ses épaules vers l'arrière, Katia n'entend pas que quelqu'un s'adresse à elle depuis déjà un moment.

— Madame ?

— Oui ? fait-elle en s'intéressant soudainement à la conversation qu'elle n'écoutait pas du tout.

C'est à son tour de se présenter. Tous les convives la regardent, attendant patiemment qu'elle fasse comme les autres.

— Heu... Katia, prof d'anglais à Gatineau, dit-elle finalement, l'air très bizarre.

Au même moment, les potages sont servis. Katia, qui se demande bien comment elle parviendra à manger une soupe de façon séduisante, n'écoute pas une femme qui commente favorablement les entrées qu'ils ont mangées à la table précédente. Elle ne songe qu'à la façon adéquate de lever son petit doigt tout en tenant sa cuillère comme le font les femmes distinguées dans les films d'époque. En agrippant l'ustensile, elle essaie discrètement d'esquisser le bon geste. Satisfaite du résultat, elle prend une première bouchée de potage en battant des cils en direction du bel adonis, à qui c'est maintenant le tour de se présenter.

Il pose la main sur son torse et déclare :

— Çe m'appelle Maçime. Çe suis prof de çéographie.

En l'entendant susseyer[6] ainsi, Katia laisse carrément tomber sa cuillère dans son bol, ce qui couvre la nappe d'éclaboussures de potage.

— Oupssssss, s'exclame Maxime en constatant le beau gâchis.

— Voyons ? Excusez-moi, se repend Katia, consciente de sa bourde.

— Ç'est un potaçe à quoi ? s'intéresse le 6e pour faire diversion.

— Un potage aux courçes... euh aux courges, je pense, se reprend rapidement Katia, qui, sans trop savoir pourquoi, a imité le défaut de prononciation de Maxime.

---

6. Cette fois-ci, il s'agit d'un vrai mot. Vice de prononciation, qui consiste notamment à prononcer incorrectement les *s*, les *g* ou les *j*.

— Ah ! Ç'aime ça les courçes, se réjouit Maxime en goûtant son plat.

— La déception du siècle. Je pense pas avoir été autant désappointée de toute ma vie entière. Quessé ça ? J'ai seulement échappé ma cuillère dans ma soupe, mais honnêtement, j'ai moi-même failli tomber en bas de ma chaise. Je me demande ce qui est pire entre le drame de la fin du congrès et ça ! déclare Katia en exagérant.

— Terrible désillusion, en effet, rajoute Vicky en riant sous cape.

— Les filles, riez pas de lui. C'est pas fin. Il a un problème de langage, pauvre gars. Comme certains élèves dans nos classes, les ramène à l'ordre Caroline, pour leur rappeler de se montrer un peu plus compatissantes.

— NON ! Il n'avait juste pas le droit, peste Katia en restant ferme sur sa position.

— La différence est que nos élèves vont voir l'orthophoniste ; la plupart du temps, le problème d'élocution disparaît complètement avant l'âge adulte, fait remarquer Vicky.

— Comment vouliez-vous que je m'imagine au lit avec lui ? Écoute, le grand, on va jouer aux fesses, mais parle pas, OK ? bouffonne Katia en prenant un ton extrêmement doux et bienveillant.

— Franchement, balbutie Caro pour toute réaction.

— Tu lui dis : « J'aime faire l'amour en silence, mon beau », suggère Vicky.

— Oui, et au moment où t'es sur le point d'atteindre l'orgasme, il te dit : « Çççç'aime ça... » ARK ! Non, oublie ça, le projet a avorté dès qu'il a ouvert la bouche pour « sucer ».

— Quand il a ouvert « ça bouçe », tu veux dire. D'où la modification de son nom pour « le 6e qui suce », déconne Vicky en imitant le tic verbal de l'homme.

Prise de pitié pour le pauvre type, Caroline reproche de nouveau à ses amies :

— Vous êtes vraiment pas fines.

— Et quand il s'est mis à manger son potage, il sapait tellement en plus. Non, je vous dis, les filles, c'était le comble de la désillusion. En tout cas...

Diverties par cet exercice de remémoration, les filles, surtout Katia, oublient peu à peu leur fin de congrès désastreuse. Elles reviennent sur des détails plus amusants :

— Le pire, ce sont ces gens qui font des fous d'eux pendant un... congrès, émet Katia avant de se mettre à siffloter.

— Eille ! Pas fort de notre part. Avec la tête que j'avais en plus, stipule Caroline, avec grand regret.

— C'est quoi aussi l'idée de mettre une activité de ce genre le premier soir d'un congrès ? Les participants perdent automatiquement toute crédibilité pour le reste du week-end, tente encore de comprendre Vicky, pas très fière d'elle.

— Honnêtement, c'est flou dans ma tête. Quand on est à moitié « cocktail », c'est pas évident, avoue Katia qui plisse les sourcils, à la recherche d'informations mnésiques.

— Moi, je m'en souviens assez clairement...

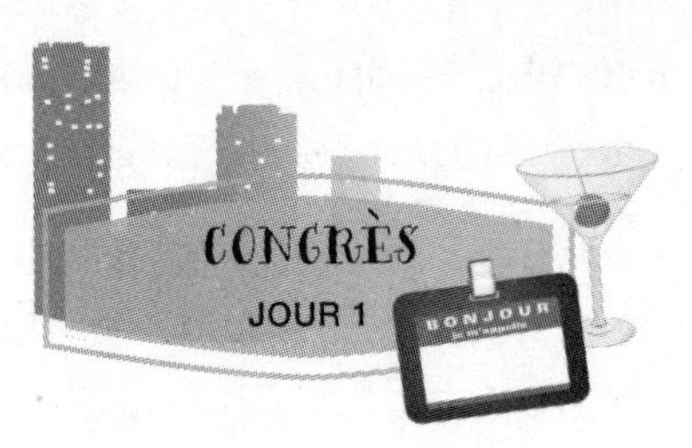

Debout, à l'avant de la grande salle, l'animateur de la soirée clame haut et fort dans le micro :

— On demande votre attention, s'il vous plaît !

L'assistance l'écoute à peine et tous les congressistes continuent de discuter gaiement avec leurs voisins. L'alcool ayant alimenté le flot de discussions, l'ambiance a monté d'un cran décibellement[7] parlant depuis le plat principal. L'homme tente de nouveau d'attirer l'attention :

— S'il vous plaît...

Le bruit diminue légèrement pendant quelques secondes avant de s'intensifier de plus belle. Misère ! Les représentants du monde de l'éducation s'avèrent curieusement très difficiles à ramener à l'ordre. Cordonniers mal chaussés ?

---

7. Quel beau mot ! À paraître très certainement dans le dictionnaire *Le Petit Dubois illustré...*

— S'il vous plaît ! Un peu de SILENCE !

Après cinq autres minutes de quasi-supplications de la part du pauvre responsable de l'animation de la soirée, il obtient enfin un calme acceptable afin de poursuivre son intervention.

— Merci, merci. Nous espérons que le souper vous a plu. Pour la suite de la soirée, le ministère a décidé de vous offrir comme divertissement : la magie, la folie et l'irréel, à travers un voyage fantastique dans un monde inconnu.

Après qu'il eût ainsi piqué la curiosité de l'assistance, celle-ci cesse presque complètement son bavardage pour enfin entendre l'annonce de la surprise de la soirée. Le responsable maintient le suspense quelques secondes avant de déclarer, le bras tendu vers la droite :

— Je vous prie d'accueillir chaleureusement le talentueux Hypnotisarus !

— Ha ! ha ! Pourquoi il s'est donné un nom rimant avec anus ? rigole Katia à l'intention de sa voisine, une enseignante d'éthique et culture religieuse[8], qui fronce les sourcils en ne semblant pas comprendre tout à fait sa blague.

Voyant que son humour ne fait pas l'unanimité, elle cherche des yeux ses compagnes assises à quelques tables d'elle. Vicky lève un pouce en l'air dans sa direction tandis que Caroline essaie toujours désespérément de replacer sa chevelure excentrique.

---

8. Appelée communément « prof d'ECR ».

L'hypnotiseur, dans la fin trentaine, débute son spectacle par une blague afin de briser la glace:

— Deux amis discutent ensemble. L'un d'eux dit: «Tu devrais rencontrer ma femme. Elle est médium et peut me dire l'avenir.» L'autre lui répond: «Ben t'as de la chance, la mienne est extra large et elle ne me dit plus rien.»

De bonne foi, les gens rient un peu, pour l'encourager. Stimulé à souhait par cette réaction positive, il s'emballe et partage une nouvelle plaisanterie:

— Un professeur en congrès murmure à sa voisine: «Le champagne vous rend jolie.» Elle lui répond: «Mais, je n'en ai pas bu une seule coupe!» Il enchaîne: «Oui, mais moi, j'en suis à ma dixième!»

Celle-là récolte un peu plus de succès que la première, mais rien pour le rendre digne d'être invité au Festival Juste pour rire. Convaincu de soulever la foule, il rigole de bon cœur de sa blague précédente et semble vouloir enchaîner avec une autre. Katia, qui est loin de s'amuser autant que lui, commente:

— Ouf! Reste dans ton champ de compétence et hypnotise, le grand...

Toujours très excité, il poursuit:

— Une autre, une autre! La femme est, selon la Bible, la dernière chose que Dieu ait créée. Il a dû la modeler le samedi soir parce qu'on sent bien la fatigue. Ha! ha! ha!

Bon, le voilà complètement hilare. Presque personne ne rit dans la salle. Les gens se regardent, se demandant:

«Mais à quoi rime cette introduction de spectacle totalement nulle?»

Tenace, il persiste:

—Je blague, mesdames! Une petite question pour les messieurs, maintenant: Savez-vous quoi faire quand votre lave-vaisselle tombe en panne? Donnez-lui un bon coup de pied au derrière pour que cette fainéante se remette au boulot. Ha! ha! ha!

Maintenant plus qu'ennuyée, voire un peu offensée, la foule recommence à causer en faisant fi de sa présence. Constatant finalement que le volet humour de son introduction de spectacle est un échec, il reprend vite son sérieux; il hausse le ton pour proposer une activité préparatoire à l'assistance.

—Nous allons maintenant partir à la chasse aux candidates. Vous vous demandez sûrement pourquoi je recherche juste des «candidates»? Parce qu'une fois que je les aurai endormies, je pourrai leur suggérer de devenir mes esclaves toute la soirée! Ha! ha! ha!

Un homme d'une soixantaine d'années, l'air complètement bourré, s'esclaffe en entendant cette blague sexiste de mauvais goût, comme si c'était la meilleure qu'il ait entendue de sa vie. Il claironne de sa place:

—Je te rejoins plus tard et on les partage?

Les congressistes se jettent des regards furtifs. De toute évidence, ils trouvent les propos de l'individu tout à fait déplacés. Un homme à la table de Caroline affirme:

— Franchement ! Le type qui vient de crier est directeur adjoint d'une polyvalente de la commission scolaire Des Ruisseaux...

— Mon Dieu, réplique Caro, scandalisée de voir un homme de la haute direction tenir publiquement ce genre de propos.

À sa table, Katia se penche de nouveau vers sa voisine pour lui déclarer :

— Ça passe toujours bien, une petite blague d'abus sexuel en début de spectacle...

— Comment ça, d'abus sexuel ? demande l'enseignante d'ECR, qui ne comprend pas l'allusion de Katia, son état d'esprit demeurant toujours au premier degré.

— Rien, c'était une blague.

— Ah, je ne l'ai pas comprise...

De son côté, Vicky, excédée des regards séducteurs d'un vieil enseignant de musique au nez rougi par l'alcool, focalise plutôt son attention sur la scène en espérant y voir une quelconque action débuter sous peu.

Prenant la sage décision de laisser tomber sa carrière d'humoriste, Hypnotisarus demande à toute l'assistance de se lever. Mauvaise idée. Excité par ce mouvement de masse, tout le monde se remet à discuter de plus belle, dans un bruit strident de chaises qui se déplacent.

— OK ! OK ! OK ! Silence ! Bon... de cette façon, je vois toutes les belles filles potentielles ! lance encore l'hypnotiseur, incapable de s'en empêcher, en éloignant le micro de sa bouche pour rire de nouveau.

— Bon ! C'est bien qu'il en rajoute encore, parce que tout à l'heure, c'était pas assez déplacé, ironise Katia à l'intention des gens autour d'elle.

Deux hommes acquiescent, tandis que l'enseignante d'ECR semble une fois de plus confuse face à la signification des propos sarcastiques de Katia.

Après quelques minutes d'appel au calme, l'hypnotiseur lève subitement un bras en l'air et une musique mystérieuse retentit.

— Moment de vérité, mesdames et messieurs. J'ai besoin d'un silence complet pour exécuter le tour suivant. Je vais faire un test d'hypnose de groupe. Vous devez joindre vos mains l'une contre l'autre et simplement écouter le son de ma voix…

Tout le monde s'exécute, sceptique et amusé de l'exercice demandé.

— SILENCE ! Fermez les yeux et concentrez-vous.

Au moment où la musique s'arrête net, l'homme a probablement réussi là l'unique tour de force de la soirée ; la salle est complètement silencieuse. Pas un son.

Il débute alors ses suggestions hypnotiques en disant aux gens qu'au compte de trois leurs mains deviendront soudées, qu'ils seront incapables de les détacher, qu'une grande force les maintiendra ensemble, qu'ils ne pourront rien faire contre cette attraction… Puis il compte haut et fort :

— UN ! DEUX ! TROIS !

Au moment de la fin du décompte, Caroline ouvre les yeux et se surprend elle-même à ne plus pouvoir séparer ses mains. En jetant un œil circulaire, elle constate que plusieurs semblent être dans la même situation qu'elle. L'effervescence gagne toute l'assistance. Des gens paraissent vraisemblablement pris dans cette posture, tandis que d'autres ont tout simplement séparé leurs paumes sans difficulté. Vicky, les mains également liées ensemble, tente de comprendre l'incroyable phénomène. Katia, qui s'amuse de la tournure des événements, envoie un regard à l'enseignante d'éthique, qui panique presque à l'idée que ses mains demeurent soudées contre son gré. Bien que les siennes ne soient pas restées prises, Katia décide de jouer le jeu et s'approche d'elle pour lui lancer, l'air stupéfait :

— Mes mains sont collées ensemble !

— Moi aussi.

Hypnotisarus invite tous ceux dont les paumes continuent à être agglutinées à avancer vers lui. En voyant Vicky et Caro se diriger vers l'avant, Katia maintient intentionnellement ses doigts liés pour retrouver ses amies. Les filles se rejoignent entre deux tables, pour commenter leur expérience.

— C'est n'importe quoi ! dit Caro en direction de ses amies, affolée.

— Complètement absurde ! déclare Katia malgré sa feinte.

Au même moment, elle voit les mains de Vicky se détacher comme par magie. Celle-ci la fixe en se demandant alors si elle doit tout de même se rendre à l'avant.

— Viens quand même, ça va être drôle.

Vicky remet ses mains ensemble et suit ses copines vers l'avant. En analysant ses candidats potentiels, le type renvoie d'emblée certains participants dont les mains se détachent finalement d'elles-mêmes. Un groupe d'une trentaine de personnes reste alors devant lui. Il libère les gens du sort en comptant jusqu'à trois, puis demande qui parmi eux se porte volontaire pour participer à la deuxième portion du spectacle. Certains congressistes font « non » de la tête et regagnent tout simplement leur place. De connivence, les trois filles restent et s'assoient sur les chaises en bois mises à la disposition des participants.

— Moi, les miennes n'ont jamais collé, avoue finalement Katia à ses amies.

— Pas vrai ! Je te crois pas, balbutie Vicky. Tu pouvais bien me dire : « Viens quand même, ça va être drôle ! »

— Je pensais que si ce truc-là ne fonctionnait pas, le reste ne marcherait pas non plus[9] ? s'interroge Caroline, perplexe.

---

9. Fausse croyance. En réalité, il y a très peu de personnes qui ne peuvent pas être hypnotisées. Le test des mains, souvent utilisé lors de spectacles, sert seulement à déceler celles qui répondent plus facilement que d'autres à l'hypnose. Croyez-moi sur parole, je le sais... 😉

— Moi aussi. Je me suis alors dit: «Je vais lui rendre la vie dure durant son spectacle, au petit comique», confesse Katia.

— En tout cas, on a la preuve que c'est pas le cas, vu ce que t'as fait, la taquine Vicky, les yeux bien ronds.

— OK, c'est beau, là, réplique Katia comme pour la prier de cesser de rire à ses dépens.

Caroline rajoute:

— Je me souviens que je te trouvais complètement déchaînée.

— J'ai eu l'air d'une vraie folle! *My God…*

Après quelques mises en scène drôles avec d'autres concurrents, Hypnotisarus invite aléatoirement Katia et l'enseignante d'éthique à se joindre à lui. Toujours sous hypnose, les deux femmes coopèrent docilement en se tenant bien droites devant la scène, prêtes à recevoir les consignes.

— Maintenant, il est l'heure d'aller coucher les enfants, car nous entamons la partie plus osée du spectacle. Mes pauvres petites dames, votre emploi est malheureusement en jeu. Au compte de trois, afin de conserver votre poste d'enseignante, vous allez nous effectuer les performances de danse les plus impressionnantes de votre vie, et ce, en tenant compte du style musical et en gardant vos vêtements, bien entendu. Ha! ha! ha! Vos patrons sont ici ce soir et ils vous regardent. Vous dansez pour ne pas perdre votre poste, je vous le répète. Sinon, vous serez au chômage et à la rue...

C'est l'euphorie dans la salle.

— UN! DEUX! TROIS!

Débute une musique hip-hop rythmée; les deux femmes lèvent les bras avant de se mettre à sauter dans tous les sens. Katia balance la tête de haut en bas telle une danseuse de rap, tandis que l'autre femme dresse les genoux en laissant exagérément pointer sa poitrine, les omoplates bien collées ensemble. Elles ressemblent à deux adolescentes ayant consommé des amphétamines lors d'un *party* de sous-sol. La musique change subitement pour faire place à du vieux rock. Katia ajuste son style en se mettant plutôt à sauter sur place à pieds joints, en balançant ses cheveux dans tous les sens. L'enseignante d'éthique fait semblant de jouer d'une guitare invisible tel un membre des Rolling Stones. Tout le monde rit aux larmes. Katia décide finalement d'accompagner sa partenaire avec une batterie imaginaire, qu'elle mitraille de coups. La musique change encore soudainement, pour du classique cette fois-ci. À la première note de piano, les deux femmes improvisent avec brio une chorégraphie de danse contemporaine tout en suivant parfaitement le tempo de la musique douce. Katia se lance au sol en ondulant les épaules au rythme du violoncelle. L'autre femme secoue les bras au-dessus de sa tête, ayant l'air d'imiter le mouvement d'un arbre agité par de grands vents. La scène est tordante et les deux candidates semblent beaucoup trop sérieuses compte tenu de l'extrême ridicule de leur performance. Le morceau qui débute ensuite rappelle une pièce classique de danse de *strip-tease*. L'enseignante d'éthique, qui se métamorphose littéralement en danseuse *sexy*, se prend les hanches à deux mains en tournant sur elle-même. Katia se redresse et propulse sa jambe droite en l'air sans crier gare, avant de se pencher vers ses pieds pour ensuite relever sensuellement ses cheveux telle une garce. L'hilarité dans la salle atteint son paroxysme. Katia, qui se prend maintenant les seins à deux mains, semble carrément vouloir enlever son chemisier. Maintenant au sol, l'autre femme écarte les jambes de façon invitante en lorgnant avec envie un homme assis à une table devant la scène. Un malaise s'immisce tranquillement parmi la foule. Les éclats de rire diminuent tout à coup et les gens se regardent. S'apercevant que la situation pourrait quasi dégénérer en orgie, l'hypnotiseur s'approche rapidement des filles afin de les réveiller. En le voyant arriver près d'elle, Katia empoigne sans gêne la boucle de sa ceinture pour le rapprocher d'elle; elle se laisse descendre le long des jambes de l'homme en ondulant avec suavité les fesses de gauche à droite. En deux temps trois mouvements, l'autre participante agrippe Katia par-derrière en faisant glisser ses mains le long de son corps. Pris d'assaut, le jeune homme se libère de peine et de misère et il réveille illico les deux concurrentes déchaînées.

— Vous vous réveillerez au compte de trois. UN! DEUX! TROIS!

Les filles sortent des limbes, un peu confuses de se retrouver dans cette posture peu gracieuse. Katia est accroupie devant Hypnotisarus, juste à la hauteur de la fermeture éclair de son pantalon, et l'autre femme, penchée aussi, tient les hanches de sa compétitrice en lui soufflant dans le dos. En s'assoyant chacune sur leur chaise comme leur a demandé l'hypnotiseur, elles semblent faire peu de cas de ce qui vient de se produire. Leur visage est impassible et sans émotion.

—Je crois qu'elles vont conserver leur emploi, qu'en pensez-vous? crie l'hypnotiseur dans son micro en s'adressant à l'assistance médusée.

Soulagés que celui-ci ait enfin réveillé les deux congressistes qui dérapaient, les gens approuvent en applaudissant.

Les deux concurrentes, assises nonchalamment sur leur chaise, restent flegmatiques. Leur regard respectif semble vide, voire un peu fuyant.

—Méchant Hypnoti-anus, ouais, commente simplement Katia pour rire du type en question.

—C'était n'importe quoi, ce concept-là...

—T'étais terrible, Kat. À un moment donné, je me disais: elle va lui baisser les culottes devant tout le monde. Mais en même temps, j'étais comme *stone*, alors je m'en foutais, explique Vicky, qui tente de se remémorer tant bien que mal son état psychique d'alors.

—Moi aussi, aucune réaction. J'étais juste comme un gros légume assis sur ma chaise, se souvient Caroline.

— J'ai eu l'air idiote à mon tour quand il m'a fait péter les plombs. Je risque de perdre ma licence d'enseignement pour de vrai, se rappelle également Vicky avec regret.

— Non, toi, t'as juste dépeint un fantasme refoulé que TOUS les profs ont déjà eu, rectifie Katia avec persuasion.

En effet, durant un numéro subséquent, le type avait mis Vicky en contexte en lui disant: «Tu restes après la cloche avec un élève qui t'a traitée de grosse vache devant toute la classe...» Vicky, tel l'incroyable Hulk, était devenue complètement hystérique en balançant des insultes presque ordurières, ce qui n'était pas digne du tout d'une gestion de conflit efficace. L'hypnotiseur avait même ajouté que l'élève la traitait effrontément de vieille folle et qu'il la menaçait maintenant d'aller raconter à tout le monde qu'elle lui avait fait des avances sexuelles. Vicky avait carrément feint de sauter sur lui en serrant ses mains autour du cou de l'élève fictif. Elle criait avec fureur dans la salle: «Je vais te tuer, mon p'tit criss...» Ses menaces de mort avaient créé un léger froid dans l'assistance. Finalement, une fois le malaise instinctif dissipé, tout le monde avait éclaté de rire.

— Les filles, je me souviens de ma rage intérieure. Elle était incontrôlable, comme démesurée. J'aurais vraiment pu tuer quelqu'un, je pense, admet Vicky, les yeux encore écarquillés de stupeur.

— C'est curieux, le phénomène de l'hypnose; moi aussi je me souviens que ma tristesse était presque insoutenable au moment où tout se déroulait. Je savais très bien que c'était pas vrai, mais les émotions vives m'envahissaient, comme si c'était réel, donc je suivais la vague, décrit Caroline avec difficulté.

— Tu pleurais tellement, pauvre toi, se rappelle Katia en lui flattant le côté de l'épaule.

— Je sais; et tout mon maquillage a coulé. C'était pas assez d'avoir une tête monstrueuse, ça prenait une face pour aller avec.

La situation qui avait tant bouleversé Caroline (et, du coup, détruit son maquillage) était survenue vers la fin du spectacle; tous les participants présents à l'avant y avaient pris part. Dans la mise en scène, Caroline écoutait les nouvelles avec ses collègues dans la salle des professeurs. Elle tenait en main le billet de loterie qu'elle était chargée de valider pour tout le personnel de l'école, comme elle le faisait chaque semaine. Au fur et à mesure que les numéros étaient nommés par l'animatrice à la télé, elle se rendait compte qu'elle les possédait tous. Tout le monde s'était regroupé avec excitation autour d'elle pour entendre les autres numéros afin de voir si la suite des chiffres allait les faire gagner. Au dernier numéro prononcé, ce fut l'euphorie: le groupe avait remporté la coquette somme de cinquante millions de dollars. Les gens se sautaient dans les bras, Vicky pleurait de joie et Katia criait en tournant sur elle-même avant de prendre dans ses bras l'enseignante d'éthique qui lui avait fait des attouchements sexuels dans un numéro précédent. Après avoir laissé écouler quelques minutes, l'hypnotiseur les avait informés que le billet datait malheureusement de la semaine précédente. Caroline avait oublié de le valider auprès d'un commerçant. La fautive s'était donc effondrée sur le plancher dans une détresse incommensurable. Tout le monde s'était mis à l'insulter, très violemment. Caroline, écrasée au sol, telle une cancéreuse en phase terminale, ne semblait pas dans un pire état que si on lui avait annoncé que toute sa famille avait été liquidée dans un attentat terroriste aérien. L'hypnotiseur ne l'avait pas laissée longtemps dans ce désarroi, compte tenu de la vive intensité de la palette d'émotions. En se réveillant, elle avait semblé perplexe d'avoir le visage si trempé de larmes. Dans une confusion évidente, elle avait regagné sa chaise, en s'essuyant les joues du revers de la main, s'étalant ainsi le maquillage presque jusque derrière les oreilles.

— Je m'excuse encore, Caro, se repent Katia en fixant le siège devant elle.

— On n'était pas nous-mêmes. Voyons, je t'en veux pas, la rassure Caroline.

Durant le spectacle, en proie à une rage foudroyante d'avoir perdu autant d'argent à cause d'elle, Katia l'avait traitée de «grosse criss de nulle» devant tout le monde.

— Comme on disait, l'hypnose fait ressortir toutes les émotions à l'extrême, raisonne Katia, encore traumatisée d'avoir été si rude avec sa chère amie, et ce, devant une foule.

— En tout cas, ce fut très étrange comme expérience, conclut Vicky.

— À la fin du spectacle, quand il a radicalement gâché le reste de notre soirée, c'était pas l'idée du siècle non plus.

— Eille oui... Ouache!

Le spectacle tirant à sa fin, Hypnotisarus invite tous les participants à se placer en ligne devant la scène.

— Après toutes ces performances en rafales, vous devez avoir un petit creux. Nous allons vous distribuer la meilleure pomme qui soit. En réalité, vous avez terriblement faim, comme vous n'avez jamais eu faim dans votre vie…

Instinctivement, les participants salivent en l'écoutant décrire le fruit en question, qu'il affirme être «juteux et frais». Il ne leur remet toutefois pas une pomme, mais bien un gros oignon jaune duquel on a préalablement enlevé les pelures sèches.

— Regardez la pomme exquise, sentez-la. Elle sent bon. Mmm… Allez-y, croquez dans le fruit délicieux à pleines dents…

Sans plus attendre, ils se mettent à déguster l'oignon à grosses bouchées, comme si c'était l'aliment le plus succulent de la terre. Certains en laissent même échapper sur le plancher tellement ils semblent affamés.

— Mmmm ! C'est bon, miam-miam ! en rajoute l'hypnotiseur devant une salle totalement subjuguée de voir des gens manger si goulûment un légume au goût si prononcé.

Sans avertissement, il décide de «réveiller» les participants en plein milieu de leur séance de délectation. Tous se mettent alors à cracher leur bouchée, écœurés à souhait, en fixant l'hypnotiseur avec incompréhension. Plusieurs reniflent, car leurs yeux coulent à cause des vapeurs quasi corrosives de la chair du légume. Ahuris, les gens dans l'assistance applaudissent. Bien qu'un peu répugnant, ce numéro s'avère tout de même spectaculaire et très efficace pour prouver que l'hypnose n'est pas truquée du tout.

— J'ai vraiment failli vomir sur la scène. Je l'ai presque tout mangé. J'y repense et le cœur me lève, confesse Vicky, qui n'a jamais aimé les oignons. Il ne s'est pas douté, lui, qu'on allait peut-être vouloir flirter un tantinet le soir venu? J'ai eu l'impression de puer de la bouche pendant trois jours.

— Le pire, c'est vraiment quand il nous a dit en terminant: «Au décompte de trois, vous allez vous souvenir très clairement de tout ce que vous avez fait durant ce spectacle.» D'un seul coup, tout est revenu dans ma tête. Bang! Je capotais! soupire Caro, honteuse. Je fixais l'assistance, les joues pleines de mascara, avec ma coupe de cheveux de débile mentale, la bouche ouverte encore pleine d'oignons. Ah mon Dieu! Pas beau.

— Tu dis! Et moi, je me revoyais peloter grossièrement l'autre crétin devant tout le monde! s'égosille Katia, tout aussi indignée.

— Et moi, battre et menacer de mort un élève en sacrant devant la moitié des directeurs d'école du Québec...

— Drôle d'expérience. On m'y reprendra plus, je vous le jure, promet Caroline.

— Hypnoti-anus, oui. Je trouve encore que son spectacle n'était peut-être pas tout à fait adapté pour le genre de congrès auquel on participait.

— La question reste: à quel congrès participait-on exactement? plaisante Vicky, en souriant à ses amies.

— C'est précisément quand on s'est retrouvées au bistro de l'hôtel, après cette expérience traumatisante, que tout a commencé, hein? tente de se souvenir Caroline.

— Ouais, après qu'on se soit enfilé quelques *shooters* de courage au bar pour oublier notre humiliation publique et le fait qu'on allait probablement perdre notre *job* à notre retour en Outaouais, rabâche Vicky. Voilà notre deuxième erreur. Le signe des astres était: «Vous puez les oignons, restez donc cachées dans votre chambre au lieu de sortir, bande de connes.» On n'a pas écouté, encore une fois...

Comme le spectacle vient de se terminer, les organisateurs modifient l'ergonomie de la salle pour y aménager un espace dansant et y installer le D.J. qui animera le reste de cette soirée d'ouverture de congrès. Certaines personnes se retirent dans leur chambre, tandis que d'autres en profitent pour se dégourdir. Techniquement, les gens sont libres de participer ou non aux activités du soir.

— J'ai besoin d'un verre, et vite ! J'ai l'impression que tous les vieux bonhommes me font de l'œil à cause de mon quasi-*strip-tease* cochon, s'alarme Katia en remarquant certains regards coquins se poser sur elle.

— Euh, non, avant toute chose, j'ai besoin de m'arranger la face un peu, les prie Caroline en sachant très bien que son visage doit être barbouillé de crayon khôl.

— Et moi, je dois me laver les dents avec de l'Ajax. Je pue tellement, c'est inhumain, gémit Vicky avec consternation. Je suis toute dépeignée aussi...

— Faisons un saut à la chambre, alors, propose Katia, la seule qui dégage toujours une belle énergie malgré les événements récents.

« Sixième étage. *Sexe floor.* »

Caroline sort de l'ascenseur comme si elle avait le feu aux poudres, puis s'engage dans le corridor en commentant la situation :

— En vérité, je veux même pas me voir. Vous allez me démaquiller sans que je me regarde et je vais me coucher sous les couvertures et rester là pour le reste de ma vie.

— Non, tu vas voir. On va mouiller tes cheveux pour tenter de défaire ta mise en plis laide de Bibi[10] sur le *side*,

---

10. Qui se souvient de *Bibi et Geneviève* ? Une émission pour enfants de mon jeune temps. B-I-B-I Z9944X est ici !

et je suis certaine que ça va être moins pire que ça en a l'air, la rassure Katia, positive, mais tout de même peu flatteuse dans sa comparaison.

— Je pue ! Je pue ! Je pue ! C'est épouvantable ! fulmine Vicky, qui ne cesse depuis leur départ de la salle de sentir son haleine dans le creux de sa main.

— Mais non, réplique Katia avec désinvolture.

— Euh… oui, et vous deux aussi, vous puez, en passant. Si vous le saviez pas, je vous l'annonce officiellement, rage-t-elle, toujours outrée.

— Arrêtez de capoter. *No problem !* fait Katia en ouvrant la porte de la chambre.

Caroline ne peut s'empêcher de se ruer vers le grand miroir près de l'entrée. Elle hurle à pleins poumons en se voyant :

— AAAHHH ! « Arrêtez de capoter ? » M'as-tu vu l'air ? Je peux pas croire que des gens m'ont vue arrangée de même…

— Sérieusement, les filles, je dois me rincer la bouche avec de l'eau de Javel, rien de moins que de l'eau de Javel, proclame Vicky en se précipitant au trot vers la salle de bain.

Après presque trente minutes de nettoyage de dents, de gargarismes intenses au rince-bouche, de retouches de maquillage et de coups de fer plat, les filles sortent finalement de la chambre plus ou moins satisfaites du résultat, à l'exception de Katia, toujours d'une humeur pétillante.

— Bon! On est heureuses et on s'en va faire la fête!

— C'est un peu mieux mon affaire, mais on partait de loin, commente Caro en songeant à sa coiffure qui demeure très excentrique.

— On pue quand même encore beaucoup...

— Allons au petit bar de l'hôtel en bas, propose Katia, qui ne désire pas vraiment retourner à leur congrès, étant donné que leur prestation déplorable est encore fraîche dans la tête de tous les participants.

Chemin faisant, Caroline tente de dédramatiser la situation:

— Les gens vont bien comprendre qu'on était sous hypnose, il me semble.

— Oui, je sais, mais c'est juste que là je suis tannée d'être avec eux. Il y a moyen d'avoir du plaisir ensemble sans rester toujours avec les gens du congrès, soulève Katia. Vous voulez sortir en ville?

— Non, on reste ici, les prie Vicky.

En arrivant dans le bar du lobby déjà plein à craquer, les filles semblent satisfaites de leur décision et elles se faufilent discrètement près du comptoir central.

— *Shooters!* clame haut et fort Katia, en regardant un jeune serveur qui avance vers elle.

Caro ne peut s'empêcher de détailler sa fière allure. Malgré son jeune âge, le serveur a un véritable corps d'Adonis, fort bien découpé et saillant aux bons endroits...

Ledit serveur leur sert aussitôt trois tequilas, tel que demandé. Les filles avalent leur petit verre avec difficulté.

— Ouache ! C'est donc ben dégueulasse ! La tequila est vraiment meilleure au Mexique, conclut avec emphase Vicky, écœurée par le goût infect de celle d'ici.

Elle analyse de loin les bouteilles de boisson parfaitement alignées.

— Ça prendrait quelque chose de frais pour l'haleine...

Le charmant jeune serveur, appelé Alexis, attend patiemment leur nouveau choix en lançant des œillades à Caroline – et à sa magnifique poitrine – à la dérobée.

— Crème de menthe verte, en *shooter*, commande Vicky, certaine de son coup.

Alexis, plus ou moins convaincu, reste là comme s'il s'attendait à ce qu'elle change d'idée. Voyant que ce n'est pas le cas, il s'éloigne et s'exécute.

Une fois servies, elles font cul sec sans tarder. En réglant la note, Katia laisse le serveur repartir vers la caisse avant d'émettre une drôle d'hypothèse.

— Il « trippe » sur toi ! déclare-t-elle en désignant Caroline.

— Ben non, voyons, répond celle-ci en rougissant tout de même un peu.

— Je vais aux toilettes, annonce Vicky, peu attentive aux allusions de son amie, en s'éloignant les yeux rivés sur l'écran de son téléphone portable.

— As-tu vu comment il te regarde? poursuit Katia en lui poussant un peu le bras.

— Arrête, là! Franchement! Il doit avoir à peine vingt-deux ans, l'avise Caroline, un ton très sérieux dans la voix.

Alexis, qui revient avec la monnaie, envoie un clin d'œil à Caro en tendant les pièces à Katia sans même détourner le regard. Puis il s'en retourne pour servir d'autres clients. Beau jeune homme, Alexis semble effectivement dans la jeune vingtaine. Il arbore un *barbell* de métal dans son sourcil gauche. Ses cheveux noirs très foncés sont maintenus en l'air et forment une vague de côté asymétrique rappelant un peu le *look* que la styliste a tenté de faire à Caroline. À l'arrière de sa nuque, on peut apercevoir le haut d'un tatouage en forme d'étoile; le reste est en partie caché par le collet de la chemise de son uniforme qu'il a sciemment remonté pour avoir du style. On peut remarquer qu'Alexis s'entraîne au gym, car de petits pectoraux saillants pointent devant sa chemise. Il a de beaux yeux verts, vifs et enjoués.

Katia reste muette pendant un moment, occupée à rechercher les mâles potentiels à draguer. Entre-temps, Vicky revient des toilettes et s'informe auprès de ses amies:

— Et puis? avec un ton laissant croire que quelque chose d'extraordinaire aurait pu se produire pendant son absence de quatre minutes.

— Trop drôle, le serveur la regarde tout le temps. Il semble même avoir de la difficulté à se concentrer sur son travail. Un vrai coup de foudre. Il est *cute* en plus, murmure Katia, décrivant les faits avec exagération.

— En effet. Il doit «tripper» sur tes cheveux. Il faut dire qu'ils te font paraître plus dans sa tranche d'âge que dans la nôtre, s'amuse Vicky pour avaliser les propos de Katia.

— C'est pas drôle, les filles. De toute façon, je suis pas disponible.

Les deux filles lui décochent un regard, signifiant: «C'est ça! Tout comme tu ne l'étais pas au Mexique, oui...»

Comprenant aussitôt leur mimique peu subtile, elle s'offusque:

— Je trouve pas ça comique du tout, les filles, votre petit air! On avait dit que ce qui s'est passé au Mexique restait là. Vous n'avez pas le droit de faire des allusions à ça; jamais!

La voyant ainsi vexée, les deux amies changent de sujet, préférant plutôt commenter un couple qui s'embrasse dans le fond du bistro-bar. Vicky hèle le serveur:

— Garçon, trois autres crèmes de menthe, mais blanches cette fois – l'autre tache les dents de vert.

Alexis, toujours abasourdi face aux étranges choix d'alcool de ses clientes, fronce les sourcils en effectuant de nouveau la commande. Les filles boivent encore leurs petits verres d'un trait.

— Bon, c'est à mon tour d'aller aux toilettes, fait Caro en se levant.

— On te suit!

En sortant de la salle de bain située près du carrefour menant aux salles de congrès ainsi qu'au lobby, les filles scrutent un grand tableau posé sur un chevalet de bois, énumérant les différents événements qui se déroulent dans le complexe hôtelier ainsi que ceux qui se tiennent au Centre des congrès, pour aider les gens à s'orienter au bon endroit. Vicky, peu intéressée à connaître l'horaire des autres congressistes, se lamente en prenant de nouveau deux gommes à la menthe :

— C'est pas des blagues. Je m'« autodonne » mal au cœur. Problème de digestion...

— Coudonc, il y a beaucoup de congrès en même temps, se surprend Caroline en analysant le tableau, faisant la sourde oreille à la plainte récurrente de son amie.

— Ark ! Un congrès de comptables agréés. Ça doit être plate en maudit ! Je les imagine, tous alignés, leurs lunettes posées sur le bout du nez, à jouer aux pichenottes, tout excités de la vie en mangeant des chips ordinaires, un verre d'orangeade à la main, divague Katia en plissant le nez pour exhiber exagérément ses dents du haut.

— C'est clair, approuve Vicky.

— Ton concours de coiffure est inscrit ici, lit Katia pour taquiner encore une fois son amie.

— Pfft !

— Sinon, on a quoi au menu ? Un congrès de professeurs de Zumba et un autre de la Société des alcools du Québec à partir de samedi.

— Un congrès d'alcooliques ? C'est pour vous autres celui-là, lance à la blague Caroline, en poussant Katia du coude pour lui renvoyer la balle.

— Eille, ça doit virer pas à peu près dans leur *party*, eux autres. Sinon, les filles, on est bien mal tombées. Il aurait fallu un congrès de pompiers musclés ou encore d'avocats bien fortunés, stipule Katia en soufflant un baiser dans le vide.

— Ou encore un congrès de vendeurs d'autos ?

— Pfft ! Laisse faire les vendeurs de chars, je les déteste tous. Quand je repense à mon autre crosseur. Il va tellement entendre parler de moi à notre retour, menace ouvertement Katia, un poing en l'air.

— Hé ! Regardez l'horaire. Il y a un karaoké ce soir au congrès des comptables, mentionne à son tour Vicky.

— À quel endroit ?

— Au Centre des congrès, où je suis allée pour le concours de coiffure, leur précise Caroline, qui connaît maintenant les lieux.

— Ils sont chanceux, eux autres, note Vicky. Pourquoi on n'a pas une belle activité de ce genre, nous ?

— Imaginez, des comptables plates avec de l'eau dans la cave, laissant voir leurs bas bruns, qui chantent du karaoké. Faut aller voir ça ! On va rire, c'est sûr ! prédit Katia, sans scrupules.

— T'es malade ! On peut pas s'inviter comme ça, s'indigne Caroline pour la raisonner.

— Ben oui. On doit être plus de trois cents personnes dans notre congrès de profs. Si c'est la même chose pour eux, on va passer totalement incognito, rationalise Katia en balançant ses deux mains en l'air.

— Non, voyons, tente de nouveau Caro pour la ramener à la raison.

— Je suis d'accord avec Caro, approuve Vicky, qui préférerait également retourner à leur salle.

L'âme rebelle, Katia réfléchit :

— Qu'est-ce qu'il peut arriver de si grave ? Qu'ils découvrent qu'on s'est « introduites par effraction » ? On aura juste à faire les nouilles qui ont entendu de la musique et qui croyaient que c'était ouvert pour tout le monde. Ils vont pas appeler la police quand même.

— Bon, OK. Allons jeter un œil devant la porte ; si les entrées sont surveillées, on retourne à notre salle ou bien au bar de l'hôtel pour voir le beau serveur, propose Vicky, finalement conquise par l'idée d'essayer.

Sans laisser le temps à Caro d'argumenter davantage, les deux filles examinent le tableau pour y repérer le numéro de la salle.

— Allons-y !

— Quelle erreur... On n'aurait jamais dû aller là-bas. J'étais contre, au départ, affirme Vicky pour se soustraire à ses amies, lançant ainsi la balle du blâme dans le camp d'autrui.

— Oh non! Je te signale que tu étais très partante, ma chère, au contraire, doit lui rappeler Caroline.

— Les filles ? Arrêtez de chercher une coupable. Compte tenu de la conclusion de l'histoire, j'espère que vous réalisez que c'était pas une erreur pantoute. Des fois, on dirait que vous oubliez ça ou quoi ? tente de les convaincre Katia en brandissant une enveloppe brune dans les airs.

— C'est pas encore réglé cette histoire-là, je te signale. C'était illégal, voire du vol, précise Caroline, toujours aussi dramatique dans sa perception des choses.

Vicky ajoute :

— Les enveloppes brunes, il faut s'en méfier. Même si ce n'était pas un congrès de gens travaillant dans le milieu de la construction ! Sans blague, pour ce qui est du contenu de l'enveloppe, je vais le croire quand je vais le voir.

— Tout va bien aller, j'en suis convaincue ! Vous êtes donc négatives.

— Vous croyez qu'on risque de se faire accuser de fraude pour vrai, si on se fait prendre ? s'affole de nouveau Caroline, en jetant un œil inquiet vers sa copilote.

— Aucune idée...

En approchant de la porte de la salle de conférences en question, les filles ralentissent le pas afin de voir si un portier contrôle de façon officielle les entrées et sorties des congressistes. Constatant que la voie est libre, Katia passe tranquillement devant les deux portes grandes ouvertes pour avoir un accès visuel sur ce qui se déroule à l'intérieur. Sans se consulter, les deux autres filles l'imitent subtilement, en avançant aussi à pas de loup. Elles remarquent que la pièce est plongée dans une obscurité quasi totale et qu'elle grouille de congressistes. Une ballade du groupe Kaïn résonne fort dans les haut-parleurs, et le chanteur en herbe qui effectue la performance de karaoké semble plutôt talentueux, du moins sa voix s'avère acceptable. La chanson terminée, l'assistance applaudit à tout rompre.

— C'est plein de monde, on va passer complètement inaperçues, prétend Katia, en se plantant devant la porte.

— Un karaoké de comptables ; c'est certain qu'on est crampées dès qu'on y met les pieds ! fantasme Vicky à l'idée de passer un bon moment de rigolade.

— On y va ! *Go !* fait Katia avant d'entrer d'un pas décidé comme si de rien n'était.

Caroline pénètre la dernière en affichant des signes de stress évident ; elle se touche compulsivement les cheveux et salue tous les gens qu'elle croise. Vicky, dont l'œil attentif a tout vu, lui assène une petite tape du revers de la main en lui chuchotant :

— Arrête de dire allo à tout le monde de même. T'as l'air vraiment louche...

Katia, qui repère vite un bar, s'y élance afin de désaltérer quelque peu la troupe. Les filles la suivent. Caroline, qui a cessé de saluer verbalement les gens, a opté pour un sourire en inclinant la tête. Des congressistes la dévisagent drôlement. Katia, qui remarque à son tour son attitude bizarre, la sermonne :

— Veux-tu arrêter d'avoir une face de fille qui a pas d'affaire ici.

— C'est qu'on n'a PAS d'affaire ICI, je te signale !

— *No problem !* Relaxe, tout va bien, la rassure Katia, maintenant très à l'aise. Qu'est-ce qu'on boit ?

Après une délibération rapide, les filles optent pour une bonne bouteille de vin rouge. Katia consulte le menu et, après avoir fait un choix, commande un vin qu'elle croit bon.

— Je pue encore de la bouche, je capote. Une bouteille de crème de menthe à la place ? râle Vicky, même si c'est la millième fois qu'elle s'en plaint.

— Regarde, je pense pas qu'on va s'accrocher des comptables ce soir, *anyway*. C'est vraiment le meilleur soir du week-end pour puer, décrète Katia en balayant la salle des yeux.

— Quand t'as commandé la bouteille de vin, le serveur a reculé d'un pied en arrière du comptoir, décrit Vicky, qui a bien vu la scène.

— T'es sérieuse ?

— Oui, et après, il est allé voir son collègue serveur pour lui parler à l'oreille… C'est quoi ? On va être les puantes de la ville de Québec au grand complet ? gémit Vicky, horrifiée face à leur potentielle réputation à venir.

Quelques minutes plus tard, un autre serveur revient vers elles, apportant la bouteille et les coupes de vin. Il remet la monnaie à Katia, prenant soin de garder le visage bien loin d'elle. Il s'éloigne ensuite vers d'autres clients.

— Tu l'as vu ? Il n'ose même pas s'approcher. On est si pires que ça ? se demande celle-ci en tentant de sentir son haleine en soufflant dans sa main.

— Eille, sûrement. Il doit y avoir une zone sinistrée de deux mètres autour de nous. On a mangé les trois quarts d'un gros oignon cru chacune, reprend Vicky, pour lui faire prendre conscience que c'est énorme.

— Ouin...

— C'est un cauchemar ! fulmine Vicky, en maintenant sa main gauche devant sa bouche en guise de protection pour les autres.

Katia, qui semble de toute évidence s'en moquer comme de sa première chemise, s'accoude au bar, la poitrine ressortie, son verre à la main. Elle décide tout à coup de détacher le deuxième et le troisième boutons de son chemisier avant de se replacer discrètement les seins avec ses avant-bras. En la voyant faire, Caroline roule des yeux en direction de Vicky. Satisfaite de son *look* plus *sexy*, Katia soulève sa coupe en direction de ses compagnes.

— Santé, les femmes ! Voyons voir ce que nous avons ici dedans.

Sur une musique de fond, une femme et un homme chantent en duo la chanson de Shania Twain, *Man! I Feel Like A Woman*. Les filles explorent la salle du regard. Contre toute attente, les congressistes semblent assez jeunes, soit dans la trentaine et la quarantaine. Incontestablement, la profession attire plus d'hommes que de femmes.

— Il y a juste des gars ou quoi, questionne Vicky en souriant à Katia.

— Ils sont habillés normalement aussi, relève Katia, comme si elle s'attendait à des différences notoires sur le plan vestimentaire.

— On va aller chanter tantôt, hein? commence à s'exciter Caro, sa peur de se faire repérer comme personnage clandestin en ce lieu s'étant désormais envolée.

— On va tranquillement se descendre la bouteille avant, spécifie Katia, une main en l'air, pour lui signifier que son taux d'alcoolémie actuel est insuffisant pour la pousser à effectuer une performance vocale publique.

Visiblement trop intenses dans leur prestation musicale, le gars et la fille sur scène accrochent un sourire au visage de Vicky, qui lève les sourcils en direction de ses amies.

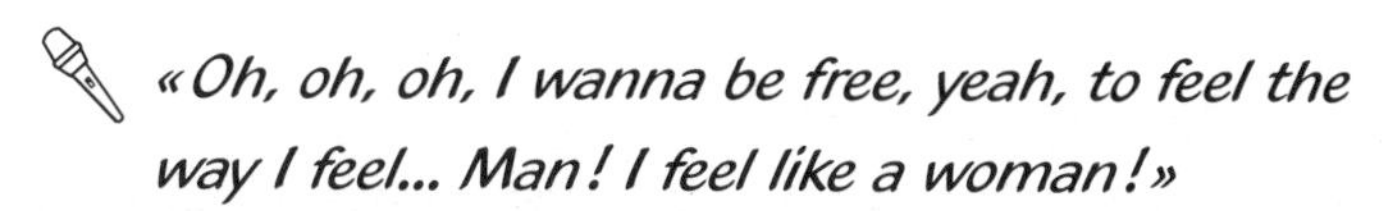

— Non mais, là, il se trouve crédible, lui, de chanter: «*I feel like a woman*» devant toute l'assistance? demande-t-elle à voix haute.

— Un gars, il faut que ça chante une chanson de gars, il me semble, juge Caro, tout de même très attentive à leur performance.

Sous les tièdes applaudissements de la foule, le couple quitte la scène, l'air franchement satisfait d'eux. Trois autres gars grimpent illico sur la petite estrade pour chanter à leur tour. Débute alors la mélodie de *J'entends frapper*, de Michel Pagliaro.

— Ça, c'est une chanson de gars, je trouve, se réjouit Caro en tapant du pied.

Malheureusement, les chanteurs amateurs se fourvoient dès la première ligne. Ils se regardent et rigolent de nervosité, tentant de se concentrer malgré l'humiliation. Ouf! Ils réussissent à reprendre le rythme, peu avant le premier refrain.

«J'entends frapper!»

— Hish... comment massacrer une toune 101!

— Celui de droite est *cute*, analyse Katia, plus intéressée par les spécimens mâles en tant que tels que par leur performance vocale.

— Celui qui crie comme un malade? s'exclame Vicky, afin de faire remarquer ce détail non négligeable et surtout pénible à son amie.

— Ouin, j'avoue qu'il a une mauvaise gestion de son micro, acquiesce avec désolation Katia, également rebutée par cette attitude «*too much*».

— Allo, les filles! les aborde un homme, qui vient tout juste de se poster près d'elles au bar.

Agréablement surprises, elles le saluent en retour, esquissant toutes un sourire d'ange.

Les trois ténors ratés gueulent toujours comme des perdus à l'avant...

«... enfin la chance a tournéééééé... »

Le type qui vient d'élire domicile près des filles fait mine de se tâter l'oreille droite de la main, en signe d'inconfort causé par les *performers* sur scène. Katia rigole de son allusion subtile. L'homme saisit sa bière et lui décoche un clin d'œil avant d'aller retrouver des collègues.

— *Oh yes! Fish on!* Je pense que j'ai une touche, les filles ! Beau petit cul en plus, s'excite Katia en l'observant s'éloigner.

L'homme d'affaires a en effet assez fière allure. Il porte un complet griffé gris foncé, parfaitement bien ajusté. La chemise rose pâle sous son veston donne un *look* mode et fort actuel à son ensemble. Il a les cheveux très courts, donc sans coupe particulière. Il est parfaitement rasé, pas un poil ne dépasse. Ses yeux marron sont légèrement affaissés comme ceux d'un épagneul triste, ce qui lui confère un regard doux et sensible. Les quelques rides sur son front et au coin des yeux indiquent qu'il serait probablement au début de la quarantaine. Il est assez mince et d'une belle carrure, mais pas très grand.

«... je suis heureux d'appreeeeeennndre... »

— Cibole, au secours ! Je saigne des oreilles ! En tout cas, attends de le voir chanter ton poisson avant de le pêcher, conseille Vicky, irritée par la piètre performance des trois gars, trop fiers d'eux à l'avant. Celui de droite était sans doute beau, explique-t-elle, mais avant qu'on l'entende.

— On dirait pas qu'on est à un congrès de comptables, rappelle Caroline, même si elles en ont discuté précédemment.

— Il faut croire que, de nos jours, c'est un préjugé de s'imaginer que les comptables sont tous des érudits aux bas bruns, déclare tout bonnement Katia, en reluquant toujours de loin son *prospect* maintenant assis à une table avec d'autres hommes.

Les gars terminent ENFIN leur chanson, cédant la place à une fille blonde en minijupe de cuir. Une fois montée sur l'estrade, celle-ci doit rabattre sa jupe trop serrée, de laquelle une de ses fesses tente de s'échapper.

— Eille ! Elle est certainement pas comptable, elle ! la juge malicieusement Vicky en la voyant monter sur scène.

— Peut-être, tu le sais pas. Mais j'avoue que..., analyse Caro, plus nuancée que sa compagne dans son commentaire, mais tout de même hésitante à se prononcer.

Débute la trame sonore de *Barbie Girl*, de Aqua.

— Ben non ? Elle peut pas chanter ça ! C'est illégal ! lui reproche Vicky, comme si une réglementation officielle existait sur le sujet.

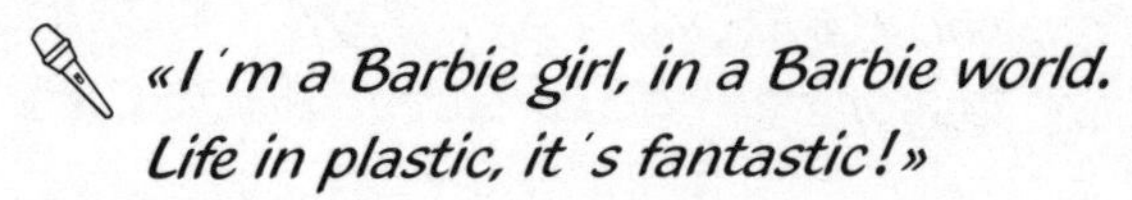

En voyant la fille commencer à se trémousser en connaissant très bien la chanson, Katia conclut :

— On a maintenant la confirmation que c'est une secrétaire qui cherche à recevoir une promotion de la part de son cochon de patron. Il ne doit pas être loin, d'ailleurs...

Sans surprise, les congressistes dans la salle portent une attention particulière à la prestation assez exubérante de la jeune femme, qui semble dénuée de tout scrupule. Chaque fois qu'elle se penche vers l'avant en se secouant un peu les seins, sa jupe relève. Assis au fond, l'organisateur du karaoké bénéficie d'une vue avantageuse de la scène. Sans se gêner, il lui examine le postérieur, inclinant même un peu la tête vers la droite pour ne rien manquer. Barbie, quant à elle, observe de façon assez évidente un homme, dans la cinquantaine avancée, assis pénard à une table non loin devant. Verre de scotch en main et jambes écartées, il semble réfléchir au bonus qu'elle obtiendra au prochain trimestre. Il lève de temps à autre des yeux menaçants vers l'animateur, qui reluque toujours délicieusement sa proie.

— Ark ! Juste en face. Le vieux cochon la mate, l'air d'assumer totalement son vice en plus, remarque Caro, dont le peu de respect pour la fille s'est mué en écœurement.

— Pathétique ! Je vous garantis qu'en arrivant ici, il lui a fait le coup du « manque de chambres » pour la forcer à loger dans la sienne. Gros dégueu !

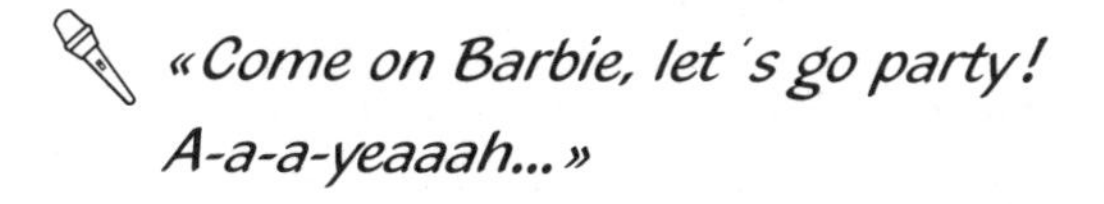

Deux autres gars, qui avancent à leur tour près du bar, saluent les filles en attendant qu'un serveur prenne leur commande. Comme la musique est tonitruante, l'un d'eux se penche vers Vicky pour lui dire :

— Ça va bien ?

— Oui, oui, vous autres aussi? fait Vicky d'une voix forte pour bien se faire entendre.

D'instinct et sans aucune subtilité, le gars éloigne son visage de celui de Vicky, rebuté par son haleine nauséabonde. Il souffle quelques mots à l'oreille de son ami. En recevant leur bière, les deux gars saluent expressément les filles avant de fuir en direction opposée tout en riant un peu dans leur barbe.

— Wow! C'est vraiment le *fun* ce qu'on vit; sérieux, je capote, panique Vicky, qui a clairement compris ce qui vient de se produire. Je vais pleurer…

— Je voulais mourir! Les gens se sauvaient de nous en courant tellement on puait, se remémore encore douloureusement Vicky, comme si cela avait été pour elle une des pires expériences de sa vie.

— T'exagères! Toi, t'as «paranoïé» avec ça toute la soirée. C'était pas SI pire, rectifie Katia, moins embarrassée que son amie par le détail «odeur».

— C'est vrai, tu capotais un peu trop avec ça, Vic, approuve Caroline.

— Quand je repense à l'autre qui est revenu à l'attaque en force. Il a tellement donné d'effort, là, se rappelle Katia en secouant la tête de gauche à droite.

— Juste après qu'on ait été chanter notre première toune en plus ; un vrai mâle tenace ! exagère Caroline.

— « Chanter » ? Massacrer, oui ! Voyons, on a eu l'air de trois vraies folles ! On pouvait bien rire des autres. C'était quoi l'idée de choisir cette chanson-là, aussi ?

— Ouin ? fait Katia en se tournant vers Caroline comme si elle s'avérait officiellement la coupable.

— Je m'excuse, je te rappelle que c'était TON choix, ma chère, se défend Caro en accusant Katia en retour.

— Non !

— Oh que oui, je m'en souviens ! maintient l'accusée, certaine de son coup.

Muette, Katia tente de se rappeler la scène en regardant par la vitre les paysages automnaux qui défilent.

— Ah oui ?

Leur deuxième bouteille de vin déjà bien entamée, les filles délibèrent sur le choix de leur chanson. Elles sont déjà inscrites sur la liste des participants depuis un petit moment, mais comme il ne reste que deux personnes avant elles, un choix rapide s'impose pour que l'organisateur puisse préparer la trame sonore. Déviant du sujet de discussion, Katia s'excite :

— Il m'a encore regardée !

Celle-ci a toujours les yeux rivés sur l'homme qui l'a abordée au bar à leur arrivée.

—Ne change pas de sujet, il faut mentionner au plus vite notre chanson au gars qui s'occupe du karaoké, s'impatiente Vicky, soucieuse de faire un choix judicieux.

—On prend ce que je vous ai proposé...

—T'es certaine? doute Caroline. Ça fait «pitoune», me semble...

—Ouin, genre «agace», non? évoque à son tour Vicky.

—Ben non! Eh que vous êtes coincées! leur reproche Katia en fixant toujours son *prospect*.

—Pourquoi on chanterait pas *La isla bonita*, de Madonna? propose Vicky, les yeux enthousiasmés par sa suggestion.

—Non, on s'endort ici dedans. Il faut «rocker» la place un peu! Je vais allez lui dire, conclut Katia, qui se dirige tout de go vers la console à l'avant pour enfin dévoiler leur choix au responsable.

Au retour, le menton bien haut, elle observe langoureusement l'homme convoité en balançant les hanches de gauche à droite telle une mannequin dans un défilé de Dior. En la voyant revenir vers elles, Caroline lui mentionne:

—T'es subtile comme un dix roues dans une cour d'école.

—Peut-être, mais je vais quand même laisser le poisson frayer tranquillement à moi, leur annonce Katia en reprenant son verre, les yeux espiègles.

— Frayer à toi ? répète Caroline, pas certaine de l'utilisation juste de son verbe.

— Comme les saumons, là, s'impatiente Katia, qui n'a pas envie de se faire reprendre sur la justesse de son français.

Les filles continuent à déguster leur verre au son de la chanson *Tourne la page*, de René et Nathalie Simard, malmenée avec succès par une femme et un homme. Ulcérée, Katia ne peut s'empêcher de répéter :

— Quand je vous dis que c'est plate et qu'il faut faire lever le *party* un peu...

« ...un avion déchire le soiiiiir... »

La fille, qui semble se croire digne de recevoir le Félix de la révélation de l'année, fausse incontestablement sur toutes les notes aiguës de la fin.

Katia rugit :

— *My God!* Enlevez-lui le micro quelqu'un ou distribuez des bouchons à tout le monde !

Trois nouveaux gars approchent du bar pour venir y chercher un verre.

— Salut, les filles !

— Salut ! répond Vicky, qui se recule d'instinct pour éviter de vivre à nouveau un rejet en raison de sa mauvaise haleine.

« ... tourne la page ! Tourne la page ! »

— Vous venez d'où ?

Les filles se regardent à tour de rôle sans répondre, incertaines de vouloir divulguer la vérité. Habile dans ce genre de situation délicate, Katia prend en charge la conversation en leur déclarant sans ambages :

— Victoriaville !

— On est de Lévis, nous autres. Vous travaillez pour une firme privée ou à votre compte ?

— Euh...

Croyant que tout irait comme sur des roulettes après son premier mensonge, Katia dévisage ses amies, l'air de dire : « Merde, je ne sais pas quoi dire. »

« ... c'est comme un cri de désespoir... »

— On fait des rapports d'impôts, répond Caroline, certaine de sauver ainsi les meubles.

— Ha ! ha ! ha ! Je présume, oui ! C'est très drôle...

— On travaille pour euh... Grant Thornton ! mentionne Katia, fière qu'un nom de compagnie dans ce domaine lui vienne subitement en tête.

— Ah ouin, pour Raymond Chabot ! *Cool !* Aimez-vous ça ? Vous faites du particulier ? De la comptabilité de fiducie ?

— Euh..., hésite de nouveau Katia, dont le visage décomposé prie ses deux amies de voler à son secours.

Tout à coup, la « chanteuse pop » laisse échapper son micro par terre à la suite d'un « Tourne la page ! » qu'elle y a vociféré avec trop d'intensité. L'organisateur bondit sur le microphone pour s'assurer qu'il n'est pas brisé. Les filles profitent de cet incident pour observer la scène. Dans une confusion évidente, la chanson avorte de façon prématurée et le couple descend de l'estrade, l'air déçu d'avoir complètement bousillé leur finale.

Une nouvelle chanson commence illico. Un homme saute sur scène avec empressement et débute sa prestation d'Éric Lapointe.

« Tu m'avais dit, les mots les plus doux… »

Comme les trois comptables attendent toujours une réponse plus substantielle à leur question, Vicky leur balance, désinvolte :

— Les gars, on veut s'éclater et, surtout, ne pas parler boulot !

— C'est certain que, dans un congrès annuel de comptables…, débute un des gars sans terminer sa phrase pour sous-entendre ironiquement que ce n'est pas vraiment le lieu approprié pour ne pas entendre parler de travail.

Malgré tout, ils restent près d'elles.

« … pour toi j'aurais pu faiiiiiire n'importe quoooooi… »

Pour une fois, la prestation du participant est bonne, ce qui rehausse un peu le niveau des prouesses vocales de la soirée. Des couples vont même danser devant le chanteur amateur. Katia fait une mimique expressive à Vicky, pour lui signifier qu'elle a bien fait d'émettre son dernier commentaire, car cela les a vraisemblablement tirées d'embarras.

À la fin de la chanson, les filles confient leur bouteille de vin au serveur, en lui mentionnant qu'elles reviennent sous peu. C'est leur tour. Elles grimpent sur scène. La bande sonore de leur chanson étant prête, celle-ci débute presque immédiatement. L'ambiance change complètement.

« Hey sister, go sister, soul sister, flow sister.
Hey sister, go sister, soul sister, go sister.
He met Marmelade down in old Moulin Rouge... »

Perdue dès les premières paroles, Vicky abandonne littéralement ses amies en fixant le moniteur sans chanter. Le tempo est trop vite pour qu'elle puisse suivre. De son côté, Caroline semble chanter les paroles comme on récite une dictée. Plus en contrôle de ses moyens, Katia réussit à bien s'accrocher, mais en chantant d'une voix terriblement fausse. Un petit groupe motivé par l'air rythmé vient tout de même danser devant le trio dc chanteuses malhabiles.

Voulant paraître charmante aux yeux de son « saumon », Katia lève la tête vers lui au moment où la chanson dit en français : « Voulez-vous coucher avec moi, ce soir ? » Cependant, ce geste de bravoure a pour effet de lui faire perdre complètement le fil des paroles. Elle revient donc au moniteur afin de se réajuster. Vicky, toujours perdue, se met un peu en retrait et baisse finalement son micro dans une résignation totale ; tout va trop vite pour elle.

« Getcha getcha ya ya da da (hey hey hey). Getcha getcha ya ya here (here oh). Mocha chocolatta ya ya (ooh yeah)... »

Caroline, toujours en train de lire machinalement le moniteur, rend la chanson très bizarroïde. Le groupe de danseurs continue à se déhancher malgré la performance exécrable des trois filles, la musique de fond étant tout de même entraînante.

À la fin de son supplice, Vicky descend d'un bond de la scène, déconfite. Elle accélère le pas pour regagner au plus vite leur place au bar.

En arrivant, elle commente à ses amies :

— On a eu l'air vraiment connes ! En plus de puer, on chante mal. Non mais, décidément…

— Pourquoi t'as arrêté de chanter ? T'avais des *backdrafts* de senteur d'oignons dans ton micro ? lui reproche Katia, qui a vraiment senti qu'elle devait porter seule et à bout de bras la prestation musicale.

— J'ai chanté, moi, se vante Caro, très fière de sa performance.

— Non, tu as lu les paroles, Caro. C'est pas pareil, rectifie doucement Katia pour ne pas trop la brusquer.

— Mauvais choix de chanson, conclut Vicky pour se déculpabiliser.

— On va y retourner plus tard ! s'excite Caro, qui a tout de même apprécié l'expérience, malgré le commentaire désobligeant de Katia.

— Non, merci ; je suis assez humiliée pour ce soir.

— Excusez-moi, madame ? Le gars, au fond là-bas, vous offre ce verre, annonce un serveur en lui tendant ce qui semble être un cosmo.

— Merci! fait Katia en tournant la tête vers ses amies pour leur gesticuler facialement[11] une réaction d'excitation sans que le gars en question ne la voie.

— Eh bien! rigole Caroline, contente pour elle.

— *Fish on!* Je vous l'avais dit! se réjouit la convoitée en levant son verre dans la direction de l'homme en guise de remerciement.

— Il vient de te «frayer» un verre, on dirait! plaisante Vicky, toujours prête à inventer un jeu de mots facile.

Près d'une demi-heure plus tard, on assiste à une scène de déjà-vu intégrale. Les filles, toujours accoudées au bar, argumentent de nouveau à propos d'une question cruciale.

— Pas cette chanson-là! s'oppose encore Vicky en dévisageant Caroline, l'air sévère.

— Pourquoi? C'est bon *Vivre dans la nuit*, non? se désole celle-ci, en désaccord avec sa compagne.

— Non, c'est plutôt nul, a le regret de lui annoncer Vicky.

Katia, toujours peu intéressée par leur discorde, fixe son *prospect* au loin.

— Pensez-vous que c'est moi qui dois aller le voir? Il ne bouge pas d'un poil sur sa chaise...

---

11. Facialement? Oui, on le garde pour *Le Petit Dubois illustré*.

— Il ne bouge pas d'une écaille, tu veux dire? s'amuse encore Vicky, vive d'esprit.

— Je sais pas, hein? Il t'a payé un verre, donc tu dois aller le voir, non? présume Caroline en s'imaginant la suite logique des événements.

— Non, tu restes ici. Eille! Trop facile! Le gars appelle le serveur, paye un verre à la fille, et celle-ci court vers lui pendant que monsieur continue de se prélasser sur sa chaise? *No way*, il va lever ses petites fesses de comptable agréé et venir te voir, ordonne Vicky, un peu éméchée, qui gesticule avec énergie en braquant son cellulaire en direction de l'homme en question.

— Merci, Vic, de souligner non subtilement qu'on parle de lui, apprécie avec ironie Katia, en tournant la tête vers le bar dans un embarras manifeste.

Sans que les deux filles s'en rendent compte, car plongées dans une discussion animée, Caroline les quitte pour se diriger vers la table de l'animateur de karaoké.

— Oui, mais il se trouve qu'on parle de lui, justement! répond Vicky, aussi rationnelle que soûle.

— T'es ben nouille! Il se trouve à vingt mètres de nous, il le sait pas, lui.

— Arrête de penser que je suis paquetée, c'est pas le cas pantoute, divague Vicky en sachant très bien que c'est on ne peut plus le cas.

Elle repose les yeux sur son cellulaire. La musique bat toujours son plein dans la salle de réception.

«I can't get no, oh no, no, no.
Ah hey, hey, hey, that's what I say...»

— Un autre criard qui ne comprend rien au concept du micro, se plaint Vicky en se retournant vers la scène, où deux gars semblent s'amuser comme des gamins.

— Toi non plus, hein? Tu chantais à côté!

— Très drôle...

Caroline revient vers ses amies, un sourire amusé imprimé sur le visage. Elle prend son verre tout en restant muette, dans l'attente de se faire questionner.

— T'étais où?

— Partie régler le choix de notre deuxième chanson, répond-elle fièrement à ses copines.

— Hein?

Pour terminer en force, les deux gars donnent le coup de grâce en étirant la dernière note, criant toujours à outrance dans le micro.

«I can't get nooooo!»

— Ça y est! Le tympan vient officiellement de m'exploser! mugit Vicky, maintenant la main bien à plat sur une oreille.

— QUOI? crie Katia en feignant d'être désormais sourde.

Après la dernière fausse note, qui concorde avec la fin de la chanson, l'animateur appelle Claudie, la suivante sur la liste, sans faire de pause entre les prestations.

— C'est quoi la chanson que tu lui as dit? s'enquiert Vicky, toujours inquiète.

— Vous allez voir, les fait languir Caro, trop fière de son coup.

Pour une seconde fois, l'animateur convoque Claudie à l'avant.

— Moi, j'y vais pas si je connais pas la toune, ronchonne Vicky.

— Arrête donc! Une surprise, ça va être drôle, apprécie Katia, la plus aventureuse des trois.

— Heu... c'est que, tantôt, elle nous proposait *Vivre dans la nuit*, je te rappelle.

— Ark! C'est vrai...

Comme Claudie manque à l'appel, l'animateur poursuit selon l'ordre des noms qui figurent sur la liste: Caroline.

— C'est déjà nous! Allez! s'enthousiasme-t-elle, se précipitant vers l'avant en tapant des mains comme si elle venait de remporter un oscar.

— Je veux savoir la chanson avant, clame Vicky, rebutée à l'idée d'aller sur scène sans avoir cette information; elle résiste donc encore un peu avant de bouger.

L'animateur les presse en leur faisant un signe impatient de la main; l'absence de Claudie ayant passablement coupé l'ambiance musicale qui régnait jusque-là. Katia force son amie à se rendre à l'avant en lui donnant des poussées dans le dos. Caro étant déjà en poste, il lance la trame de fond musicale avant même que les deux autres participantes ne soient montées sur scène. Désarçonnée de devoir débuter seule, elle guette avec inquiétude l'arrivée de ses amies, ratant ainsi les premières paroles. Le temps que les filles empoignent leur micro et se mettent en place, la chanson est déjà rendue à ce couplet :

> *« Quand tu t'émoustilles, devant ses beaux yeux... »*

Heureusement, elles reprennent le fil sans tarder, à l'exception de Vicky, déroutée une fois de plus de ne pas arriver à suivre le souffleur. Elle décide de reculer de quelques pas, tout comme la première fois, constatant de nouveau et avec regret son peu de talent pour la chanson et son manque de rythme.

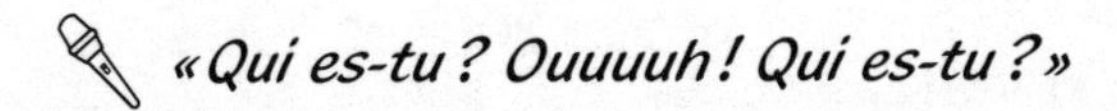

> *« Qui es-tu ? Ouuuuh ! Qui es-tu ? »*

Katia, étincelante, se déhanche avec allégresse car elle connaît très bien ladite chanson. En simultané, elle lorgne non subtilement son « poisson » qui se délecte de la scène, toujours assis sur sa chaise. Elle lui adresse une gestuelle suggestive chaque fois que la chanson dit : « Provocante, tu l'sais tu fais exprès ». Il semble apprécier l'allusion en levant son verre dans sa direction à quelques reprises. Les deux autres filles, trop concentrées sur leur tâche, ne voient rien du manège de séduction que Katia exécute habilement, et ce, malgré la pression de la performance vocale publique.

Au moment de quitter la scène, les filles ont, une fois de plus, droit à quelques applaudissements manquant cruellement de conviction.

— Je vous annonce que je prends ma retraite, déclare solennellement Vicky. Je n'ai pas le sens du rythme pantoute.

— On était super bonnes !

En reprenant la bouteille de vin presque terminée qu'elle avait confiée au serveur, Katia sent une silhouette s'approcher d'elle.

— Salut !

— Salut !

Pas trop tôt ! Celui qui lui avait offert un verre s'est enfin décidé à venir lui parler. Les filles glissent latéralement vers la gauche du comptoir pour leur laisser une certaine intimité. L'air en pâmoison, l'homme la contemple, sans rien dire, avant de prononcer simplement :

— Dieu que t'es belle !

— Ben là ! rougit Katia, émoustillée par la franchise de son séducteur et par l'intensité dans le ton de sa voix.

Nouveau silence. Il a bien paralysé l'enseignante d'anglais, habituellement très volubile et entreprenante.

— Tu chantes bien, c'était correct, mais t'es d'abord et avant tout vraiment charmante. Donc, je te l'avoue, je ne viens pas ici pour discuter de tes talents vocaux ! plaisante le gars pour tenter de la détendre et, du coup, voir si elle a un peu d'humour.

— Hein ? Pourtant, je me trouvais pas mal bonne, rétorque Katia, étonnée, comme s'il venait réellement de la désarçonner.

— Tu danses bien aussi, souligne l'homme avec gentillesse, les paupières bien relevées pour appuyer son commentaire.

Gênée, Katia glousse en sachant très bien avoir intentionnellement voulu l'aguicher en se tortillant sur *Provocante*. Il lui tend la main.

— Jean.

— Katia.

Oubliant complètement le contexte de leur intrusion, et ce, dans un lieu singulier, Katia engage une conversation sur un ton tout à fait naturel :

— Qu'est-ce que tu fais dans la vie ?

— Comptable, comme toi je suppose ?

— Ha ! ha ! ha ! Ben oui ! Le congrès, hein..., bafouille Katia en sachant très bien que son attitude est tout sauf crédible.

Elle tourne la tête vers ses amies, qui l'observent au loin. Son expression faciale leur confirme qu'elle trouve le gars craquant.

— Quel bureau ?

Brillante, Katia réutilise les informations données précédemment afin de maintenir une certaine cohérence.

— Raymond Chabot, dans la région de Victoriaville.

— *Yeah !* Moi aussi ! Raymond Chabot Grant Thornton, mais à Québec. Quelle coïncidence !

— Ben oui, toi.

«*Shit*», se dit Katia en redoutant que celui-ci veuille parler de la compagnie en tant que telle. Comme si les filles pouvaient comprendre son désarroi soudain, elle pivote une fois de plus vers elles et leur fait cette fois un visage décomposé pour leur signifier son embarras. Sans trop s'en rendre compte, Jean la sauve héroïquement tel un chevalier sur son cheval blanc en proposant :

— Mais on ne parle pas de travail, OK, Katia ? Je suis certain que t'es vraiment plus intéressante que la tenue des comptes des clients de notre entreprise de toute façon...

— Bien d'accord, Jean ! approuve Katia, extrêmement contente et soulagée par la proposition de son nouveau compagnon.

— Tu loges au Hilton ?

— Oui. Toi, étant donné que tu viens de Québec....

— Non, non. Moi aussi je suis au Hilton. Comme j'habite à Sainte-Catherine-de-la-Jacques-Cartier, j'avais pas le goût de me taper l'aller-retour tout le week-end. Bien content de te rencontrer...

— Ouf ! À ce moment-là, j'ai eu chaud pas à peu près, je vous jure...

— Nous autres, on se demandait ce qui se passait quand tu nous regardais en te retournant. Je me suis dit : « Ah zut, il vient de lui dire qu'elle pue solide de la bouche ! » mentionne Vicky, qui continue de ressasser son expérience traumatisante.

— Pantoute! J'avais plutôt peur qu'il me dise: «Hein? Chez Raymond Chabot, toi aussi? Tu n'étais pas au tournoi de golf annuel de cet été? Ni au *party* de Noël de la compagnie? Et la fameuse levée de fonds pour les enfants malades?» Euh... Euh... Euh... Belle tarte!

— Il ne voulait pas parler de job, hein... Probablement à cause de son poste important au sein de la compagnie, rappelle Caroline sur un ton quelque peu méprisant envers l'homme en question.

— Ouin... quand j'y repense, j'aurais peut-être dû me douter de quelque chose... surtout si je considère notre *french* public précoce. Ç'a tellement manqué de classe le début de notre «fréquentation», mais bon, souffle Katia en se souvenant avec honte du premier baiser échangé avec Jean.

«... Mexico, n'importe quel paradis, Mexico...»

Au grand bonheur des oreilles de tous, un homme possédant une belle voix s'en donne à cœur joie sur cette chanson populaire de Kaïn. Il semble même avoir répété une petite chorégraphie pour accompagner certains passages. Avec sa main libre, il balaye l'air de façon latérale au moment de dire «... c'est pas les îles Fidji...» et il la lève ensuite vers le ciel au moment de chanter «... c'est pas le soleil de Tahiti...».

— Sérieux, en le regardant, tu te dis : « Il doit passer sa vie à courir les karaokés ! » Il est bien trop préparé ! affirme Vicky, pleine de jugement, qui le trouve tout de même doué malgré sa mise en scène un peu quétaine.

— Il chante bien, en plus, ajoute Caro, qui apprécie beaucoup l'ensemble du spectacle.

En dansant un peu sur la chanson, les filles se mettent finalement à la fredonner aussi, mais de leur place.

« ... que Mexico, qu'n'importe quel paradis.
Que Mexico, pourvu qu'on s'oublie... »

Les trois copines forment une ronde, la présence de Jean ne constituant pas un frein à leur besoin de se regrouper un peu. Elles chantent toutes avec ardeur la chanson populaire en se tenant les bras, l'air nostalgique. Jean les observe avec amusement. Comme il semble s'interroger sur les raisons motivant cet engouement groupal soudain, Katia se tourne vers lui pour lui expliquer rondement :

— La chanson parle du Mexique et ça nous rappelle un voyage qu'on a fait l'an dernier à Cancún.

— Ah bon !

Les filles, considérablement éméchées, terminent la chanson en faisant un « cocon » bien soudé, bras dessus, bras dessous, laissant transparaître la mélancolie qu'elles attribuent aux paroles de la ballade.

« Que Mexicoooooooo... ooooooo... »

À la fin de la chanson, Katia avoue sans détour à Jean :

— Le plus curieux, c'est qu'il s'agit sûrement du pire voyage de l'histoire, mais on est comme unies viscéralement par cette expérience-là, tu comprends ?

— Ouais, ouais...

— Sérieux, ce voyage-là, c'est vraiment LE pire de tous ! renchérit Vicky. J'ai dû vider mon compte de banque à cause d'un trou de cul qui m'a fait chier. Pas grave, je me suis vengée en publiant une photo de lui nu, avec sa grosse graine molle géante en gros plan sur le Net. Combien d'internautes l'ont vue, les filles ?

— On était rendu à vingt-trois mille personnes la dernière fois qu'on a regardé, lui rappelle Katia avec fierté, satisfaite de la démarche de vengeance de son amie.

Jean dévisage les filles bizarrement. L'anecdote ainsi rapportée, et hors contexte, lui paraît un peu inusitée, voire décousue. Il hausse même les épaules, semblant vouloir plus de détails face à l'embryon d'histoire qu'elles lui ont livré. Katia, qui meurt d'envie de tout lui raconter, se fait rapidement ramener à l'ordre par Caroline.

— Tut ! tut ! tut ! De toute façon, on n'est plus censées parler de ce voyage ; ce qui s'est passé là-bas reste là-bas, conclut Caroline, n'ayant pas du tout envie de se replonger dans ce souvenir.

Vicky, qui regarde son téléphone intelligent, cligne des yeux plusieurs fois avant de déclarer :

— Bon ! Il est tard, je vais me coucher !

— Moi aussi. Attends-moi, je vais aller aux toilettes avant. J'ai trop envie, la prie Caro, qui disparaît en cinquième vitesse.

Restant au bar, les autres observent avec attention une femme dans la quarantaine qui monte sur scène. Débute la trame sonore d'une douce mélodie…

« If I should stay. I would only be in your way… »

— Hooooon ! Whitney Houston ! J'espère qu'elle chante bien, au moins, souhaite Katia, emballée par la potentielle prestation touchante.

Jean, qui saisit l'occasion d'effectuer un rapprochement facile avec Katia, la prend par la taille, et le couple se tourne ainsi vers la scène pour apprécier le spectacle. La femme maîtrise bien les paroles de départ, plutôt dialoguées, de la chanson. Ils l'écoutent un moment, attentifs. De plus en plus absorbée par la ballade romantique, Katia se blottit encore plus contre Jean pour lui susurrer langoureusement à l'oreille :

— C'est tellement une belle histoire d'amour, ce film-là…

— Moi, ce que je vois de beau ici ce soir, c'est toi, lui murmure Jean, en rapprochant son visage du sien.

« And IIIIIIIII, will always love youuuuuuuuu… »

Au moment où Caroline revient des toilettes, elle s'arrête brusquement, freinant ainsi sa marche rapide ; perplexe, elle analyse la situation de loin. Près du bar, Katia et Jean s'embrassent devant tout le monde, toutes langues sorties, au son de la voix de la femme qui fausse maintenant comme personne n'avait réussi à le faire depuis le début de la soirée. L'horreur ! Tellement que feue madame Houston doit se retourner de trois cent soixante degrés dans sa tombe.

Elle cherche Vicky des yeux, mais ne la voit pas…

— *My God!* Je pouvais bien être à un congrès pour le milieu de l'éducation; c'était justement assez niveau scolaire mon affaire, analyse Katia, honteuse. Eille! «Frencher» un inconnu, comme s'il n'y avait pas de lendemain, sur du Whitney Houston, *come on*! Je le connaissais depuis à peine trente minutes... Je m'énarve tellement!

— Quand je vous ai vus, je trouvais la scène trop drôle en effet. Avec comme arrière-fond la voix de cette femme qui faussait les notes aiguës à nous en perforer le tympan, c'était juste délicieux, se souvient Caro, en souriant à belles dents.

— Ton haleine ne devait pas être délicieuse par contre, déclare Vicky, qui ne peut s'empêcher de revenir une fois de plus sur le sujet.

— En fait, Jean avait peut-être arrangé le coup avec cette chanteuse pour pouvoir m'embrasser au plus vite: «Bon, on va mettre une petite chanson quétaine, la fille va craquer...» Pfft! Les filles, je peux pas encore croire ce que j'ai su tantôt... Eille! écume Katia, encore renversée.

Vicky, silencieuse, écoute ses amies avec un sourire en coin. Katia respire trois grands coups pour se calmer. Elle change de sujet afin de mettre quelqu'un d'autre sous les projecteurs:

— C'est tout de suite après que tu as rencontré ton futur mari, toi ? Ouuuuuuh !

— Laisse faire Ramon. N'importe quoi ! De toute façon, j'étais en mission à ce moment-là, hein, Vicky ? lance Caroline, avec des sous-entendus, en se dirigeant vers une station-service pour faire le plein d'essence.

— Je m'excuse encore, Caro, répond celle-ci, regrettant toujours la suite des événements de ce soir-là.

— Je t'ai tellement cherchée partout…

«And IIIIIIII… will always love youuuuuuu…»

Caroline cherche toujours Vicky des yeux, mais en vain. N'osant pas déranger le nouveau couple «amoureux», elle quitte les lieux en se disant que Vicky doit probablement l'attendre à l'extérieur de la salle de conférences. Malheureusement, son hypothèse se révèle fausse, car seulement un autre couple (qui se pelote sur un divan de cuir) s'y trouve. Elle regarde à gauche, à droite, retourne au cabinet de toilette pour enfin conclure que celle-ci, lasse d'attendre, a dû regagner la chambre d'hôtel. Elle décide donc de s'y rendre.

«Sixième étage. *Sexe floor.*»

En y pénétrant, elle constate vite fait l'absence de sa compagne ; elle s'assoit sur un des deux grands lits *queen* en se demandant où diable celle-ci peut bien être. Regrettant alors d'avoir quitté la soirée karaoké sans Vicky, elle décide d'y retourner, juste pour s'assurer que son amie va bien. Vicky était quand même «légèrement» en état d'ébriété.

En remettant les pieds au *party* des comptables, Caro repère sans difficulté Katia et Jean, qui y sont toujours. Ils ne s'embrassent plus par contre, la chanson d'AC/DC qui bat son plein étant clairement moins romantique que la précédente.

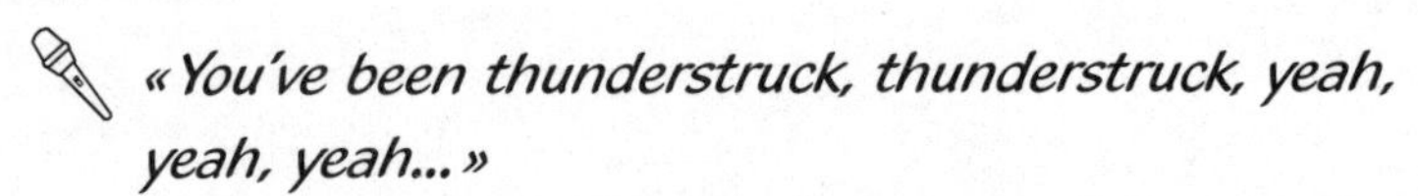

«You've been thunderstruck, thunderstruck, yeah, yeah, yeah...»

Elle s'approche donc du couple pour questionner son amie:

—As-tu vu Vic?

—Non. Vous n'alliez pas vous coucher en même temps?

—Je la trouve plus. Je comprends pas.

Jean se retourne avec en main trois *shooters*. Il en tend un en direction de Caroline.

—Ah non! Je m'en vais me coucher...

—Allez, tu vas mieux dormir, lui conseille judicieusement Jean, qui semble éméché lui aussi.

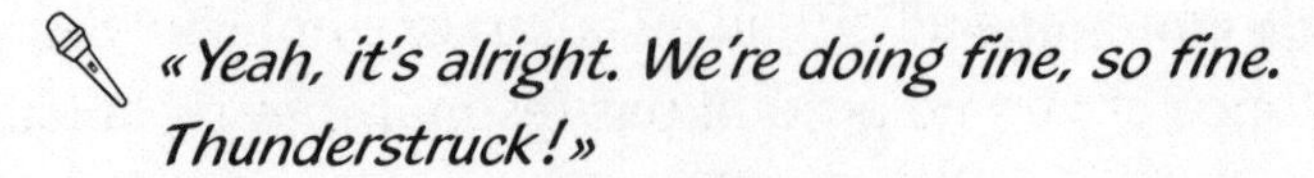

«Yeah, it's alright. We're doing fine, so fine. Thunderstruck!»

Ne désirant pas argumenter pendant une heure, elle avale le petit verre en même temps qu'eux avant de grimacer toute langue sortie.

— Ouache ! Bon, je vais tenter de la retrouver. Si elle revient ici, dites-lui que je la cherche. Bye.

Caro envoie un message texte à Vicky :

(T'es où ???)

Elle retourne ensuite aux toilettes, mais n'y trouve qu'une femme s'inspectant dans la glace. Caroline prend bien soin de regarder sous les portes au cas où Vicky se serait mal sentie. Rien. Impuissante, elle se dirige de nouveau vers le Hilton. En y mettant les pieds, elle croise un concierge qu'elle décide d'interroger.

— Bonjour, auriez-vous vu une fille toute seule, de mon âge, les cheveux ici, bruns, avec un veston et une jupe noire ?

— Madame qué cherrché les lunettes ? répond le type avec un accent hispanique.

— Hein ? Non. Je comprends pas. Elle peut pas s'être perdue entre l'hôtel et le Centre des congrès, toujours ?

— No, impossiblé. Pas perrrdu. Yé sui Ramon, se présente l'employé en roulant ses « r » de façon assez impressionnante et en tendant la main vers Caro.

N'ayant pas trop la tête à fraterniser, elle lui serre vite la pince, en se présentant à son tour. Le jeune homme, manifestement de l'Amérique du Sud ou centrale, est vêtu d'un habit de concierge à l'effigie du complexe hôtelier. Ses yeux brun foncé et vifs ne portent pas les marques de la fatigue, malgré l'heure tardive. Des boucles bien formées et définies ornent sa tête. Son large sourire semble permanent sur son visage, ce qui rend ses yeux espiègles et rieurs, comme ceux d'un enfant trop excité par un surplus de chocolat.

— Moi Portorrricain et pas marrrié non plus, lui mentionne-t-il avec joie, en lui désignant l'annulaire de sa main gauche dénué de toute bague.

— Hein ? fait de nouveau celle-ci, surprise de la tournure de la discussion. Mais, je cherche mon amie...

— Nous marrrier ensemble plus tarrrd, alorrrs, affirme Ramon en souriant, comprenant qu'elle n'est pas disponible pour un engagement prémarital dans l'immédiat.

— Ha ! ha ! ha ! Euh, non, non, pas marier ensemble. Bye-bye.

Tout de même amusée par la tentative de flirt du jeune Latino, elle rebrousse chemin pour se diriger de nouveau vers leur chambre.

« Sixième étage. *Sexe floor.* »

Vicky ne s'y trouve toujours pas. Elle déclare donc forfait et consulte son horaire du lendemain pour connaître l'heure de la première conférence. Celle-ci débute à 8 h 30.

— Ouf ! souffle-t-elle à haute voix en se préparant pour se mettre au lit.

Les bruits de pas d'une personne qui entre dans la chambre la réveillent en sursaut.

— C'est qui ?

— C'est moi, fait Vicky.

— Il est quelle heure ? T'étais où ?

— Il est 3 h 45. Comme une soûle-finie-de-la-vie, je me suis endormie sur une chaise dans le lobby en bas en attendant de te voir passer. J'ai eu l'air assez conne, merci. Les trois quarts des congressistes doivent m'avoir vue ronfler la bouche ouverte. Je suis de nouveau humiliée. Je viens juste de me réveiller…

— Hein ? Je t'ai jamais vue. Les employés de l'hôtel t'ont laissée dormir là ?

— J'étais dans le fauteuil, dos à la réception ; personne ne doit m'avoir vue… Kat n'est pas rentrée ?

— Non, elle doit être dans la chambre du comptable.

— Sûrement. Bon, je me sens mal de t'avoir réveillée, là… Rendors-toi.

— Bof ! Inquiète-toi pas, t'es pas la première. J'ai entendu du monde baiser tantôt dans la chambre d'à côté, donc disons que c'est pas la meilleure nuit de ma vie. Pfft… Bonne nuit.

Plutôt découragée par son comportement, Vicky soupire :

— Pfft ! Maudit que je fais dur.

Songeant à sa propre fin de soirée, Katia lance :

— Quand je repense à «*the vagina maniac*»...

— Ark! Le mot vagin est aussi laid en français qu'en anglais, souligne avec dégoût notre spécialiste de la langue française.

— Jean, le «porté sur la noune»! On peut l'appeler comme ça? pouffe Vicky, divertie à souhait par l'aventure nocturne de son amie.

— Je vous jure, les filles, je vais vraiment me recycler pour donner des cours d'éducation sexuelle au secondaire dorénavant. Je suis rendue pas mal bonne...

— J'ai peine à croire que ce fut si pire que ça, avec un homme de son âge en plus, conjecture Caro, encore perplexe face aux détails révélés par Katia.

— Si pire? C'est pas le mot. Mais... c'était pas nécessairement négatif en soi au départ. Juste bizarre, tente d'expliquer de nouveau Katia à ses copines.

— T'as dû tellement rire dans ta barbe en arrivant à sa chambre?

— Tu dis...

En route vers la chambre de Jean, Katia se renseigne tout de même à propos d'un détail non négligeable:

— Donc, t'as une chambre tout seul? Ils ne vous ont pas jumelés à plusieurs compte tenu des coûts du congrès?

— Non, je suis, comment dire, bien placé dans la compagnie, lui lance son compagnon, l'air très enchanté d'avoir sa chambre privée.

— C'est quoi ton poste ?

— On ne parle pas de boulot, ma belle…

Une fois dans l'ascenseur, elle le voit enfoncer le même bouton que leur étage. Elle ne dit pas un mot. Elle tient mordicus à garder son propre repaire secret, au cas où elle ne voudrait le voir qu'une seule nuit.

« Sixième étage. *Sexe floor.* »

Elle le suit docilement pour se rendre vite compte qu'il occupe nulle autre que la chambre adjacente à la leur. Discrète face à cette constatation, elle lui sourit en l'observant ouvrir la porte, toujours sans lui faire mention de la situation qui l'amuse.

Aussitôt qu'ils ont pénétré dans la pièce sombre, il referme avec empressement la porte et avance vers elle, l'air d'avoir des intentions plein la tête. Avant même de l'embrasser, il lui agrippe l'entrecuisse à travers son pantalon et il y débute un frottement assez rapide. Elle lui prend délicatement le poignet :

— Oh ! oh ! Doucement…, avant d'avancer son visage vers lui pour l'embrasser d'abord.

Après quelques baisers langoureux, il reprend sa manœuvre sexuelle de plus belle. Elle se laisse palper pendant quelques minutes, avant d'émettre de nouveau une mise en garde :

— On n'est pas pressés, Jean...

— Non, non, non, je sais.

Le couple continue de se tripoter un moment dans l'entrée de la pièce. Toujours follement captivé par son entrejambe, il se penche pour l'embrasser à travers son pantalon. Perplexe, Katia se montre tout de même consentante avant de le ramener à sa hauteur, mais sans rien dire cette fois-ci. Ils débutent alors un effeuillage mutuel. Tout de même excitée par son amant, et surtout motivée par l'alcool ingurgité, elle sent le désir charnel monter en elle. Naturellement, il commence par le pantalon qu'il lui enlève d'un mouvement décidé. Il lui révèle alors, l'air excité comme tout :

— Je veux voir, en parlant bien évidemment du sexe de Katia.

« Coudonc, méchant cochon lui ! », analyse celle-ci, qui commence à s'amuser de la quasi-perte de contrôle de son compagnon et du pouvoir que cela lui procure.

Elle en profite donc pour descendre à peine un côté de sa petite culotte, sous le regard excité de Jean. Elle l'aguiche en maintenant la pièce de tissu en place, tout en la refaisant glisser, ne lui laissant entrevoir que partiellement ce qu'il convoite. Au moment du grand dévoilement, il observe avec attention, à genoux devant elle, l'air incapable de patienter plus longtemps. Katia descend sa petite culotte...

— Ah, wow ! fait-il en se ruant sur elle pour lui embrasser le pubis.

— Doux, Jean. Il faut être doux, doux, le prie Katia en bonne pédagogue, craignant presque qu'il lui morde rudement l'entrejambe.

— Doux, doux, doux, acquiesce le type sur un ton enfantin, comme plongé dans une transe profonde.

Heureusement, ses attouchements s'avèrent délicats.

« Gâte-toi, le grand ! », songe Katia, maintenant résolue à lui faire plaisir, tout en appréciant, le sourire aux lèvres, les caresses buccales de son nouvel ami.

Elle ouvre un peu plus les jambes et pose ses mains à plat contre le mur, derrière elle...

En mémoire de ce moment particulier, Katia conclut par un simple :

— Hum...

— Bizarre pareil. Il me semble qu'un gars qui se déniche une fille dans un congrès, un soir, il veut prendre son pied au maximum ? réfléchit à voix haute Vicky.

— Je sais. Lui, ç'a tout pris pour qu'on baise. C'est parce que j'ai insisté. Après une heure de cunnilingus et deux orgasmes, j'ai dit : « Bien là, on peut faire autre chose, aussi... » En tout cas, son plan de match du week-end était assez évident, merci. Et il était prêt, le comptable : la chambre juste pour lui, les petites chandelles et tout.

—Cunnilingus? C'était pas une sorte de nuage ça? demande sottement Vicky.

—Et c'est là que j'ai eu la chance inouïe de vous entendre jouir, ajoute Caroline, qui, depuis, en avait conclu que c'était le couple qu'elle avait entendu cette nuit-là.

—Arrête, ça me gêne tellement. J'étais certaine d'avoir été assez discrète, se repent Katia, consciente de l'ironie de la situation.

— Ne t'en fais pas avec ça.

—Je veux bien, mais quand même... Toi, Vicky, tu t'es réellement endormie sur la chaise pendant deux heures? rappelle de nouveau Katia pour changer de sujet.

—Ouin... Je sais... Pas fort, avoue de nouveau celle-ci, embarrassée.

—Je ne comprends toujours pas pourquoi je t'ai jamais vue, soulève Caroline, encore abasourdie de ce détail.

—Et comme je dormais, je n'ai pas vu ton message texte.

—Imagine si tu étais restée là jusqu'au petit matin. On t'aurait aperçue en allant au buffet du déjeuner.

—Mmmm. Le buffet du matin, songe Caro, qui a encore l'eau à la bouche juste à penser aux victuailles qui s'y trouvaient.

—C'était tellement drôle le lendemain matin quand on a finalement compris à notre tour que la chambre de Jean se trouvait à côté de la nôtre...

Caroline et Vicky, qui font leur toilette matinale, s'inquiètent à propos de Katia et se demandent si elle arrivera à temps pour la première conférence.

— On peut pas aller la réveiller, on ne sait même pas où elle est.

— Je sais, je l'ai textée et elle n'a pas répondu, précise Caroline. Mes cheveux sont terribles, qu'est-ce que tu me conseilles ?

— Tiens, mets mon foulard, lui propose gentiment Vicky en lui tendant un fichu gris opaque.

— Ça n'a aucun bon sens…

— Si on nous pose des questions, on dira simplement qu'elle ne se sentait pas bien.

— Oui, mais tout le monde va en conclure qu'elle s'est soûlée ; c'est aussi suspect que lorsque des profs prennent leur avant-midi de congé le lendemain d'un 5 à 7. De toute façon, tu crois vraiment qu'on nous interrogera à ce sujet ?

— Aucune idée.

Tandis que les deux filles se maquillent côte à côte devant le miroir de la salle de bain, quelqu'un cogne à la porte.

— Bon, la voilà ! Elle a dû perdre sa carte magnétique.

En ouvrant, Vicky reste penaude. Elle fronce les sourcils et fait deux petits pas dans le corridor. Elle regarde à gauche puis à droite. Personne. Au loin, une femme de chambre déjà au travail la fixe attentivement, l'air de se demander si la cliente qui vient de surgir dans le couloir a besoin de quelque chose ou non.

— C'est quoi la farce ? Je vois personne.

— Hein ?

Caro, surprise, la rejoint.

Les filles restent là, confuses, cherchant à comprendre qui aurait pu frapper pour ensuite aller se cacher. Une blague ?

On tambourine de nouveau à une porte. Les deux filles se dévisagent un instant avant de réaliser que les coups ne proviennent pas de la porte d'entrée, mais bien de celle qui relie leur chambre à celle de leur voisin.

Caroline chuchote en direction de Vicky :

— C'est les voisins qui baisaient hier...

— Ben là ? Ils veulent tes impressions ?

Elles s'approchent à pas de loup vers la porte mitoyenne, comme si la tentative de communication inconnue s'avérait dangereuse ou menaçante. Sans ouvrir, Vicky émet un « Oui ? » caverneux et craintif, comme si elles mettaient potentiellement leur vie en péril en ouvrant cette porte.

— C'est peut-être des pervers ? panique Caroline en se demandant toujours si elles doivent déverrouiller ou non.

— Les filles, c'est moi, fait Katia à voix basse de l'autre côté.

— Hein ?

Abasourdie par ce revirement de situation inattendu, Vicky s'empresse de soulever le loquet de sécurité pour permettre à leur copine d'entrer. En mettant un pied dans la chambre, Katia leur envoie un regard coquin avant de refermer doucement la porte communicante de la chambre qu'elle vient de quitter. Elle ferme ensuite celle de leur chambre et pousse le loquet pour la verrouiller. Les cheveux en bataille et le mascara défraichi, elle esquisse une moue amusée aux filles, qui semblent encore s'interroger sur les circonstances surprenantes de son arrivée.

— C'est sa chambre. Il est dans la douche donc j'ai pris un raccourci pour éviter de croiser quelqu'un dans le corridor.

— Pouah !

Vicky attend qu'elles se soient éloignées des portes communicantes puis elle dévoile un détail croustillant à Katia :

— Elle vous a un peu entendus ! déclare avec amusement celle-ci en montrant Caroline du doigt.

— Non ? Pas vrai ?

Le témoin auditif approuve de la tête, l'air découragé.

— Eh oui, je me suis tapé notre voisin de palier… un comptable, et pas n'importe lequel : un haut placé dans la compagnie, raconte Katia, qui enchaîne avec quelques détails plus osés sur sa nuit passée avec son amant…

Malgré leur fatigue, les filles retrouvent largement le sourire à la vue du buffet généreux du matin, disposé à l'entrée de la salle de conférences. Elles salivent à la vue de la multitude de brioches, de beignets et de pâtisseries, de montagnes de bacon, de saucisses, de saumon fumé, d'œufs brouillés, le tout gardé dans des chauffe-plats. Des fruits frais de toutes sortes sont aussi disponibles à l'extrémité de la table ainsi que du muesli, du yogourt et une variété de fromages. Une vraie orgie alimentaire matinale. L'odeur du café et de la nourriture abondante semble les remettre sur pied en un clin d'œil.

— Mmmm...

En prenant place à une table, elles plongent la tête la première dans leur assiette généreusement remplie.

— Qu'est-ce qu'on a au menu ce matin?

— Hum... Une conférence durant le petit déjeuner: « Un système éducatif varié, la clé du succès », lit Caroline, qui tient en main l'horaire du jour.

— Wow, lance ironiquement Katia en engloutissant d'un seul coup la moitié d'une pâtisserie bien sucrée.

— Salut, les filles! articule Marc en s'assoyant à leur table, l'air d'avoir l'intention de prendre son déjeuner avec elles.

— Salut..., répond avec mollesse Vicky, paraissant toujours aussi peu enjouée de le voir présent audit congrès.

— J'ai des pas pires vidéos de vous autres, hier, durant le spectacle de l'hypnotiseur, se vante allégrement celui-ci, avec un sourire en coin éclatant.

— T'as filmé ça? lui crache Katia, pas très contente de ce détail.

— Ne vous inquiétez pas, c'est juste le directeur qui me l'a demandé. Ça va être drôle en maudit au *party* de Noël! déconne Marc, qui semble se délecter de la situation.

— Pas drôle, lui envoie Caroline pour tout commentaire.

— Au fait, on a pris un verre à la soirée hier et on ne vous a jamais vues. Vous étiez où? enquête Marc, toujours sans se mêler de ses affaires.

— On a pris une bouteille de vin entre filles à la chambre, ment Vicky en lui faisant un sourire forcé pour lui signifier, mine de rien, que ce n'est pas de ses oignons.

— Vous êtes donc ben matantes! Je pensais que vous faisiez du monokini près de la piscine, présume celui-ci, toujours fier d'évoquer des événements du passé.

— Ha! ha! ha! On peut en revenir de ça aussi, lui suggère Vicky, en riant très jaune cette fois-ci.

— Bah! Arrêtez donc de faire vos profs prudes, là! Mais j'avoue qu'avec une haleine d'oignon de même, ce n'était pas le temps de sortir... Ça devait être terrible, hein?

Aucune réponse. Ne se sentant finalement pas le bienvenu à leur table, les filles regardant dans tous les sens en silence, Marc se lève pour rejoindre son ami, assis plus loin.

— À plus!

— C'est ça, oui.

Une fois Marc parti, les trois copines émettent quelques commentaires à son sujet. Katia avoue la première :

— Il m'énerve tellement avec son petit air de « vous êtes à ma merci ».

— Méchant pas de vie, lui, déclare Vicky.

Un homme à l'avant prie gentiment les congressistes de s'asseoir afin de commencer le déjeuner-conférence. Katia roule des yeux en guise de désintérêt. Vicky l'imite pendant que Caroline se retourne vers l'animateur, l'air excité à souhait que le congrès débute officiellement.

— Marc devient exaspérant, à force d'insinuer qu'il a le pouvoir de nous mettre la tête sur le billot à tout moment, maugrée Katia.

— Il se donne de l'importance en jouant à ce petit jeu, analyse Vicky. C'était long la conférence ce matin-là.

— Plate à mort ! Une chance que Caro nous donnait un peu de crédibilité en se montrant SI intéressée. Ark ! Tu me tapais sur les nerfs à force de prendre des notes aussi passionnément, se remémore Katia en soufflant bruyamment, les joues gonflées d'air.

— Je participais, MOI. On était à Québec pour un congrès, non ?

— Ha ! ha ! On était là pour ça ! Est bonne, rigole Katia, persuadée que son amie plaisante.

Ne blaguant pas, Caroline reprend, en nuançant quelque peu son propos :

— On était en partie là pour ça.

— Et tes nombreux soupirants masculins du *staff*, eux autres ? Ils travaillaient « en partie » et le reste du temps ils te faisaient la cour, c'est ça ? la taquine Katia, avant d'échanger un regard complice avec Vicky qui s'est tournée vers elle.

— Pfft !

— Une belle brochette de mineurs en plus, rajoute Katia, amusée à souhait de voir Caroline presque insultée.

— Mineurs ? Franchement !

— Dis-le qu'il s'est passé quelque chose avec au moins un des deux, la nargue Vicky.

— Ouin, on te croit pas qu'il n'y a rien eu du tout…

Caroline les coupe brusquement ; elle troque son attitude offusquée-amusée pour un visage très mécontent.

— Vous allez encore me sortir : « Au Mexique, en tout cas, on t'a crue, mais finalement blablabla… » ? C'est ça, hein ? Dites-le ?

La voyant ainsi en colère, les filles cessent sur-le-champ leurs taquineries.

— Mon Dieu, calme-toi, Caro. On rigole.

— On ne rigole pas, non. Je le sais que vous allez me ramener cette histoire sur le nez pour le reste de ma vie. Je suis tannée et ça me fait suer. Voilà ! Je n'aurais jamais dû tout vous dire à cette époque-là, c'est tout...

— Aaaahh... Caro, capote pas. On n'en reparlera plus jamais. Promis !

Un silence pesant emplit peu à peu l'habitacle de la voiture, tel un nuage de fumée opaque s'immisçant doucement par les vitres. Personne ne dit mot. Caroline regrette de s'être montrée trop émotive, tandis que les deux filles semblent également se reprocher de s'être payé sa tête. Elles restent tout de même secrètement amusées de la voir encore se culpabiliser autant pour des événements datant de plusieurs mois. Elles se demandent tout de même si elles doivent croire ou non Caroline, qui les a si bien mystifiées par le passé. Katia revoit défiler dans sa tête des images de Caroline et de son attitude à l'égard des deux gars, le premier midi, au restaurant de l'hôtel...

Les filles prennent place à une table du restaurant de l'hôtel pour profiter du buffet ; contrairement aux déjeuners et aux soupers, le dîner ne se déroule pas dans la salle du congrès.

— *Yeah !* J'ai plein de notes, se vante Caroline en tentant de mettre un peu d'ordre dans son fouillis de feuilles.

— Ta motivation m'exaspère. Ce doit être parce que ça me renvoie en pleine face ma propre procrastination, réfléchit Katia en jouant la sotte.

— Dans mon cas, je vous annonce que durant la deuxième conférence, j'ai dormi ! Une petite sieste *tranquillos*. Surtout durant la période d'analyse et de réflexions sur les échecs de la réforme scolaire d'il y a quelques années, déclare Vicky, satisfaite de sa piètre participation.

— *Anyway*, on le savait que ce serait plate, soupire Katia, qui a justement envie d'aller piquer une sieste d'après-midi.

— Franchement ! Vous étiez les deux moins intéressées de tout le congrès, vous deux, les confronte Caroline.

Assises devant elle, les deux filles interrompent tout à coup la conversation pour afficher un sourire narquois.

— Quoi ? interroge Caro qui ne comprend pas leur amusement soudain.

— Parlant d'« intéressé », le jeune serveur *sexy* te mate du coin de l'œil depuis tout à l'heure, lui indique Vicky, les sourcils relevés.

— Meuh ? réagit Caroline, qui ne peut s'empêcher de se retourner.

Alexis, qui regarde toujours dans leur direction, lui envoie bien haut la main d'un mouvement rempli de conviction. Caroline lui renvoie la pareille. Katia, qui répond aussi poliment à la salutation, commente, avec un sourire feint :

— Ben oui, regarde-le donc, lui, avec toute sa motivation…

— Ah, t'es conne, lâche Caroline, craignant que celui-ci se rende compte qu'elles s'amusent à ses dépens.

— C'est tes cheveux, je te le dis. Depuis que tu as cette tête, les jeunes adolescents se jettent à tes genoux, conclut Vicky, qui envie presque son amie.

— Excuse-moi de te voler la vedette, mais c'est plutôt moi « la fille devant qui les hommes se mettent à genoux », rectifie Katia, en faisant référence à sa conquête de la veille.

— Ah oui, l'obsédé du vagin !

— Trop drôle !

Pour rajouter à l'hypothèse farfelue des filles à propos du pouvoir-capillaire-attractif incontestable de Caroline, Ramon, qui surgit de nulle part avec un chariot rempli de vaisselle propre, lui envoie à son tour la main avec un engouement tout aussi vif. Il semble prêter main-forte aux serveuses, débordées par l'effervescence du repas du midi. Caro lui balaie un petit signe des doigts, pas plus haut que la hauteur de ses épaules. Sans crier gare, Ramon se détourne de sa tâche, fonçant vers elle comme si elle l'avait clairement prié de venir éteindre un feu ardent sous la table.

— Carrrolina ! s'exclame le jeune Portoricain en arrivant près d'elle.

— Allo...

Les yeux dans la graisse de bines, il la dévisage sans rien dire. Katia déclare, l'air complètement dépassée :

— Ben voyons ! D'où il sort, lui ? T'as-tu envoûté tous les employés de l'hôtel, coudonc ?

Caroline lui adresse un large sourire, qui semble clairement vouloir dire: «Je te déteste», pendant que Vicky se présente d'un air embarrassé:

—Moi, c'est Vicky. On s'est déjà croisés, je crois.

—Aaah. Si, dans lé corridor, ayer...

Elle enchaîne rapidement:

—D'où viens-tu?

—Ramon, dé Porto Rico, répond celui-ci, tout sourire, comme s'il auditionnait pour l'émission de téléréalité de l'heure.

—Bien, bien...

—Yé l'aime beaucoup, Carolina, se confie à cœur ouvert Ramon, en fixant les amies de Caroline, comme si la principale intéressée n'y était pas, mi-blagueur, mi-sérieux.

—OK! Il t'aime pas mal, là, ne peut s'empêcher de rigoler Katia, sans que Ramon ne bronche d'un pas.

—Si... Au révoir, yé vais trrravailler, s'excuse l'employé, qui recule en se prosternant presque devant Caroline.

Les filles attendent quelques secondes qu'il se soit éloigné avant d'exploser en simultané.

—*My God!* OK! s'étonne Katia, qui croit avoir tout compris.

—Ayoye, «yé l'aime»?

—Je sais. Il voulait me marier hier, quand je l'ai rencontré près du lobby, explique Caro en riant, tout de même l'*ego* bien flatté. Je pense en fait qu'il est vraiment pince-sans-rire.

— Non mais, il a un petit quelque chose, déclare Katia, qui observe avec envie le popotin du jeune Latino maintenant de dos.

— Bon, entendez-vous qui parle ? T'as vraiment une fixation, on dirait, si on pense à ton danseur au Mexique, exagère Caro, les baguettes en l'air.

— Tut ! tut ! tut ! Ce qui s'est passé au Mexique reste là, je te signale. Ça n'existe pas, lui rappelle Katia qui, en vérité, se moque carrément que son amie évoque cette épopée.

Vicky, qui s'apprête à faire un commentaire amusant sur la discussion, est interrompue par Alexis, qui arrive avec un seau à glace et une bouteille de vin blanc. Il installe le tout sur la table des filles en lorgnant langoureusement Caroline.

— Heu... non, désolée. On n'a pas commandé ça, lui précise celle-ci, certaine qu'il se trompe de table.

— Ne vous en faites pas, avoue-t-il en lui décochant un clin d'œil.

— C'est que... on a des conférences cet après-midi et..., tente de s'opposer Caroline avant que Katia la coupe sans ménagement.

— C'est parfait ! Parfait ! Remercie la « maison » de notre part !

— Oh que oui ! Parfait ! répète à son tour Vicky, également ravie du présent.

— *Cool !* Les congrès, c'est comme des vacances, genre. Si vous avez besoin de quoi que ce soit, faites-moi signe, lance Alexis en fixant toujours Caroline avec ses beaux grands yeux verts.

Il s'éloigne pour regagner sa place derrière le bar. Sans plus attendre, Katia sert à boire à ses amies, un sourire satisfait sur le visage.

— Parle-moi d'une belle initiative, « genre » ! La jeunesse québécoise est moins égoïste qu'on le pensait.

En terminant le service, elle fait presque tomber la coupe de Vicky. Celle-ci la rattrape de justesse.

— Attention !

— Excuse-moi ! D'habitude, c'est toi qui brises des choses en vacances, lui réplique Katia du tac au tac, en faisant encore référence au voyage maudit du Mexique.

— Bon...

— Je sais pas pourquoi, j'ai le mauvais pressentiment que tu vas encore bousiller quelque chose durant ce congrès et que ça va te coûter cher... Ha ! ha !

— Les filles ? Sérieusement. On peut pas se soûler, insiste Caroline pour tenter de ramener ses amies à l'ordre.

Celles-ci semblent toutefois être dans un état d'esprit très festif.

— On se soûle pas ; on déguste juste un petit verre de vin de midi, dédramatise Vicky en prenant une généreuse gorgée.

À quelques tables de là, des gars les observent à leur insu depuis déjà un bon moment. En se rendant au buffet, elles passent devant leur table sans trop les reconnaître.

Elles sursautent lorsque l'un d'eux les interpelle à voix haute :

— Hé ! Les filles de Raymond Chabot de Victo !

Nerveuse, Caro passe droit sans même se retourner. Vicky fige sur place, la bouche un peu ouverte. Katia, alerte face aux mensonges de la veille, leur sourit en répondant :

— Ben oui ! Allo !

— Naturellement, ils logent ici eux autres, chuchote Vicky à Katia en la rejoignant près du buffet.

— Je ne sais pas pour vous autres, mais quand les gars de la veille nous ont appelées en criant : « Ah, les filles de Victo… », je me suis dit : « Sérieusement, notre mensonge va nous mettre dans la merde… »

— Imaginez si Marc avait été proche ? « Comment ça, les filles de Victo ? »

— Tout s'est super bien terminé, finalement, conclut Vicky avec ironie.

— Tu trouves, toi ? Pas encore convaincue de ça, songe Caroline à voix haute.

— À vrai dire, ma carte de crédit non plus, se plaint finalement Vicky.

— Tu le sais qu'on va t'aider à payer, Vic. Et Caro, relaxe ! Qu'est-ce qui peut arriver de pire ? On est sur le chemin du retour.

— Qu'on soit accusées de fraude ou de vol. C'est le pire qui peut nous arriver, oui ! Le tout, sans compter que le directeur va sûrement nous demander de rembourser la totalité des coûts du congrès quand on lui rapportera que deux de ses profs dormaient à poings fermés durant la table ronde du vendredi après-midi, exagère encore Caroline.

— Moi, j'ai dormi le matin ET l'après-midi, rajoute Vicky, toujours en proie à une fierté palpable.

— C'était juste un petit verre de vin de rien du tout, mais avec la courte nuit, ouf, ç'a fessé fort, confie Katia, consciente, mais juste après coup.

Caroline lève une main du volant, son index maintenu en l'air, afin de spécifier un détail à ses amies.

— Oh ! Un instant ! Je rectifie : moi, je n'ai pris qu'un miniverre ; vous avez bu presque toute la bouteille à vous deux en vingt-cinq minutes...

— Bah ! Toujours les grandes exagérations ! prétend Katia, l'air outré, en tapant sur l'épaule de Vicky pour rigoler, étant donné que c'est bel et bien la vérité.

— Un verre de vin tranquille, le midi d'un long week-end de congrès, ç'a toujours sa place. On n'était pas toutes seules à avoir compris le principe, souligne pertinemment Vicky, en sortant sa lime-émeri pour corriger une irrégularité sur un de ses ongles qui l'agace.

En effet, elle n'a pas tort car plusieurs congressistes avaient légèrement arrosé leur repas du midi en l'assumant au vu et au su de tout le monde.

— En tout cas, le résultat, c'est que vous avez carrément dormi sur votre chaise. Je me sentais comme avec mon fils quand il se comporte mal dans une salle d'attente et que je dois l'avertir à répétition, leur confie Caroline, encore honteuse de ses amies.

Katia profite de son exemple pour la narguer :

— Non, c'est que tu peines à décrocher de ton rôle de mère quand tu quittes ton fils trop longtemps.

— Laisse faire ! Deux belles nouilles, oui ! Vous aviez l'air de deux ados ayant passé la nuit au complet sur Facebook...

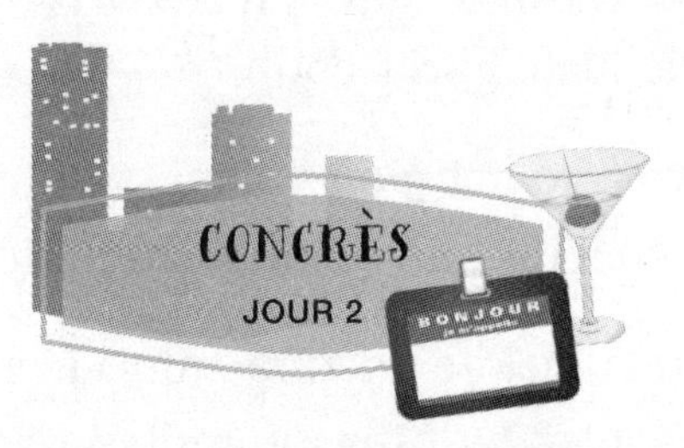

Assises à la même table depuis déjà plus d'une heure, les filles assistent à la conférence d'un homme et d'une femme faisant l'éloge de certaines nouvelles stratégies de motivation pédagogique pour maximiser la capacité d'attention des élèves en classe. Caroline prend plusieurs notes. Le français n'étant pas la matière préférée de la plupart de ses élèves, c'est un point qui l'intéresse particulièrement. En se tournant vers Vicky, assise à sa droite, elle remarque que celle-ci sommeille encore, comme lors de la conférence du matin. Les jambes croisées et bien allongées devant, elle penche maintenant la tête vers l'avant.

Ses bras sont repliés sous sa poitrine. Elle ressemble à un Mexicain faisant la *siesta* en après-midi sous un soleil ardent. Cependant, l'absence du fameux sombrero rend sa sieste plus qu'évidente aux yeux de tous. À sa gauche, Katia, encore moins subtile, est carrément affalée de côté, sa tête reposant au creux de sa main, son coude bien posé sur la table. Sa joue, aplatie par la pression de sa paume, lui remonte près du nez. Sa bouche légèrement entrouverte laisse croire qu'elle pourrait même avoir atteint un stade de sommeil profond. Gênée de la situation, Caroline assène un coup de pied à Vicky sous la table en même temps qu'elle pousse rudement le bras servant d'appui à Katia. Celle-ci fait un saut en se retrouvant ainsi la tête dans le vide. Mécontente, elle se permet même une petite remarque onomatopéique grommelée de façon très audible :

— HUUUUMMM...

Vicky, qui semble aussi sortir tout droit des limbes, se tourne vers Caroline, l'air de dire : « Bordel ! C'est quoi ton problème ? »

— Vous dormez et c'est très gênant, chuchote Caroline en les mitraillant à tour de rôle de ses gros yeux pleins de reproches.

— Je ne dormais même pas, ment allégrement Vicky, en clignant des yeux plusieurs fois pour reprendre ses esprits tout en essuyant un filet de salive à la commissure de ses lèvres.

Katia, quant à elle, se redresse un peu sur sa chaise et lève la tête pour suivre la conférence, croyant ainsi contrecarrer les accusations de « sommeil pendant un congrès » pesant contre elle. Caroline tourne à son tour les yeux vers l'avant en adoptant un air pincé, la tête bien haute, transmettant ainsi de façon explicite à ses amies sa contrariété face à la situation. Les deux animateurs de l'atelier résument avec précision, à l'aide d'une présentation PowerPoint, les différentes techniques pour augmenter l'attention et l'intérêt des élèves. Complètement perdue dans leur explication, Katia roule des yeux en direction de Vicky, qui souffle à son tour par la bouche en signe de compassion.

Katia, qui semble tout à coup prise d'une illumination, attrape le crayon et le bloc-notes de Caroline pour y inscrire en grosses lettres : « Je veux aller me prélasser dans la piscine ! »

C'est maintenant au tour de Caroline de lever les yeux au ciel en reprenant son carnet et son crayon. Vicky les lui prend également des mains pour inscrire à son tour : « Mets-en ! On se pousse en douce ? »

Caroline, qui se réapproprie son crayon et son bloc-notes, écrit : « Il reste 45 minutes ! » en désignant du menton la présentation qui va toujours bon train. Docile, Vicky se réinstalle dans sa position initiale en croisant de nouveau les bras. Katia replace son coude sur la table et repose la tête dans sa main.

« Sixième étage. *Sexe floor.* »

— Pénible ! se plaint à haute voix Vicky, les filles étant maintenant seules dans le long corridor menant à la chambre.

— Tsé, quand vous me disiez : « On ne sera pas les collègues les plus motivées au congrès... » Je ne pensais pas que vous seriez si pires que ça, sérieusement, leur reproche Caroline, soulagée que l'après-midi soit enfin terminé.

— Non, mais blablabla, notre système scolaire est sur la bonne voie, blablabla, tout va bien dans le meilleur des mondes... Heu, j'aimerais énormément que ceux qui animent les superbes ateliers viennent dans ma classe. C'est bien beau les grandes théories, les espoirs à long terme, les super programmes performants à adopter, mais en pratique, ce n'est pas vraiment réaliste. La réalité du monde de l'éducation, c'est de tenter de faire comprendre notre matière aux jeunes sans qu'ils décrochent avant leur troisième secondaire, tout en gérant une jeune fille enceinte de son *chum* beaucoup trop vieux pour elle... Et ça, c'est sans parler de ceux qui arrivent dans nos cours le lundi, les yeux cernés d'avoir passé le week-end sur le *speed* à faire de l'intimidation sur Facebook. Et nous, on doit motiver tout ce beau monde-là ! Tsé, la vraie vie *versus* la théorie... Je vais en instaurer des beaux programmes comme ils suggèrent, moi aussi, mais libérez-moi des heures de temps de classe par contre, sinon je vais devoir le faire le samedi chez nous et ça me tente vraiment pas, ventile Katia, terre à terre.

— Ouin..., avoue finalement Caroline, consciente que la plupart des propos émis durant l'après-midi semblaient parfaits, mais quasi impossibles à réaliser pour un enseignant à temps plein.

— Moi, je n'ai pas trop de problèmes d'attention dans mes groupes. Les arts plastiques, c'est la récré.

Ouvrant la porte avec sa carte magnétique, Caroline est la première à entrer dans la chambre. Quelle n'est pas sa surprise de constater qu'un bouquet de fleurs fraîches gît sur le premier lit.

— Le voisin obsédé de la noune t'a envoyé des fleurs ! rugit celle-ci en se ruant sur le bouquet avec amusement.

— *WHAT* ? crie à son tour l'enseignante d'anglais, sous le choc.

— Ha ! ha ! ha ! Wow ! Il a aimé sa nuit ! s'égosille Vicky.

Caroline lit la carte qui accompagne les gerbes de fleurs et change drastiquement de visage.

— Quoi ?

— C'est pour moi ! leur lance-t-elle, stupéfaite.

— De qui ?

— Je ne sais pas, c'est juste écrit : « Belle Caroline de mes rêves... »

— Ça doit être de la part de Ramon, de Puerto-machin, rigole de nouveau Vicky.

— Ou encore du jeune serveur ? devine Katia, se croyant fine renarde de soulever l'évidente possibilité.

Caroline analyse les fleurs pendant quelques instants, dévisageant ensuite ses amies, l'air mi-excité, mi-ennuyé. Vicky conclut de nouveau :

— Tes cheveux sont maléfiques. Tu ensorcelles les hommes.

— Précisons : les jeunes hommes. Il faut maintenant enquêter..., déclare très sérieusement Katia.

— Les fleurs, c'était du gros n'importe quoi, se souvient Caroline en fixant la route devant elle.

— Arrête donc, Caro, de faire ton indifférente. Sur le coup, t'as ressenti un petit velours, la confronte Katia, tout de même jalouse de prime abord que le cadeau ne lui était pas adressé.

— Pfft ! Je ne savais même pas de qui c'était.

— Ce pouvait être n'importe lequel des deux parce que l'écriture était clairement celle d'une femme, donc de la fleuriste, se remémore Vicky, en bonne enquêteuse.

— Trop drôle, savoure encore Katia en secouant la tête.

— Pas si drôle en fin de compte, précise Caroline, compte tenu de la fin de l'histoire.

— Ç'a quand même été le plus bel après-midi de tout le week-end. À ce moment précis, le principe de « relaxation en congrès » a pris tout son sens, souligne Vicky en mémoire de la douce fin de journée.

— Tu dis ! Eh qu'on était bien !

— Le paradis…

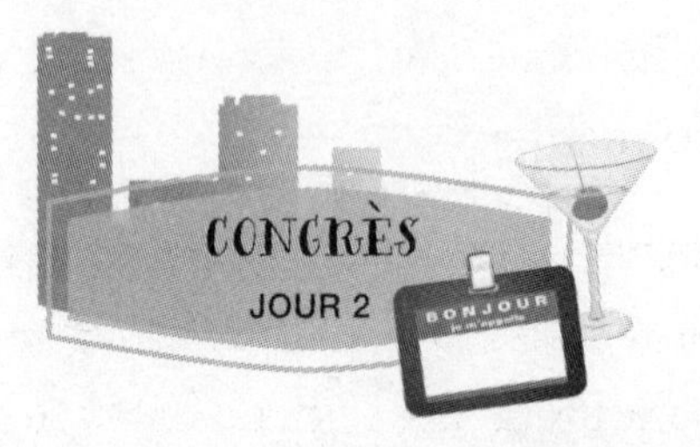

Habillées de simples survêtements sport afin de ne pas déambuler dans tout l'hôtel en maillot de bain, les filles se dirigent d'un pas décidé vers l'espace divertissement du complexe hôtelier, au troisième étage. Celui-ci offre aux clients une grande piscine extérieure chauffée, un sauna et une vaste salle d'entraînement. En cette fin d'après-midi, plusieurs personnes profitent tranquillement des diverses installations.

Vicky, qui semble connaître les airs de la place, dirige les filles :

— Le vestiaire est juste là-bas.

— Tu étais venue visiter l'endroit ? l'interroge Caro.

— Oui, hier, en me baladant.

Elles se dévêtent rapidement pour ensuite se diriger, une serviette autour de la taille, vers la piscine. Bien que le temps soit tout de même un peu frisquet, la température de l'eau s'avère parfaite. Au moment de s'y immerger jusqu'au cou, un relâchement de groupe s'effectue en simultané, laissant ainsi libre cours à plusieurs interjections de satisfaction.

— Aaahhhh...

— Fffff...

— Huuuuummm...

— Ça, c'est la vraie vie de congrès, confie Katia en pivotant sur elle-même.

Les deux autres filles l'imitent, en souriant aux anges. Elles s'installent près du rebord, pour apprécier tout simplement le moment présent en silence. Un petit rire strident les sort brutalement de leur sereine quiétude. Située à l'autre bout de la piscine, une jeune femme aux cheveux pâles ricane, telle une hyène prise au piège.

— Hui ! hui ! hui !

— Voyons, elle..., s'interloque Katia, auditivement[12] irritée.

Elles observent avec attention cette fille blondasse qui barbote avec tant de plaisir. La jeune femme arrose avec ferveur son partenaire en riant avec excitation de la situation, comme s'il s'agissait de la blague de l'année.

— Hui ! hui ! hui !

— Eille ! C'est la secrétaire cochonne qui chantait *Barbie Girl* au *party* des comptables, semble reconnaître Vicky.

— Ark ! Oui, avec son vieux cochon de patron, confirme Caroline, outrée, même s'il ne s'agit que de spéculations pour le moment.

— Vieux dégueulasse !

12. J'ajoute ce mot à mon dictionnaire, mais selon mon humble opinion, il devrait déjà exister pour vrai. Quelle évidence !

— J'espère que sa promotion en vaut la peine, continue de présumer Vicky, toujours sans connaître la véritable situation des deux inconnus.

— Pfft ! Elle va entrer au bureau lundi matin et oups ! Plus question de promotion finalement. Après une révision du budget semestriel, on a dû couper dans les dépenses. Une décision administrative de la femme du patron, actionnaire majoritaire de la compagnie..., exagère Caroline en secouant la tête de gauche à droite.

— Et comme je t'ai déjà baisée, c'est toi qu'on met à la porte. La belle et plantureuse Samantha va prendre ta place pour 4 piastres moins cher de l'heure, termine Katia.

Pendant que les filles continuent de potiner sur le possible abus de pouvoir dudit patron, Ramon fait son entrée dans l'aire de la piscine avec une vadrouille en main. Il commence à nettoyer le carrelage avant d'apercevoir les filles. Excité, comme si Rihanna en personne pataugeait dans la piscine, il pousse un petit cri avant de gambader vers elles.

— Ayoye ! Raymond va capoter de voir sa future femme en maillot de bain, prédit Katia.

— Raymond ?

— En espagnol, Ramon, c'est Raymond, affirme celle-ci avec conviction.

— *¡Hola!* fait-il avec ardeur en arrivant près des filles.

— *¡Hola!* le salue Caro, avec gentillesse.

Ramon se poste devant elles, telle une statue, les mains sur les hanches, en observant Caroline sans dire un mot.

Importunée, celle-ci se montre peu loquace. Un large sourire aux lèvres, Katia incline la tête vers l'arrière, comme si elle savourait plaisamment le malaise palpable. Vicky observe l'eau glisser entre ses doigts en remuant sa main de gauche à droite, comme s'il s'agissait de l'expérience sensorielle la plus intrigante de sa vie. Ramon tapote légèrement du pied gauche, avant de décider de lui débiter sa blague classique:

— Toi avoirrr le temps marrrier maintenant?

— Ha! ha! ha! rigole Katia en agitant à son tour ses mains dans l'eau.

— T'as le temps, Caro, on ne fait rien, rajoute Vicky pour l'inciter à accepter la proposition de mariage.

— Non, moi pas le temps. Moi en congrès! s'y met à son tour Caro, pour faire rire ses amies en faisant une phrase sans verbe.

— D'accorrrd, marrrier plus tard alorrrs. Vous quel congrrrès? s'informe Ramon, désireux de connaître l'emploi de sa future épouse.

— Heu..., hésite Caroline, en dévisageant ses amies, plus certaine du bon choix à faire.

— Celui des comptables, dit Katia en prenant en charge la conversation.

— Comptable, bién emploi, conclut Ramon dans un français approximatif.

— Bon emploi, le reprend Caroline en bonne pédagogue pour le franciser un peu au passage.

— Toi apprendrrre moi frrrançais meilleurrr quand marrriés, fait remarquer Ramon, toujours aussi emballé.

Se rappelant soudainement leur enquête concernant le fameux bouquet de fleurs, Katia tente d'interroger le suspect numéro un :

— Serais-tu du genre à acheter des fleurs à ta future femme, toi, Ramon ?

— Des flores ? Toi vouloirrr flores ? demande Ramon, simulant un air affolé, soucieux de faire plaisir à sa future épouse.

— Non, non, non. Mon amie fait des blagues. Je n'aime pas les fleurs, rectifie Caroline, embarrassée.

— Ah ! Pas de flores. Moi retour trrravail. Attention, pas oublier lunettes ici. *¡Jajajaja*[13] ! Au revoirrr, fait poliment le jeune homme en retournant à sa tâche.

Les filles le saluent et attendent qu'il soit un peu plus loin avant de se prononcer.

— Pertinente, sa mise en garde au sujet des lunettes, souligne Caro, qui le trouve drôle, mais tout de même un peu étrange.

— On sait maintenant que c'est pas lui qui a envoyé les fleurs, en déduit Vicky.

— Non, et là, je ne voulais pas qu'il dépense sa paye au complet pour des roses en croyant ainsi me faire plaisir, explique Caro.

— C'est le jeune serveur du bar, donc...

---

13. Façon à l'écrit de rire en espagnol, en remplacement du traditionnel « ha ! ha ! ha ! »

— Ouuuuuuh ! s'émoustille Vicky en arrosant son amie pour la taquiner.

Le visage et les cheveux quelque peu trempés, celle-ci asperge à son tour Vicky avant d'agripper sa serviette pour s'assécher un peu les yeux. Naturellement, princesse Vicky fait de même pour éviter que son maquillage ne coule.

— Eh oui, je sais, je sais ! Je suis l'idiote responsable de la dégradation de ta coiffure, se repent Vicky en regardant de nouveau et avec désolation la tête de Caroline.

— Petit détail important que la fameuse coiffeuse du concours aurait dû me dire : « La teinture révolutionnaire que je t'ai appliquée pour les mèches blondes va tourner au vert fluo si tu les mouilles avec de l'eau contenant du chlore. » Avoir su…

En effet, après s'être lavé les cheveux le vendredi soir, Caroline avait remarqué que les mèches plus pâles de sa chevelure excentrique semblaient maintenant arborer des reflets verdâtres. Au lavage subséquent, les mèches qui avaient reçu l'eau de piscine lorsque Vicky l'avait aspergée avaient tourné littéralement au vert.

— Ta coiffeuse va tout arranger.

— Seulement mardi, oui, se désole Caroline, toujours importunée de devoir trouver une solution miracle afin d'être présentable à l'école le lendemain matin.

— On va trouver une façon, je te le jure, lui promet Vicky, très compatissante face au problème capillaire embarrassant de son amie.

— Il le faut… Mais pour revenir à la journée de vendredi, maudit que la soirée s'annonçait plate à mort au début, hein ? À un moment donné, je me disais : « Bon, aussi bien d'aller se coucher, là. »

— T'as voulu aller te coucher tôt tout le week-end, lui rappelle Vicky sur un ton de reproche évident.

— Pfft, s'offusque Caroline pour s'opposer à l'affirmation de son amie. Je te signale que je n'avais pas dormi tout l'après-midi, MOI.

— Si au moins on avait gagné de l'argent durant l'activité de soirée de notre congrès.

— On n'en avait pas besoin, on se faisait payer la traite, nous autres. Connerie ! déclare Katia sur un ton très ironique.

— Les *drinks* royaux, toi ! Avoir su la suite…, regrette Vicky, tout aussi amère que son amie.

Les filles, reposées et fin prêtes à se rendre à la soirée de leur propre congrès, discutent de son déroulement en lisant le feuillet de présentation.

— Un buffet italien suivi d'une soirée casino.

— Bof ! Moi, les jeux de hasard, c'est pas mon fort. À moins que ce soit du *strip poker*, exprime Katia, subtile comme un chien dans un jeu de quilles.

— Bon, l'autre obsédée sexuelle encore, roule des yeux Caroline, tout de même amusée par la blague facile.

— Justement, le « 6e qui suce » veut jouer avec toi, invente Vicky.

— Ark ! Parle pas de lui, tout d'un coup qu'il apparaît.

— On dirait que j'ai juste hâte de l'entendre pour vrai. C'est pas que je te crois pas, Kat, mais c'est comme invraisemblable. Il peut pas avoir un problème de langue à ce point-là, avoue Vicky, en se rappelant le visage parfait du bel inconnu.

— Parlant de langue, je vais faire une halte au *party* des comptables ce soir pour donner un rendez-vous à Jean. Pas le choix, j'ai même pas son numéro de cellulaire.

— Le « nouneur » ? demande Vicky en guise de précision, tout en éclatant de rire.

— « Le nouneur professionnel », c'est drôle ça ! apprécie Katia.

— Il faudrait savoir quelle est leur planification de ce soir aussi, ajoute Vicky.

Bien d'accord avec l'idée, Katia propose :

— Oui, on arrête prendre un verre au bistro de l'hôtel et on passe voir sur le tableau près de là avant d'aller souper ?

— Parfait ! approuve Caro avec un enthousiasme soudain.

— Question de voir ton beau serveur aussi...

— Pfft ! Voyons...

La principale intéressée met fin au sujet en avançant un peu plus vite dans le corridor, le nez en l'air, comme si cela la rendait plus crédible dans sa supposée indifférence. Les filles rigolent dans son dos.

Sans surprise, lorsqu'elles entrent dans le bar, Alexis les accueille dignement en leur proposant de la main deux tables potentielles.

— Non, merci, on va rester au bar, on vient juste prendre l'apéro, lui explique poliment Caroline.

Il approche un tabouret supplémentaire, étant donné que l'espace-bar est très fréquenté à cette heure-là. Les congressistes s'y rassemblent souvent avant de se rendre à leur souper respectif.

— Merci ! apprécie Caroline en s'assoyant sur le banc que le jeune homme vient de lui apporter.

— Hum... Je vais boire..., hésite Vicky, qui réfléchit aux possibilités qui s'offrent à elle.

— Attendez ! J'ai un cocktail parfait pour vous, propose avec emphase le serveur, en disparaissant illico à l'autre extrémité du bar.

Les filles échangent quelques regards amusés en se doutant bien que celui-ci va encore leur payer la tournée. Elles ont vu juste. Il revient avec trois flûtes de champagne renfermant un liquide translucide et effervescent, mais avec une liqueur épaisse de couleur rose-rouge en suspension dans le verre. Trois framboises reposent aussi au fond du breuvage.

— Kirs royaux[14] pour mesdames ! formule Alexis avec galanterie en déposant les coupes devant elles.

— Merci bien !

Katia, toujours alerte face à leur mission d'enquête, lance au jeune homme :

— Tu sais pas quoi, Alexis ? Notre amie Caroline ici présente a reçu des fleurs dans notre chambre...

— Ah oui ! Wow ! Genre, super chanceuse, dit-il, l'air manifestement peu surpris de la révélation.

— Genre, oui, répète Katia, de connivence avec lui.

Il sourit largement dans sa direction avant de s'envoler de nouveau à l'autre bout du grand bar rectangulaire afin de servir d'autres clients.

— Trop *cool,* son *drink* ! Pour les fleurs, c'est évidemment lui, conclut Vicky en levant son verre.

— Non, pas *cool,* justement. Il peut pas dépenser toute sa paye pour me faire des cadeaux et nous offrir à boire. Pauvre gars, c'est insensé, tente de les raisonner Caroline, mal à l'aise.

— Écoute, les serveurs ont toujours plein de rabais à titre d'employé ; la boisson ne leur coûte presque rien, prétend Katia.

---

14. Élixir divin concocté avec du vin effervescent (habituellement du champagne) auquel on ajoute de la liqueur de cassis. N'importe quel mousseux fait amplement l'affaire ! Mmmm !

— Du champagne? envoie tout bonnement Caro, pour contrecarrer son hypothèse.

— C'est pas du vrai champagne, mais du mousseux *cheap*. C'est évident. Et puis, on l'a pas vu ouvrir la bouteille, il devait en avoir une d'ouverte qui allait se gaspiller de toute façon, professe à son tour Vicky afin de déculpabiliser Caro, qui semble presque vouloir rendre les verres avant même d'y avoir goûté.

Des gars qui surgissent par-derrière interrompent leur conversation. Il s'agit des trois types rencontrés au karaoké des comptables, qui les saluent gentiment depuis.

— Salut, les filles de Victo!

— Hé! Allo!

— On vous a pas vues de la journée. On n'avait pas les mêmes ateliers, il faut croire, s'amuse un des gars.

— Ben non, hein, ment effrontément Katia en buvant une généreuse gorgée de son verre royal.

— Venez-vous au souper de fruits de mer?

— Euh... non, annonce Vicky sans lui fournir aucune raison justifiant leur refus.

— Hein? C'est le souper que tout le monde préfère chaque année, réplique un autre, étonné, avant de commencer à s'éloigner.

— Ouin, mais... elle est allergique, balbutie finalement Katia, l'air désolé en montrant Caroline du doigt.

— Ah! OK! Ben on se voit peut-être après. Il paraît que le D.J. est très *hot* ce soir.

— Super !

Une fois les gars plus loin, Caroline s'offusque :

— Pourquoi c'est moi qui suis allergique ?

— Toi ? Elle ? Moi ? Ça change quoi ?

Caroline ne répond pas à la question, mais fait plutôt part de ses inquiétudes aux filles :

— On va être démasquées un jour ou l'autre, je le sens.

— Ben non, tu t'en fais encore pour rien. *No problem !* rétorque Katia, insouciante.

Comme convenu en s'en allant vers la salle de conférences où a lieu le souper, les filles analysent le tableau énumérant les différents congrès.

— Comme le gars a dit, c'est une soirée avec D.J. chez les comptables, ce soir.

Katia, qui scrute le reste de la planification, s'exclame :

— Malade ! Au congrès des gens de la SAQ, c'est un *party* thématique « Carnaval de Rio ». Trop *cool* ! C'est dans une salle juste en haut, ici.

— Les filles de Zumba feront une démonstration de *pole fitness*. C'est quoi la *joke* ? Une *gang* de filles qui invitent des danseuses ? Du lesbianisme ! dénonce avec ferveur Vicky.

— Sérieusement, le *pole fitness,* c'est un sport en soi, je te le jure. J'en ai vu sur Internet l'autre fois, fait remarquer Katia.

— Tu regardes du *pole fitness* sur Internet ? reprend Caro, mal à l'aise face à l'aveu troublant de sa collègue et amie.

— Quelqu'un avait mis un lien sur Facebook et je l'ai regardé. On n'en fera pas tout un plat, là, fait Katia en roulant des yeux. Les filles qui font ça sont pas toutes nues, c'est un entraînement sportif.

— Eh bien ! Moi aussi dans ma tête ça sonne comme « et on accueille la sensuelle Natacha[15] pour la deuxième partie de son spectacle », conclut Vicky, les mains sur les hanches.

— Bon, on va manger ? J'ai faim.

— Je vais à la toilette avant, quelque chose m'énerve avec mes cheveux.

Les deux amies suivent finalement Caroline dans les toilettes. Elles y croisent justement deux belles filles au *look* sportif qui s'affairent à accrocher une affiche près de la machine distributrice de papier à main.

— Hé ! Les filles ! Notre congrès offre une séance d'essai gratuite de Zumba demain à 17 h. C'est ouvert à tout le monde de l'hôtel. Venez !

— Ah oui !

— Aaaaaaah, le Zumba…, murmure Katia pour tout commentaire.

— En avez-vous déjà fait ?

---

15. Désolée pour les Natacha… c'est tout simplement un classique !

— Non.

— Vous allez aimer ça ! Et ce soir, c'est une démo de *pole fitness*.

— Oui, on l'a vu sur le programme... Peut-être bien. Merci !

Les deux filles s'en vont pour poursuivre leur affichage à travers tout le complexe hôtelier. Vicky, qui sort d'une cabine de toilette, questionne ses amies en avançant devant un miroir :

— C'est quoi au juste, du Zumba ?

— Moi, dans ma tête, c'est un sport de matante, répond Katia, pas trop au courant de l'activité sportive en tant que telle.

— Ben non, c'est de la danse latine, je pense. Voyons, Kat, c'est certain que tu vas aimer ça. T'as le bassin assez latino, merci, d'habitude, lui explique Caroline, pas trop certaine elle non plus.

— Ah, OK. On y va d'abord, s'enthousiasme celle-ci.

— On va aller manger des pâtes noyées dans la sauce, question d'engraisser un peu avant, plaisante Vicky en franchissant la porte.

À la fin du copieux repas, les filles bavardent à leur table avec d'autres congressistes. Comme les gens commencent peu à peu à se connaître, les discussions sont de plus en plus personnelles et de moins en moins orientées vers le sujet principal du congrès. Naturellement, le vin coule à flots pour tout le monde. Des serveurs attitrés à chaque table s'occupent de débarrasser les assiettes sales et de remplacer les carafes de vin vides. Légèrement sous l'effet de l'alcool, les filles espèrent gagner de l'argent durant l'activité casino qui s'organise peu à peu à l'avant de la grande pièce.

— Ce serait le *fun* de gagner!

Une fois le repas terminé, les participants commencent à avancer vers les différentes tables de jeux. Les filles déambulent aléatoirement, ne sachant pas sur laquelle jeter leur dévolu en premier. En approchant de la table de poker, qui semble de toute évidence la plus convoitée de toutes, Katia s'exclame très fort:

— C'est ici, le *strip poker*?

Deux femmes d'âge mûr la dévisagent sans rire, tandis que deux hommes sourient en coin: ils reconnaissent bien évidemment la fille qui a dansé de façon éloquente au spectacle de l'hypnotiseur.

— Non, ç'est pas du *çççtrip poker*. Françement! rigole le beau gars, alias le 6ᵉ qui suce, en fourchant la langue sur le mot «*strip*».

Vicky, qui l'entend pour la première fois, écarquille les yeux comme si elle venait de voir un fantôme. Elle fixe le gars, la bouche ouverte, comme si le Messie en personne venait de lui apparaître et qu'elle hésitait entre crier d'effroi ou pleurer de joie. La voyant ainsi stoïque et l'air troublé, Caroline lui assène discrètement un coup de coude dans le flanc pour la «réveiller».

— Allo ! Maxime ? C'est bien ça, Maxime ? le salue Katia pour faire diversion à son tour.

— Oui, ç'est ça, Maçime…

— Tellement dommage, pas croyable, n'en revient pas encore Vicky en repensant au beau Maxime. C'est officiellement le plus beau gars de la terre. Sérieusement, entre Bradley ou lui qui parle comme du monde, j'hésite…

— Hum…, rêvasse Katia.

— T'as pas aidé à rétablir ta crédibilité, toi, Kat, quand t'as balancé ton «*strip poker*» bien fort devant tout le monde, lui reproche Caroline, jugeant qu'un tel commentaire n'avait pas sa place du tout dans le contexte.

— Une petite blague de rien. Maudit que le monde a pas d'humour, se désole Katia, en se rappelant les regards dignes du Jugement dernier auxquels elle avait eu droit à la suite de sa blague.

— Venant de la fille qui avait essayé de déshabiller l'hypnotiseur la veille, c'est clair que le commentaire passait de travers, confirme Vicky.

— *Anyway !* C'était plate à mort.

— Quand on a joué à la roulette, je me suis presque endormie dans mes jetons, avoue à son tour Vicky.

Tout à fait d'accord, Katia décrit vaguement:

— Tu dis! C'était trop tranquille, trop sérieux. Les grosses lumières, la musique pas forte.

— On a bien fait de prendre la décision de partir.

— On peut dire que, ce soir-là, on a appris que: «Dans la vie, il ne faut pas se fier aux apparences», récapitule Caroline.

— On l'a réalisé tout au long du congrès, je te dirais. C'est dorénavant ma devise fétiche. Je l'ai appris à mes dépens par contre, se désole encore Katia en baissant la tête pour fixer le tapis «sauve-pantalon» de l'automobile de son amie.

— Si quelqu'un écrivait un livre sur notre aventure de congrès, ce serait sans aucun doute le titre[16]...

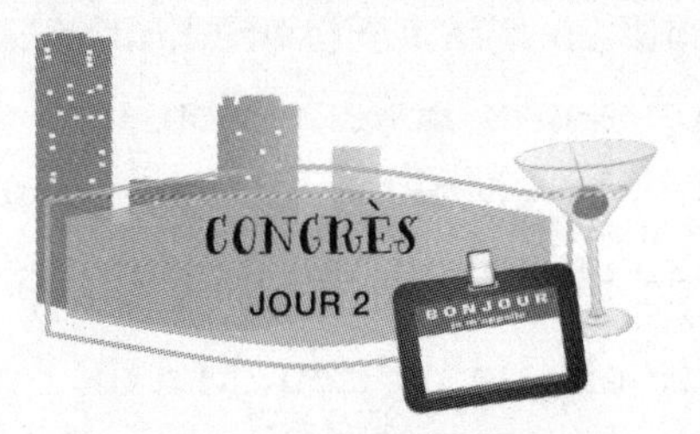

Après s'être éclipsées en douce de la soirée casino ennuyante, les filles se dirigent sans trop réfléchir à la soirée des comptables, au Centre des congrès. Comme si c'était naturel, et sans ressentir aucun stress, elles franchissent les deux grandes portes ouvertes. Une musique forte et entraînante s'échappe de la salle bondée. Des lumières scintillent de partout.

---

16. Non, ce n'est pas celui que j'ai choisi... ☺

— On dirait vraiment un bar, fait remarquer Vicky, qui semble reprendre un peu de pep.

Elles se déplacent vers le même endroit où elles étaient la veille, c'est-à-dire près d'un des bars. Un serveur, qui semble les reconnaître, leur fait signe de la main avant de s'avancer avec hésitation. Il acquiesce à la demande de Katia et part chercher la bouteille de vin demandée.

— L'avez-vous vu ? On dirait qu'il avait peur qu'on ait encore une haleine de cheval. Reviens-en, le grand ! C'était situationnel, s'offusque Vicky en croyant deviner les raisons justifiant l'attitude hésitante du gars.

— Tu « paranoïes » encore, rigole Caroline.

Katia, à la recherche de son poisson, implore les filles :

— Si vous voyez le beau Jean, PDG de la compagnie, quelque part, dites-le-moi.

L'ambiance dans la salle semble complètement survoltée ; les gens dansent et s'amusent. Les nombreuses tables placées çà et là s'avèrent vides, car la plupart des congressistes sont debout.

— C'est la débandade, ici ! Je vous rappelle qu'on est dans un congrès de comptables, s'amuse Vicky en constatant la scène.

Un homme dans la quarantaine, plutôt éméché, aborde Caroline en lui postillonnant au visage, s'approchant trop près pour la saluer :

— Chalut, belle demoizzzelle.

Importunée de le voir ainsi violer son espace vital, Caroline le salue et fronce les sourcils avant de s'éloigner de quelques pas de son assaillant. Vicky lui fait une grimace de dégoût, empathique au malaise de son amie. Ironiquement, l'homme dégage une haleine aux fortes odeurs d'ail, probablement à cause du fameux souper de fruits de mer.

En revenant de danser avec fougue sur une chanson populaire, les filles regagnent leur place pour terminer leur verre.

— Il n'est pas ici, je comprends pas.

— Il y a tellement de monde, tu le vois peut-être pas.

Caroline, ennuyée par le type qui la colle toujours depuis plus d'une heure, avance vers ses amies.

— Sérieux, je ne suis plus capable. Il me crache dessus quand il parle, je ne comprends rien de ce qu'il me dit. Il pue l'alcool mêlé à des effluves d'ail, c'est dégueulasse.

— Je te signale que ça nous est arrivé dernièrement. Tu devrais te montrer plus compatissante à son endroit, plaisante Vicky en furetant dans son portable.

— Pour vrai, je suis vraiment tannée, il ne veut rien comprendre. Je termine mon verre et je m'en vais.

— Ah non, Caro ! Je vais y dire, moi, décide Katia en se montrant du doigt.

D'un mouvement de la main, elle pousse son amie de côté pour avancer vers l'homme, sûre d'elle.

— Excuse-moi, mon amie t'a dit qu'elle n'était pas intéressée. Est-ce que tu pourrais la laisser tranquille maintenant ?

— Ooooh ! oooh ! On che calme !

— T'es fatigant, chose, le réprimande vertement Katia, une main sur la hanche.

L'homme, insulté, semble vouloir argumenter pour sa défense. Il empoigne fermement le bras de Katia pour attirer son attention. Comme elle tient sa coupe de vin de ce côté, le liquide rouge foncé tourbillonne dans le ballon avant de se répandre sur elle.

— Ben voyons, l'innocent ! beugle-t-elle en ouvrant grand les bras pour éviter le pire.

Trop tard ! Elle constate l'apparition d'une grosse tache de vin rouge sur le devant de son pantalon beige, juste à la hauteur de la cuisse.

— Ch'cusez, ch'cusez, se désole le type, qui n'avait quand même pas l'intention de créer un tel incident.

— Ça, c'est vraiment pas fort ! continue de rager Katia, en saisissant les serviettes de table que lui tend Vicky.

— On s'en va, décide Caroline, craignant que la situation ne dégénère davantage.

Vicky sape la dernière gorgée de son verre en mitraillant d'un regard sévère les yeux croches et fuyants du pauvre homme, puant et repentant. En sortant de la salle, Katia peste encore plus en voyant, à la lumière des néons, son pantalon maculé de vin.

— Méchant colon ! Je vais aller me changer.

— Moi, je vais me coucher, déclare Caro.

— Non, pas tout de suite. Il est encore tôt. Moi aussi j'ai le goût de me changer, s'excite princesse Vicky, désireuse d'exploiter au maximum le contenu vestimentaire de sa valise bien remplie.

— On fait quoi, alors? s'informe Caroline auprès de la chef de meute.

— Moi, je le sais, les défie Katia du regard, en s'engageant vers le chemin de l'hôtel pour y faire un saut à leur chambre.

Une musique passablement exotique résonne dès que les filles atteignent l'étage où se tient la soirée des employés de la SAQ. Sous l'insistance de Katia, elles ont décidé de tenter leur chance et de jeter un œil à cet événement qui se déroule sur le thème du Carnaval de Rio.

— Les filles? C'est un *party* de la SAQ. On réussira pas à y entrer, c'est certain, voyons, craint Caroline en s'arrêtant en plein milieu du corridor.

— Allez! On tente le coup, insiste Vicky pour lui mettre un peu de pression.

— On trouvait le *party* des comptables *heavy* parce que tout le monde semblait soûl, imaginez un rassemblement d'experts en boisson, spécule Katia, qui appréhende le pire en imaginant les gens se descendre bouteille de vin sur bouteille de vin, comme s'il n'y avait pas de lendemain.

De l'endroit où elles se trouvent, les filles n'ont pas accès visuellement à l'entrée de la salle. Leur parviennent la musique et les bruits de la foule, mais elles ne voient pas la façon dont les organisateurs du congrès gèrent les entrées.

— On va au moins s'approcher, propose Katia afin d'entrevoir la porte.

Elles repèrent rapidement une jeune fille à l'entrée, qui tient un verre de vin, mais qui ne semble rien faire d'autre en particulier. Elle se dandine au son de la musique rythmée, un collier de fleurs synthétiques ornant son cou.

— Qui ne risque rien n'a rien ! déclare Katia avant de se diriger tranquillement vers la porte.

Les filles trottinent derrière elle, comme si tout était normal. Un groupe de trois femmes sort de la salle au même moment. Elles portent toutes un loup coloré sur leur visage, et des colliers divers rappelant un peu le thème de la mascarade.

— *Shit!* C'est un *party* déguisé. On s'en va, s'affole Vicky à voix basse, doutant finalement de la faisabilité de leur démarche.

Trop tard. La fille qui gère les entrées et sorties les a aperçues et elle les interpelle à voix haute :

— Les filles ? Vous arrivez tard ! Venez !

Dociles, les trois amies l'écoutent et avancent d'un pas plus qu'hésitant vers la porte. La portière, en boisson comme Katia le pressentait, leur passe chacune un collier de fleurs puisé dans un bac gisant sur une grande table. Elle continue de danser en fouillant maintenant dans un autre bac. Elle en ressort trois loups, qu'elle leur tend, avant de reprendre son verre de vin pour en saper une généreuse gorgée.

— Amusez-vous ! *Yeeaaahhh !*

— Merci ! répond Katia comme si de rien n'était, en enfilant son masque.

Les filles lui font de drôles d'yeux avant de l'imiter diligemment. Celui de Katia, dans les tons de bleu-gris, est orné tout autour d'une bande de fausses pierres en plastique doré. Vicky a hérité d'un modèle un peu allongé vers l'extérieur, d'un gris foncé très sobre. Caroline, quant à elle, se voit confier un masque plus excentrique muni de petites franges rosées dans le haut, s'apparentant à de grands cils. Le trio, ainsi incognito, s'élance à l'intérieur. L'ambiance musicale et le décor sont naturellement inspirés du fameux festival. Un groupe de musique aux vêtements très colorés anime la soirée de façon endiablée, et des danseuses sont postées de chaque côté de la scène, sur des caisses de bois de hauteur différente, disposées en ordre décroissant vers la piste de danse. Elles arborent toutes des maillots de bain en paillettes et de grandes coiffes ornées de plumes impressionnantes. Le tableau est tout simplement majestueux.

— C'est trop *hot* ! lance Katia en essayant de repérer un lieu pour prendre un verre tout en appréciant le spectacle.

— Tu dis ! acquiesce Vicky, contente que leur entrée se soit déroulée si rondement.

Katia dirige avec empressement la petite troupe masquée vers un des bars. La salle semble en compter quatre dans chacun des coins. Plus de deux cents personnes assistent à la soirée. En y arrivant, elle demande tout de go au serveur un verre de vin. Il lui répond :

— Ce soir, nous avons le Ménage à trois[17] dans le rouge ou le blanc, c'est à votre guise.

— Dans le blanc pour moi, dit Vicky en sortant son portefeuille.

— Non, c'est gratuit pour les participants du congrès, voyons. Pas de pourboire non plus, lui précise le serveur, l'air surpris qu'elles ne connaissent pas ce détail évident.

— OK…, hésite un peu Vicky, en dévisageant ses amies, pendant que Katia la coupe :

— Est-ce qu'on peut avoir une bouteille ? ose-t-elle sans scrupule.

— Certainement ! Quelle est votre succursale ?

— Euh… Victoriaville ! déclare fièrement celle-ci, sans aucune hésitation.

— Parfait, les organisateurs nous demandent de le noter. Je reviens dans une minute !

Katia, qui se dandine au son de la musique, envoie un sourire à Caroline en apercevant ses grands yeux traumatisés à travers son loup.

— Quoi ?

— Ben là, pas assez d'avoir un verre gratuit, madame ne quémande rien de moins que la bouteille. T'es pas née pour un p'tit pain, toi, mais pour la boulangerie au complet, la nargue celle-ci, outrée par l'exagération de son amie.

---

17. Excellent vin conseillé par sommelière Dubois ! Sachez que je ne perçois malheureusement aucune ristourne pour ce placement de produit…

— Ça ne change rien, répond la fautive en haussant les épaules.

— La succursale de Victoriaville ? répète de nouveau Caroline.

— Exact ! On vient de Victo, nous autres, rit Katia en donnant un petit coup sur l'épaule de Vicky, qui semble également bien à l'aise avec l'idée d'obtenir des consommations gratuites.

— C'est de la fraude, les filles, commente de nouveau Caro.

— On boit sur le bras de la SAQ. Trop drôle ! s'enthousiasme Vicky, très satisfaite du concept.

— Ouin, *anyway*, j'ai déjà lu quelque part que la SAQ taxait beaucoup trop le vin au Québec. J'y vais assez souvent dans une année, c'est comme une ristourne que je mérite amplement, explique en toute logique Katia.

— Il faut rendre à César ce qui revient à César, conclut Vicky, conquise par la théorie bidon de son amie.

— En tout cas, il faut pas se faire prendre. Au moins au *party* des comptables, on paye nos verres, précise Caroline en voyant le serveur revenir avec leur bouteille de blanc.

Celui-ci leur tend trois coupes en ne faisant aucun commentaire. Il fixe Caroline un instant avant de la complimenter :

— C'est beau ce que tu as fait avec tes cheveux pour le *party* !

— Ben oui... merci, répond celle-ci en cachant difficilement sa déception.

Il repart pour servir d'autres clients.

—*Enjoy*, les poules! Non mais, qui l'eût cru? On s'immisce illégalement dans une fête où ils fournissent eux-mêmes le camouflage! Ha! ha! ha! savoure Katia, en soulevant son verre généreusement rempli.

—Notre vie, c'est du gros n'importe quoi, affirme Caroline en souriant enfin un peu.

—«C'est beau tes cheveux pour le *party*», répète Vicky, qui ne peut s'empêcher d'en rire.

La première bouteille de vin terminée, les filles ont décidé de se fondre un peu plus dans la masse en demandant leur consommation au verre, comme tout le monde semble le faire. Elles commandent du rouge, cette fois-ci. La musique bat toujours son plein, mais contre toute attente, les gens sont plutôt tranquilles et demeurent assis à leur table. Personne ne semble trop faire d'abus, sauf peut-être la fille à l'accueil, que l'on entend parler trop fort chaque fois que la musique effectue une pause entre les morceaux. Dans le même ordre d'idées (et avec une ivresse comparable), Katia la téméraire commente d'une voix plutôt tonitruante:

—Voyons? Le monde est donc ben plate icitte! Tous assis, on regarde le ti-spectacle en avant, avec notre ti-verre de vin, gnangnan gnangnan...

—Chut, pas si fort, Katia, lui reproche Vicky en faisant un signe vers le bas avec sa main.

— J'aime mieux être ici que de me faire cracher dessus par un soûl pervers qui pue de la bouche plus que moi après avoir mangé un oignon, soulève Caroline, encore traumatisée de son expérience.

— Il nous lançait peut-être du vin par la tête, mais au moins, il se passait quelque chose, *God* ! fait semblant de regretter Katia pour faire rire ses amies.

— Je peux te renverser du vin dessus, si tu veux ? offre Vicky en toute générosité, en penchant légèrement son verre près de son amie.

— Non, mes pantalons sont foncés. Vraiment moins spectaculaire, rétorque Katia, déçue.

Les filles se taisent un moment pour regarder le spectacle. Un peu ennuyée, Vicky scrute une fois de plus son téléphone. Katia chantonne de nouveau :

— Plaaaate ! Plate ! Pla-plate !

— On peut retourner voir ce qui se passe à la soirée casino ? suggère Vicky.

— Bof…

Comme le spectacle semble tirer à sa fin, les danseuses, qui étaient jusque-là restées sur leur caisse de bois, descendent et s'avancent vers le centre de la piste de danse. Elles commencent à recruter des gens tout autour, en les prenant par la main, pour les inviter à se lever de leur chaise. Une grande élancée à la chevelure de plumes noires, qui semble être la chef de la bande, débute un train dansant. Amusés, les gens se lèvent d'eux-mêmes de leur siège pour participer à l'« activité ». Animée par une motivation foudroyante, Katia pose son verre et s'élance vers la foule.

Elle agrippe l'épaule droite de la dernière personne de la file avec sa main, avant de lever son autre bras en l'air en criant : « Ouuuuuuh ! »

— C'est quoi le rapport du petit train comme dans les rigodons ? demande Vicky en se tournant vers Caroline, qui semble avoir très envie de participer elle aussi.

Ainsi à la queue leu leu, plusieurs congressistes de la SAQ amorcent un tour complet de la salle, dans une excitation palpable. Caroline et Vicky se joignent finalement au groupe lorsque le « train » passe près d'elles. Elles rigolent en observant Katia, presque en tête du peloton, lever ses jambes de côté en alternance et crier chaque fois « YÉ ! » tout en suivant le rythme des percussionnistes, toujours à l'avant.

— Quelle folle ! commente Caro à Vicky par-dessus son épaule.

Naturellement, elles ne sont pas les seules à remarquer Katia qui, avec sa gaieté extrême, hurle toujours de plus en plus fort ses « yé ! yé ! yé ! » Sa chorégraphie originale commence même à ressembler davantage à un rythme de chanson traditionnelle plus russe que latin. Comme l'ambiance monotone a radicalement tourné à la fête, les gens en rigolent. Les danseuses, qui mettent un terme à la course folle sautillante, tentent de rassembler les gens au centre de la piste, jusque-là vide, afin de terminer le spectacle en beauté. Elles retournent se jucher sur leur colonne respective. Elles lèvent très haut les jambes et tourbillonnent pour le grand plaisir du public. Les instruments se font entendre presque tous en même temps, dans un tintamarre cacophonique impressionnant. Katia, trop absorbée par la scène, saute sur place avec énergie, telle une groupie assistant au spectacle rock de son groupe favori. Elle lève un bras en l'air tout en sifflant avec deux doigts dans la bouche. Un peu plus loin, ses amies la fixent en riant de bon cœur :

— Sacrée Kat ! Elle pourrait faire lever un *party* de curés ! présume Vicky en tapant aussi des mains, mais tout de même plus posément.

— T'étais tellement drôle, Kat !

— Ouin… La vérité : c'est un peu flou dans ma tête.

— Moi aussi, à vrai dire, mais je me souviens que tout le monde riait, admet Vicky, qui avait quand même consommé de l'alcool à une cadence similaire à Katia ce soir-là.

— En tout cas, je sais pas comment vous avez pu tenir le coup et vous coucher aussi tard, concède Caroline. Je serais morte.

— Regarde-moi la face aussi, balbutie Vicky, en abaissant le miroir du pare-soleil afin de constater une fois de plus ce qu'elle juge comme un terrible désastre facial.

— Vous avez eu du plaisir à la fin, ce soir-là ? présume d'emblée Caroline, bien qu'elle ne soit plus certaine des détails.

— Oui, ben, c'était toujours la débandade extrême du côté des comptables. On n'est par contre pas restées longtemps...

— Honnêtement, je ne verrai plus jamais du même œil le gars à lunettes qui fait mes impôts, exagère Vicky en généralisant le phénomène.

— Moi non plus, je te le jure..., approuve aussi Kat, l'air tout de même encore très amer par rapport à un événement qui s'est produit.

En quittant la salle où se déroulait la *fiesta* de la SAQ, les trois enseignantes saluent la fille à l'entrée, même si celle-ci est maintenant assise sur une chaise, le haut du corps couché sur la table et la tête bien posée au milieu de ses bras croisés. Bien entendu, elle ne leur répond pas.

— Ouin, elle a abusé du Ménage à trois, statue Vicky, même si elle n'est pas vraiment mieux.

— Je dirais même : c'est pas ce soir qu'elle va se taper un *trip* à trois, justement ! Ha ! ha ! rajoute Katia, hilare.

— Commentaire venant d'une pro en la matière, la nargue Caroline, incapable de s'en empêcher.

— Bon, regardez l'autre, encore ! « On ne parle plus du passé, blablabla... » Juste en ce qui te concerne, hein ? lui renvoie promptement Katia, vu la susceptibilité de Caroline à ce propos.

Celle-ci ne répond pas, consciente de sa faute.

Vicky enchaîne:

— Il y a un point similaire entre le congrès et le Mexique: l'alcool! Mon Dieu! Je bois jamais autant dans la vraie vie.

— C'est Katia qui nous porte à boire, rajoute Caro, visiblement sur le dos de son amie ce soir.

En continuant de déambuler avec nonchalance, les filles croisent des gens apparemment plongés dans le même état d'ivresse qu'elles. De loin, elles distinguent l'enseignante d'éthique avec qui Katia s'était vulgairement pelotée la veille devant tout le monde, lors du spectacle de l'hypnotiseur. En arrivant à leur hauteur, ladite femme n'est pas sûre de les reconnaître à cause de leur loup. Elle ralentit tout de même le pas pour valider son impression. Afin de lui faciliter la tâche, Katia la salue en soulevant son masque sur sa tête. Immédiatement, la femme lui saute au cou, comme on le ferait lors de retrouvailles avec une grande amie du secondaire. Katia l'accueille dans ses bras, en lui tapotant le dos en signe de: « Bon, on se calme un peu, là... »

— ALLLLO! Je n'étais pas certaine que c'était vooooous! déclare la femme, trop contente et complètement ivre.

L'homme qui l'accompagne se présente. Un enseignant en sciences à la mine un peu perdue[18].

—Vous fêtez déjà l'Halloween? demande la femme, amusée.

Les filles songent rapidement à une façon de justifier le fait qu'elles portent des masques colorés et des colliers de fleurs. Comme suggéré, la fête d'Halloween du lendemain peut en effet expliquer leur accoutrement.

— Ouais, on voulait se mettre dans l'ambiance...

—On ne vous a pas vues de la soirée? s'intéresse l'enseignante d'éthique, en chancelant un peu avant de s'appuyer carrément sur l'épaule de son compagnon.

— On avait une petite fête costumée chez des amis de Québec, ment Katia, toujours prompte à inventer n'importe quoi.

Soudainement, la femme se tourne vers son ami pour lui faire des yeux doux et un sourire séducteur, oubliant pour ainsi dire la présence des filles. Les spectatrices échangent quelques regards médusés avant de s'éloigner de la scène en souhaitant aux amoureux:

— Bonne soirée à vous deux...

—Hum..., répond la femme, qui dévore toujours des yeux l'enseignant de sciences presque en ronronnant.

---

18. Personnellement, tous les profs de sciences que j'ai eus au secondaire semblaient clairement vivre dans un monde intergalactique parallèle...

En s'éloignant, les filles s'amusent de la situation. Vicky décrit :

— Mon Dieu ! Elle discutait avec nous, et là, paf ! Elle a semblé succomber à une poussée d'hormones sexuelles incroyable.

— C'était quelque chose, hein ? Elle le déshabillait littéralement des yeux, on n'existait plus, s'amuse aussi Caroline, surprise de la tournure soudaine de la conversation.

— Juste à voir son air, elle est mariée, c'est certain. *My God*, elle le regardait d'une manière tellement cochonne : des missiles sexuels dans le regard, toi ! affirme Katia en rigolant.

— Mariée ou pas, elle va se le faire. Y en a qui se le permettent..., conclut Vicky en envoyant encore une flèche à Caro.

— AAAAHHHH ! rage celle-ci.

— C'est ce que je disais : toi, tu peux en parler, mais pas nous, conclut Katia en constatant le mécontentement de Caro face à l'allusion de Vicky.

— Vous êtes trop connes, je vais me coucher, déclare Caroline en arrivant près du corridor menant à l'ascenseur.

— Apporte nos déguisements à la chambre, ils pourraient toujours resservir. Nous, on va magasiner un comptable pour Vicky de l'autre côté de la rue, affirme Katia en relevant les manches de son chandail, comme si elle s'en allait faire des travaux physiquement très exigeants.

— Bonne nuit. Demain, à 8 h 30 !

— Ben oui ! Ben oui ! répondent en chœur les filles, qui sont déjà rendues loin.

Lorsqu'elles entrent dans la salle, la musique du D.J. résonne toujours. Il y a moins de congressistes que tout à l'heure, mais le groupe de survivants semble festoyer gaiement. La plupart sont agglomérés sur la piste de danse. Les filles approchent de leur traditionnelle place au bar. Vicky analyse l'ambiance :

— Mon Dieu ! Un gros changement du petit-train-va-loin de l'autre *party*.

— Coudonc ? Il est où mon « *fish on* » ? se demande Katia, qui vient de balayer la pièce des yeux sans y apercevoir Jean.

— On va prendre un verre et faire le tour, si tu veux. *Shooter !* clame haut et fort Vicky.

Les trois gars qui les saluent depuis le début du congrès arrivent tout près du bar. Déduisant qu'ils avaient probablement senti leur haleine d'oignon le premier soir, Vicky prend subtilement une gomme à mâcher à la menthe afin de reprendre un semblant de crédibilité odorante buccale. Sensible, mais surtout paranoïaque, elle semble percevoir une hésitation persistante dans le non-verbal d'un des gars qui s'approche d'elle pour discuter. Katia converse avec les deux autres en levant sans cesse la tête en l'air.

— Vous allez être au *party* déguisé de demain, j'espère ? lui demande l'un d'eux.

— Sûrement, oui, répond-elle sans trop de conviction.

Lorsque les gars repartent finalement avec leur consommation, Katia interroge son amie :

— Il ne t'intéresse pas, le grand avec qui tu parlais ? T'aurais pu trouver un sujet passionnant pour qu'il reste avec toi.

— Bof ! Le gars est convaincu que je suis la fille qui pue le plus au monde ; il ne semble pas très friand de moi et je le comprends.

— Ah, Vic ! *My God*, reviens-en !

Toujours à la recherche active de Jean, Katia avance de nouveau pour faire visuellement le tour de la place. Un peu blasée, Vicky pianote sur son téléphone intelligent lorsque son amie revient près d'elle, bredouille. Vicky semble tout à coup avoir une illumination.

— On va en ville ! Il y est assurément, ton mec.

— C'est vrai, j'avais pas pensé à ça...

— *GO !*

— *My God !* T'es donc ben *willing* ?

— On a juste une vie à vivre ! Vite, il est déjà tard.

Encore un peu surprise que la suggestion d'escapade citadine soit venue d'elle en premier, Katia le souligne :

— Non, mais il faut préciser que c'est Vicky qui a proposé d'aller en ville. Quand même !

— Et puis ?

— Moi aussi ça me surprend. On dirait que c'est plutôt le genre de Kat de partir sur une bulle de la sorte, fait remarquer Caro.

— J'avais le goût de danser, de sortir des congrès pour voir du nouveau monde. On ne va quand même pas à Québec toutes les semaines, justifie Vicky. Je voulais aussi que tu trouves Jean.

— Hish… Je suis pas revenue avec le même genre de gars, hein ?

Caroline rigole un peu en réfléchissant. Comme les filles semblent réticentes à discuter de la fin de cette soirée, elle les questionne :

— Je ne comprends pas votre histoire. Pourquoi donc vous n'êtes pas revenues ensemble ?

— On te l'a dit.

— Ouin, mais c'est pas clair.

— Demande ça à elle, réagit Katia en désignant Vicky.

— Non, c'est toi qui voulais à tout prix trouver Jean.

— Ce doit être la séance d'épilation qui ne m'a pas fait…, analyse Katia en s'esclaffant.

Lorsque les filles débouchent sur Grande Allée, l'ambiance électrisante du vendredi soir les motive telle une dose de boisson énergisante administrée par intraveineuse. Des touristes ont envahi la rue, ça grouille de monde, ça parle fort. Des hordes de fêtards attendent en ligne devant les différents bars. Des musiques variées et assourdissantes s'entrechoquent dans la rue, créant une confusion quant à la provenance exacte de chacune. La température plutôt douce de cette nuit d'octobre est, au grand bonheur de tous, très au-dessus des normales de saison. Les terrasses sont pleines à craquer, et seul un chandail léger est nécessaire pour y être confortable. Comme les *partys* d'Halloween sont déjà commencés, beaucoup de gens costumés déambulent le long de cette populaire artère de la capitale nationale.

— On aurait dû garder nos masques, finalement, regrette Katia, en saluant au passage un groupe de jeunes hommes déguisés en membres du groupe Kiss.

Elles continuent de marcher sur le trottoir pendant un instant. En fait, Katia suit Vicky, qui sait manifestement où elle se dirige. Elle l'interroge à ce sujet :

— On va où ?

— Au Maurice. C'est la place en ville !

— Tu connais donc ben ça, toi, Québec. Oublie le projet, je n'ai aucune chance de trouver Jean ici, il y a trop de monde…

Soudainement, les filles se font interpeller par un groupe de jeunes gars, qui semblent faire la fête depuis un bon moment déjà. Déguisés selon une thématique des années 1980, ils tiennent tous en main différents récipients censés camoufler le fait qu'ils s'avèrent remplis de diverses boissons alcoolisées. Galant, l'un d'eux offre une gorgée à Katia en lui tendant un thermos à café.

— Tiens, c'est de la vodka Red Bull.

Ayant passé l'âge de boire dans le verre d'un pur inconnu, Katia refuse poliment :

— Non, merci, dit-elle, en se tournant vers Vicky pour lui adresser une moue remplie de doute.

— Écoutez, les filles, notre ami, ici présent, a décidé de se mettre la corde au cou, comme vous pouvez le constater par vous-mêmes…

Le gars en question, qui a de la difficulté à se tenir sur ses deux jambes tellement il est soûl, porte un maillot de bain de type Speedo très serré, vert fluo, avec des bretelles imitant l'accoutrement du personnage Borat du film du même nom. Comme il fallait s'y attendre, il a aussi une corde autour du cou. Un enterrement de vie de garçon…

— Pour la coquette somme de deux dollars, vous pouvez vous procurer une bandelette de cire et lui épiler la partie du corps de votre choix.

— Ha! ha! ha! C'est vraiment chien! rigole Vicky, qui remarque alors que différentes régions du corps du garçon sont plus ou moins adroitement épilées.

On peut même en déduire que certaines esthéticiennes en herbe ont franchement raté leur coup, car des traînées de cire sont restées collées dans des touffes de poil. D'autres ont très bien réussi le défi lancé en enlevant tous les poils d'une zone, laissant ainsi un rectangle glabre au milieu de la forte pilosité de l'homme.

— En réalité, sa future femme nous a demandé de le ramener à la maison sans un seul poil, donc c'est pour elle qu'on le fait, explique un des gars pour rendre la démarche acceptable.

— Eh ben, si c'est pour la mariée, on va le faire! accepte Katia en fouillant dans son sac à main à la recherche d'une pièce de deux dollars.

Pendant que Vicky imite son amie, un gars du groupe ajoute:

— On a un «spécial»: trois bandes de cire pour cinq piastres.

— Allons-y pour cette aubaine alléchante alors, accepte Vicky en lui tendant justement un billet de cinq dollars.

En recevant leurs bandelettes, les deux filles rigolent en tournant autour de Borat, se demandant quelle partie du corps elles épileront.

— C'est où vous voulez, les filles...

Borat écarte les bras en signe de soumission absolue, habitué d'être à la merci de ses amis, qui s'amusent en prenant des photos. Pendant ce temps, les filles font leur choix. Vicky appose sa bandelette sur la cuisse droite du jeune homme tandis que Katia s'attaque à sa fesse gauche, étant donné que le maillot vert est un modèle coquin qui passe dans la raie des fesses.

— On va y aller chacune à notre tour, planifie Katia, qui a bien appuyé sur sa bande cirée pour s'assurer d'un maximum d'adhérence.

— Non, en même temps, che m'en câliche, marmonne le type dont la prononciation est douteuse.

— OK ! On fait un décompte alors : trois, deux, un...

Les filles retirent leur bandelette en même temps, d'un geste sec. Beau travail ! Presque aucune cire n'est restée agglutinée sur les poils environnants.

— YÉÉÉÉ ! crient en chœur les gars en choquant leurs récipients ensemble.

La pauvre victime ne bronche même pas d'un poil[19].

— Les femmes vieilles ont plus d'expérience ! lance sans gêne un des jeunes hommes.

— Ben là, je vais t'en faire des « vieilles », moi..., s'offusque Katia, vexée par l'allusion péjorative concernant leur âge.

— Mais des « belles » vieilles là, spécifie un autre en pensant ainsi rattraper au vol la bourde de son copain.

---

19. C'est le cas de le dire !

Vicky, qui tient la dernière bandelette, se penche un peu afin de lui épiler la région de l'abdomen. Elle s'applique aussi bien que la première fois, toujours inclinée devant lui, en équilibre sur ses pieds, mais les genoux très fléchis. Un des amis qui prend des photos commente :

— En posant de dos, on dirait qu'elle te fait une pipe, *man* ! C'est super bon !

— Un instant ! Ça suffit, les photos…, s'oppose Vicky en se tournant légèrement.

Déconcentrée par la possibilité de se retrouver sur des clichés qui suggèrent autre chose que la réalité, elle retire à la hâte la bandelette de cire qui, malheureusement, reste à moitié collée sur les poils de sa toison.

— *Oh boy!* s'esclaffe un des gars en voyant le désastre.

Elle tente de refaire la manœuvre avec la même bande de cire en tapotant fermement sur celle-ci avant de tirer d'un seul coup. Mais trop tard, la cire reste encore plus collée sur lui, entremêlée dans ses poils.

— Oups ! Désolée !

— Pas grave ! Merci, les filles, et bonne fin de soirée ! remercient de concert les gars, avant de s'éloigner vers d'autres filles plus loin.

— Pauvre gars ! Sérieux, il va se réveiller demain, lendemain de brosse comme jamais, et complètement imberbe. Pas certaine que sa JEUNE future femme va être SI contente, moi ! grogne Katia, toujours un peu froissée par le commentaire désobligeant à leur endroit.

Arrivées au club où elles se dirigeaient, les filles grimpent l'escalier menant à la terrasse. Comme l'intérieur semble bondé, elles restent plutôt à l'extérieur ; elles s'installent au bar du deuxième étage de l'immeuble qui surplombe la Grande Allée, histoire de profiter de la température clémente. Vicky ordonne avec empressement :

— Commande-moi un *drink*, je vais aux toilettes, puis elle disparaît dans le bar en un clin d'œil.

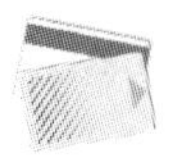

Katia, qui languit toute seule au bar depuis presque vingt minutes, décide de texter Vicky pour savoir ce qu'elle fabrique à l'intérieur.

(Coudonc, es-tu passée par le trou des toilettes ???)

Pas de réponse. Bien entendu, comme elle semble bien solitaire au bar, des hommes viennent lui parler de temps à autre. Elle se montre peu intéressée, préférant de loin observer les gens déambuler dans la rue, au cas où elle apercevrait Jean. Ayant maintenant bu presque la moitié du verre qu'elle avait commandé pour Vicky, qui ne répond toujours pas, elle commence sérieusement à s'inquiéter. Un message entre enfin :

(Excuse-moi, j'ai comme rencontré un gars *cool* en chemin et je papote avec lui... Un pompier de Québec !!)

Blasée et ne pensant plus qu'à rentrer pour retrouver Jean, elle lui récrit.

(Ça te fait suer si je rentre ? Je veux retourner au *party* des comptables finalement...)

La réponse de Vicky tarde encore à lui parvenir.

(Ben non, vas-y! C'est à deux minutes en taxi de toute façon! Bonne chance dans tes recherches! xxx)

Enchantée que Vicky ait enfin trouvé quelqu'un de potentiellement intéressant, Katia se dirige vers la sortie afin de héler un taxi dans l'espoir de trouver Jean. Une fois sur le bord de la rue, elle songe à la possibilité de ne pas le croiser au *party* des comptables. Osera-t-elle cogner à la porte de sa chambre sans y avoir été invitée? Non. Ah, et puis, pourquoi pas? En serait-il offusqué? Peut-être...

Katia est interrompue dans ses pensées par un individu qui arrive près d'elle.

— Salut!

— Allo..., fait-elle, évasive, ne connaissant pas le type en question.

— T'es au congrès de profs au Hilton, hein?

— Oui..., répond-elle, toujours dans le néant.

— Carl, l'ami de Marc. Je suis prof d'éduc comme lui. Et je suis au congrès moi aussi! Ha! ha! ha! On vous avait vues de loin l'autre fois, et là, je te croise ici, c'est drôle, hein?

— Ben oui...

L'homme en question présente un surplus de poids évident, ce qui détonne avec le fait qu'il enseigne cette matière. Il a les cheveux gras et dégage une odeur de transpiration nauséabonde, et ce, même à distance. Son odeur corporelle le rendant moins digne d'intérêt aux yeux de Katia, celle-ci lève la tête pour appeler un taxi au plus vite.

— Qu'est-ce que tu fais ? demande le gars.

— Je rentre me coucher. Marc n'est pas avec toi ?

— Ouf, non ! Si je te confie un truc, tu le dis à personne, OK ?

Tout à coup très avide de connaître des détails croustillants à propos de la vie de celui qui s'amuse depuis si longtemps à traquer la leur, Katia se tourne vers lui, l'air très sincère.

— Promis, à personne.

— Il se farcit une fille dans un congrès de Zumba de notre hôtel… mais il ne veut pas que PERSONNE le sache.

— Ah, OK ! Je serai très discrète. TAXI ! hèle Katia en levant un bras en l'air.

— Je vais rentrer avec toi ! propose-t-il, beaucoup trop content, en touchant son épaule tendrement.

Aussitôt que le chauffeur se met en route, il tente de nouveau un rapprochement peu subtil en se déplaçant carrément au milieu de la banquette arrière. L'odeur âcre qu'il dégage picote le nez de Katia, maintenant prise au piège entre la portière et son assaillant. Il la regarde avec envie avant de poser sa main sur sa cuisse, en demandant :

— On pourrait aller prendre un dernier verre au lobby ?

— Non, je suis super fatiguée, décline Katia, expéditive, en se pelotonnant le plus possible contre sa portière.

— Aller ! Juste un verre…

Impatiente et olfactivement[20] importunée, elle beugle sans ménagement :

— Non, je t'ai dit NON, fatigant !

— Excuse-moi, je croyais que...

Le taxi à peine immobilisé, Katia paye la course avant de se jeter hardiment hors du véhicule presque comme si sa vie en dépendait. Puis elle s'élance vers la porte principale de son hôtel, en saluant à la fois le conducteur et l'ami de Marc. Le message étant clair, celui-ci prend une direction opposée, bredouille. Une fois le type hors de son champ de vision, elle rebrousse chemin pour aller au Centre des congrès. Elle ne voulait pas qu'il la voie s'y diriger.

Elle s'empresse de se rendre au *party* des comptables en espérant que ce ne soit pas terminé. Heureusement, non. Peu de gens par contre s'y trouvent encore. Dès qu'elle y entre, Jean fonce droit sur elle, l'air bien heureux de la voir.

— Eille ! Je te cherchais !

— Ah ! J'étais sortie en ville, envoie-t-elle, l'air très indépendante, comme si elle n'avait pas cherché à le croiser.

— Eh bien ! lâche-t-il pour tout commentaire.

N'étant pas sûre de comprendre la signification de ce « eh bien », Katia poursuit en lui faisant un reproche.

---

20. Direct dans *Le Petit Dubois illustré*. Non, mais, engagez-moi à l'Office québécois de la langue française quelqu'un !

— Si j'avais eu ton numéro de cell, on aurait pu se tenir au courant...

— Oui, je vais te le laisser tantôt.

Dans une passion non dissimulée, il avance vers elle pour l'embrasser. Elle répond à son baiser avant de s'informer d'un détail :

— Ça ne te fait rien de m'embrasser devant tout le monde ?

— Non, vu le contexte, ma belle, je te jure que personne n'a à dire quoi que ce soit sur mon cas !

« Pourquoi donc ? », pense Katia, sans oser le dire. Ils se racontent chacun leur soirée. Jean prétend avoir passé toute la soirée au *party* des comptables.

— Je t'ai jamais vu...

— Moi non plus, mais j'étais dans le fond là-bas. Une discussion sérieuse avec un bureau de la concurrence...

Elle lui avoue ensuite la vérité quant à leur intrusion illégale de début de soirée.

— Au *party* de la SAQ ? Trop drôle ! Belle bande de comiques, vous autres, rigole Jean en ayant l'air de trouver les filles bien téméraires en réalité.

Katia s'abstient cependant de lui révéler avoir fait de même pour son congrès par peur de le voir s'offusquer de sa hardiesse. D'autant qu'elle est de plus en plus convaincue qu'il est un des hauts dirigeants de la compagnie Raymond Chabot, voire un des organisateurs du congrès. Sa chambre individuelle, ses beaux habits et sa façon de parler ayant créé un doute plus que raisonnable dans son esprit.

— Tu viens dans ma chambre ?

— Avec plaisir, monsieur...

— Marc qui saute une fille de Zumba. Était bonne celle-là ! pouffe Caro.

— Son ami malodorant qui « trippe » sur toi aussi. Pouah ! s'esclaffe encore plus Vicky en repensant au pauvre type.

— Eille, dans le taxi, il me collait, comme trop certain de son coup, se souvient celle-ci.

— Et toi, pauvre Vicky... Un trou de cul, ton pompier !

— Mets-en ! On flirtait ensemble depuis un bon trente minutes quand sa blonde est arrivée de nulle part. Et là, en analysant la scène après coup, la fille était super bien habillée et maquillée pour sortir, donc elle devait être en ville elle aussi et elle l'a croisé par hasard. Ou pire encore, elle était dans le même bar que lui et il m'a quand même accrochée en sortant des toilettes. Aucune idée ! J'ai donc pris un taxi presque tout de suite après toi...

— Ça valait la peine que tu m'abandonnes avec le gros puant, regrette Katia sans ménager ses qualificatifs injurieux.

Histoire de prendre une petite pause, les filles font une halte routière. Elles s'étirent légèrement sur place dans le stationnement, avant de se diriger vers le Tim Hortons.

De retour vers la voiture, un café chaud en main, elles continuent de se remémorer cette soirée.

— J'étais tellement fatiguée, je ne t'ai même pas entendue entrer ce soir-là, avoue Caroline à Vicky.

— Tu ne les as pas entendus baiser non plus, alors? s'interroge Vicky, en écarquillant les yeux.

— Impossible ! On n'a pas baisé. Je vous l'avais dit, me semble ?

— Le « nouneur » ! On veut connaître la suite ! fait Vicky avec une voix solennelle, comme si elle annonçait le titre d'un film d'action mondialement attendu.

— En anglais, ça sonne mieux : « Nouneur, *the return* », prononce lentement Katia avec le même genre d'expression faciale dramatique.

— Vaut mieux en rire...

— Non, mais en général, c'était bon. Sa priorité sexuelle restait de s'occuper de moi quand même, précise Katia, en redevenant plus sérieuse.

— Tu n'auras jamais eu autant de cunnilingus en rafales de ta vie, conclut Caroline en devenant un peu gênée par le sujet.

—Ha! ha! ha! Non! Mais pour dire vrai, c'est qu'à un moment donné, la région devient irritée... forcément, avoue Katia, les sourcils bien hauts.

—Ah oui? se rebute Vicky, le visage quasi décomposé.

—Eh oui...

«Sixième étage. *Sexe floor.*»

Jean chatouille Katia dans les flancs, sur le chemin du retour, entre l'ascenseur et sa chambre. Elle pousse de petits cris perçants; sans doute assez stridents pour réveiller les trois quarts des congressistes de leur étage. En arrivant à la chambre de monsieur (alias la chambre voisine de mesdames), il se précipite vers la table de chevet du fond pour y allumer les deux chandelles. Le voyant ainsi ajouter une touche romantique à la pièce, Katia sourit en remontant subtilement son décolleté. Elle parcourt ensuite la chambre des yeux. Ses complets griffés sont tous bien suspendus dans la petite penderie, à l'entrée de la chambre. Une valise fermée repose au pied du lit. Jean semble être un homme minutieux et très ordonné. Lorsqu'il revient vers elle, une impression de déjà-vu envahit Katia. Il se jette de nouveau à genoux devant elle pour lui embrasser le sexe à travers son pantalon. Elle se dit: «OK! Encore le même manège?» Maligne, elle le relève et l'entraîne vers le lit, histoire d'être plus confortable que la veille. N'ayant pas envie de faire son éducation sexuelle une seconde fois, elle le laisse prendre les devants à sa guise. Elle se retrouve donc en un rien de temps sans pantalon, nue de la taille aux pieds seulement. Sans gêne, elle prend une position confortable en rassemblant près d'elle tous les oreillers de son grand lit. Elle croise les bras derrière la tête. Non mais, pourquoi pas? Jean s'en donnera probablement à cœur joie pendant plus d'une heure...

— Trois orgasmes? crie Vicky en ouvrant la portière du véhicule, étant donné qu'elles s'apprêtent à quitter la halte routière.

Un couple, qui sort d'une voiture garée à quelques mètres d'elles, s'amuse de la commotion que la déclaration de Katia a créée chez Vicky.

Katia roule des yeux, découragée par son amie. Elle lève finalement la tête vers le couple et leur lance, avant de disparaître dans le véhicule:

— Avec mon comptable en plus!

Tant qu'à y être, pourquoi ne pas leur expliquer le contexte! Naturellement, le couple s'esclaffe de ce détail croustillant et inattendu. Une fois les filles bien assises, Katia répond finalement à la question de son amie:

— Oui, Vicky, trois orgasmes.

— Mais vous n'avez pas fait l'amour? ne comprend toujours pas Caroline, confuse quant aux impulsions sexuelles particulières de cet homme.

— En fait, je ne vous ai pas tout, tout dit, débute Katia, l'air mesquin.

— Quoi?

— Et vu la conclusion de l'histoire, on s'en fout royalement... mettons que sa tuyauterie ne fonctionnait pas nécessairement tout le temps, commence celle-ci, un peu floue dans ses propos.

— Aaaah! Il avait le tuyau rouillé? tente Caroline.

— Le tuyau flasque? présume à son tour Vicky en utilisant un adjectif clairement peu approprié.

— Je ne dirais pas «flasque», mais pas très dur dans le coude, complète Katia, poursuivant ainsi avec brio la métaphore relative à la plomberie.

Un embarras groupal envahit la voiture, comme si ce secret ainsi révélé au grand jour changeait leur aventure du tout au tout. Comme si, dorénavant, il s'avérait plus délicat d'en rire.

— Ouin..., fait Caroline sans rien ajouter de plus.

— Hum...

— Ce n'est pas tout. Il n'avait pas une grosse circonférence de tuyau non plus, leur balance Katia, sans aucune empathie.

— Ah non? Comme un petit tuyau de jonction? demande Vicky en ayant l'air, à son tour, de n'éprouver aucune compassion particulière pour le pauvre comptable.

Personne n'ose proposer d'autres comparaisons. C'est le silence froid. Caroline sifflote en regardant défiler la route. Vicky examine distraitement les ongles de sa main droite. Katia, toujours à l'arrière, épie ses amies à travers les interstices des appuie-têtes de leur siège respectif. Il va de soi qu'elle attend sagement la question qui tue[21]. Une longue minute passe avant que Vicky ne lui balance en se retournant, trop curieuse :

— Petit comment ?

— Ouin, petit comment ? renchérit immédiatement Caroline, qui n'en pouvait plus elle non plus d'être ainsi maintenue dans le doute.

— Petit comme dans petit en criss, répond Katia, en sachant très bien que sa réponse vague sera jugée insuffisante.

— Petit comme ça ? tente Vicky en serrant le poing, mais en laissant son pouce bien haut.

— Non, quand même. Petit comme dans petit, mais trapu, s'ingénie toujours à décrire Katia, l'air d'y réfléchir très sérieusement.

— Trapu, pas flasque, mais mou ? essaie encore de savoir Caroline, dont l'expression faciale témoigne de sa non-compréhension de la description dudit phallus.

---

21. Probablement comme vous aussi...

— Court, mais de largeur normale, élabore de nouveau Katia, en leur représentant l'organe avec ses doigts entre les deux sièges avant.

— OK, fait Caroline comme si maintenant tout était clair comme de l'eau de roche.

— Court, trapu, et défectueux, conclut Vicky en haussant les épaules de satisfaction, comme si son énumération d'adjectifs qualificatifs complétait ainsi à merveille la description finale et définitive du pénis de Jean.

— Voilà ! Donc tout ça pour vous expliquer qu'il semblait avoir un complexe, donc je crois que son obsession pour l'entrejambe féminin était plutôt un genre d'anxiété de performance recyclée en obsession, psychanalyse Katia[22] en se tapotant la joue d'un doigt, l'air de réaliser la raison probable au moment de la partager avec ses copines.

— Comme s'il trouvait la noune réconfortante ? questionne Vicky, pas sûre d'avoir bien compris le verdict.

— Non ! Dans le sens de la performance, rectifie Katia en la dévisageant.

— OK, comme si la noune le jugeait ? tente de nouveau Vicky.

— Nooooon ! Pour ne pas devoir vivre l'échec devant l'autre, s'impatiente presque Katia, en constatant que son amie ne saisit vraiment pas son analyse pourtant savante.

---

22. Katia est aussi talentueuse en analyse psychologique que Mali dans ma série *Chick Lit*...

— Tu penses? fait Caroline en songeant avec sérieux à la théorie de son amie.

Vicky, qui croit enfin avoir pigé, s'exclame:

— Aaaah! OK! Je l'ai: comme s'il voulait rester plus bas pour ne pas regarder la fille dans les yeux.

— Non! Vic, tu ne l'as pas pantoute. Laisse faire, la prie Katia, lasse de devoir lui expliquer à nouveau.

— De toute façon, avec la fin de l'histoire, il y a plusieurs théories possibles, présume Vicky pour tirer un trait sur son incompréhension précédente.

— Oui, il était tendre, doux. C'était *cool*. Mais avec ce que j'ai appris, pas besoin de me demander si je le regrette; la réponse est: oui! En esti..., lâche Katia en devenant subitement plus enragée que posée face à lui.

— Au moins, t'as passé de belles nuits à deux, fait valoir Vicky, qui tente de lui faire voir le bon côté des choses.

— Ouin...

Vicky, qui se lève du lit de peine et de misère, se plaint dès qu'elle aperçoit son reflet dans la glace:

— M'as-tu vu la face? On dirait que ça fait trois jours que je dors pas. Il faut que je me fasse un masque express...

Caroline, qui a déjà pris sa douche, se ressert du café en ne répondant pas, faute d'arguments constructifs. Elle écoute les nouvelles d'une oreille distraite en terminant de se préparer tranquillement. Elle comprend par contre l'impression de Vicky, car elle est fatiguée elle aussi, même si, techniquement, elle a dormi beaucoup plus que son amie. Vicky saute dans la douche. On cogne trois petits coups à la porte. Caro s'y dirige, mais revient finalement sur ses pas en réalisant qu'il s'agit du même scénario que la veille. C'est le jour de la marmotte. Elle se rend plutôt en direction des portes communicantes afin d'ouvrir à la voisine «temporaire», qui désire sûrement se préparer à son tour.

—Bon matin! Entrez! Entrez! clame joyeusement Caro, en lui faisant une révérence digne d'accueillir la famille royale britannique venue prendre le thé.

—Chut! Il est encore dans la douche, répond Katia, l'air un peu préoccupé en entrant d'un grand pas.

En refermant avec précaution les deux portes derrière sa copine, elle se fait assaillir par les préoccupations de la nouvelle venue. À voix basse, bien qu'il soit impossible que Jean l'entende, Katia lui explique:

—Je ne sais jamais quoi lui dire au petit matin: «Bon ben, on se croise peut-être quelque part aujourd'hui?» Non, c'est sûr qu'on se croisera pas, je suis même pas dans son congrès! Il résiste aussi à me donner son numéro. Il change toujours de sujet...

—Il te pose des questions?

—Non, c'est bien ça le pire. Il m'a juste dit: «C'est rare que je participe aux ateliers ou aux conférences en grand groupe... » Je ne l'ai pas questionné en retour, étant donné ma position d'imposteur.

— Ouin...

— Je suis sûre qu'il est dans l'organisation du congrès, ou même patron, mais qu'il ne veut pas me le dire pour pas avoir l'air en position d'autorité, tu comprends. En théorie, selon nos mensonges, je serais une comptable à sa charge.

— Mais il t'a « frenchée », et pas à peu près, devant tout le monde.

— Je sais. C'est justement la partie que je comprends pas. Peut-être qu'il va me le dire si on se revoit après le congrès...

— Tu voudrais le revoir ?

— Peut-être bien, je suis célibataire après tout. De plus, il est riche à craquer, c'est clair.

Vicky, qui termine de se doucher, crie avec découragement à travers la porte :

— Je suis vraiment laide, sérieusement, les filles !

— Laide ou pas, dépêche-toi, c'est à mon tour, la prie Katia pour ne pas être trop en retard.

En passant près de Caro, elle décide de s'amuser un peu :

— Tu as manqué quelques péripéties hier soir. Je me suis fait raccompagner en taxi par l'ami de Marc, super *cute*...

— En taxi ? L'ami de Marc ? s'exclame Caroline complètement perdue.

Vicky, qui sort de la salle de bain, prend part à la discussion :

— Super *cute* ? Mais attends que je te raconte la fin de mon histoire avec mon pompier...

— Ton pompier ? fait Caro, ignorant absolument tout de la fin de soirée de ses amies.

— Mais Vic, je te laisse l'ami de Marc, je suis déjà prise. Et je dois vous en raconter une bonne au sujet de notre cher collègue, justement, ajoute Katia en refermant la porte de la salle de bain.

— Décidément, on a un déjeuner chargé devant nous, présage Caro, avide de connaître le fin fond de toutes ces insinuations.

Encore une fois, la seule vision du buffet du matin fait saliver Caroline et rend de bonne humeur Katia. Par contre, Vicky se plaint :

— Je vais prendre cinq livres ici juste avec les déjeuners.

— Pas grave, on va faire du Zumba tantôt, lui rappelle Caro.

— Baaah ! Je reste convaincue que c'est « matante » un peu ce sport-là. C'est pas avec ça qu'on va purger nos abus de brioches, certain, les met en garde Katia, toujours sceptique.

Marc et Carl, son ami enseignant de gym, approchent du buffet presque en même temps que les filles. Ne sachant pas qu'il s'agit de lui, Caroline lui demande :

— T'es pas avec ton ami ?

— Ben oui, c'est lui, envoie Marc, étonné qu'elle n'ait pas compris un fait aussi évident.

Les présentations s'amorcent sur-le-champ.

— Aaaah ! C'est…, baragouine Caroline, en échappant un petit rire nerveux.

Vicky et Caro se tournent vers Katia, désemparées. Pour dissiper le malaise naissant, ils se servent tous à manger, et les deux groupes se dispersent pour se diriger vers des tables opposées. Étrangement, Marc n'a fait aucun commentaire insidieux ou déplacé aux filles.

— Coudonc, il arrive toujours ici à la même heure que nous le matin… Il nous surveille pour vrai ou quoi ? présume Vicky.

— Euh ? Son ami ? s'interroge Caro. J'ai eu l'air trop conne !

— Je vous niaisais en disant qu'il était *cute*, précise Katia avec une grimace sarcastique.

— Hygiène clairement douteuse ! Merci de me le refiler, vulgarise spontanément Vicky avec moins de délicatesse.

Un type salue Katia au passage :

— Çalut ! Ç'est bon le mançer içi, le matin, hein ? commente le 6e qui suce, trop heureux.

— Hé ! Oui, c'est super, répond poliment Katia en lui souriant.

— Aaaah lui..., murmure Vicky, en avançant avec son assiette vers une table, toujours estomaquée face à l'incroyable beauté du gars *versus* son trouble langagier.

— Le 6e qui suce a-t-il vraiment dit « le manger » en parlant du buffet ? s'étonnc Caroline.

— Sûrement ! J'ai pas tout compris, il y avait trop de « ç » dans sa déclaration. Bon, revenons à l'ami de Marc s'il vous plaît. Êtes-vous conscientes qu'il enseigne la gym à nos ados ? Voyons donc, il doit même pas être capable de courir après un ballon, s'offusque Katia en croquant dans sa brioche à la cannelle avant même de s'installer à une table.

— Pas trop le profil de l'emploi, non, relève Vicky en engloutissant aussi presque d'une seule bouchée un beignet caramel et moka.

— N'exagérez pas, quand même ! Mais c'est vrai qu'il faut habituellement donner l'exemple de sa profession, rectifie Caroline pour modérer les propos discriminatoires de ses compagnes.

— Comme on le fait toujours, ironise Katia, très contente de se valoriser à tort.

Vicky en profite pour glisser en douce une blague sous forme de jeu de mots :

— Kat est prof de langue, après tout...

Les filles prennent place à une table. Au même moment, l'enseignante d'éthique, rencontrée la veille, arrive seule au buffet. Les filles l'épient de loin.

Évidemment, elles cherchent toutes du regard l'homme avec qui elles l'ont vue flirter la veille. Il ne semble pas être là. Après avoir pris soin de verser un godet de lait écrémé dans son café, la femme se cherche une table lorsque l'enseignant de sciences surgit de nulle part, l'air de rien. Elle paraît très étonnée de le voir et lui envoie un signe de la main pour lui signifier de se joindre à elle pour le déjeuner en désignant une quelconque table vide. Il va se servir à son tour avant de revenir la trouver, tout sourire.

— Non ? Avez-vous vu ce que j'ai vu ? réagit Katia en se délectant de la scène.

— Ils font semblant de se croiser ici par hasard, analyse Vicky, qui secoue la tête tellement elle n'en revient pas.

— Peut-être qu'ils sont rentrés chacun dans leur chambre hier après nous avoir croisées, affirme Caroline pour tempérer les ardeurs des filles, avides de potinage.

— Pfft ! Jamais ! Elle l'a déshabillé du regard direct dans le corridor, lui rappelle Katia.

Vicky poursuit dans la même veine :

— Il l'a culbutée toute la nuit, c'est sûr, voyons !

Au tour de Katia d'imaginer la suite de leur histoire :

— Et là, ils se sont dit : « On n'arrive pas en même temps, on fait semblant de se voir par hasard et les gens du congrès n'y verront que du feu... »

— La vie, c'est pas un film, les filles, spécifie Caroline, qui trouve leurs extrapolations un peu trop tirées par les cheveux.

Katia songe une fois de plus à rebattre les oreilles de Caroline à propos des vieilles histoires du Mexique, et de leur mise en scène complexe, mais elle se retient ; elle ajoute plutôt :

— Non, non, tout est calculé. C'est une vraie samouraï, elle. Petite prof d'ECR inoffensive, mariée, mais dans le fond c'est une nymphomane assoiffée de sexe ! s'amuse Katia en prononçant le mot sexe avec une intensité excessive.

— On jugeait le prof d'éducation physique un peu corpulent. La prof d'éthique sans morale, c'est pas vraiment mieux, souligne Vicky en tartinant sa rôtie de confiture.

— Comme on dit, il ne faut jamais se fier aux apparences...

— Il s'en passe des choses ici, ce matin ! Allez-y donc avec vos histoires d'hier. Vous êtes sorties en ville et... ? s'intéresse maintenant Caroline.

— Oui, revenons à hier...

— La prof encore dépeignée de la veille qui fait semblant de ne pas trop connaître le gars qui l'a prise sauvagement par-derrière toute la nuit, c'était trop *hot*, souffle Katia, qui revient sur le sujet, complètement en admiration devant la femme.

— Vous autres, vous jugez tout le monde, et vous êtes toujours certaines d'avoir raison, déclare Caroline avec peu de délicatesse.

— Kat a raison. Pour ces deux-là, c'était comme évident, s'oppose Vicky.

— Et Marc qui se tape en cachette une prof de Zumba ! J'aurais tellement aimé savoir laquelle, ne se peut plus Katia.

— Moi aussi…, acquiesce Vicky.

— En tout cas, moi, j'aurais dû deviner avant de partir quel serait votre comportement dans un congrès de ce genre, leur communique Caroline, la voix encore chargée de reproches.

— Tu nous en veux encore ?

— Non, mais tsé, les filles…

— C'était le dernier après-midi, plaide Katia pour obtenir l'absolution de son amie.

— Dernier après-midi ou pas, ça n'a aucun rapport, précise Caro, qui ne consent pas à la lui donner.

Katia baisse les épaules, comme une fillette se faisant gronder après avoir brisé une babiole fragile dans une boutique. Vicky tourne la tête vers le paysage automnal, y trouvant tout à coup un certain réconfort. Les deux filles savent en effet que leur conduite de cet après-midi-là s'apparentait à de la délinquance pure et dure. Les enseignants qui ne donnent pas le bon exemple ? Elles étaient probablement les pires de tous…

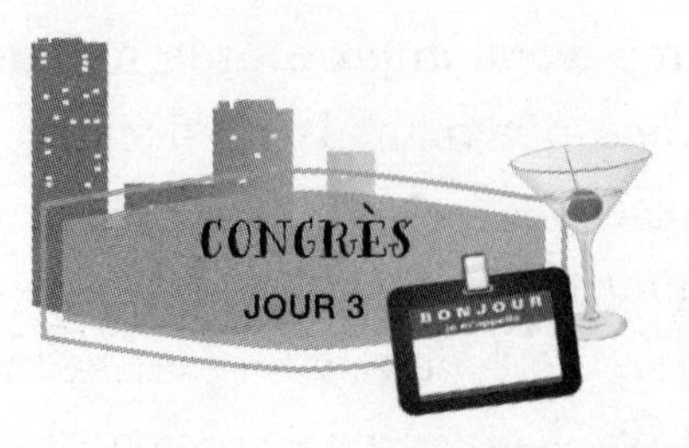

La matinée étant enfin terminée, les filles se lèvent de leur chaise pour s'étirer quelque peu en bâillant.

— L'animateur a bien dit que le reste de l'après-midi se déroulait sous forme de kiosques et qu'on se promenait à notre guise pour recueillir de l'information? répète Katia, pour s'assurer d'avoir bien compris.

— Oui, des gens feront des présentations en petits groupes, d'autres testeront leur matériel pédagogique comme si nous étions des élèves. C'est le *fun*, hein? se réjouit Caroline, emballée par l'initiative originale et différente des présentations magistrales.

— Ouin, ouin, concède nonchalamment Katia pour toute réponse, en faisant une œillade subtile à Vicky.

— Je dois aller porter mes notes à la chambre avant le dîner. Je vais en profiter pour passer un petit coup de fil à mon *chum*, annonce Caro en s'éloignant.

— On t'attend au resto.

En y prenant place, les deux filles saluent deux participants de leur congrès et deux autres du congrès des comptables, et ce, en moins de trente secondes d'intervalle. Décidément, elles commencent à se faire reconnaître de plus en plus. Problème à venir?

Le repas étant servi encore sous forme de buffet, vu la quantité de congressistes présents dans le complexe hôtelier, les filles attendent sagement le retour de Caroline avant de s'y rendre. Au loin, elles repèrent Alexis, qui semble chercher des yeux la personne manquante du trio. Il n'a pas à se questionner longtemps face à son absence, car elle et sa chevelure flamboyante apparaissent dans l'embrasure de la porte du resto. Elle aperçoit ses amies et les rejoint d'un pas décidé. Au moment de s'asseoir, Katia ne peut s'empêcher de lui commenter en toute franchise :

— Honnêtement, Caro, à la lumière des néons, on voit que tes mèches s'en viennent de plus en plus vertes…

— Je sais, plus je lave mes cheveux, pire c'est on dirait, consent avec hâte celle-ci, l'air franchement désintéressé pour une fois par le sujet capillaire.

Un sourire en coin, elle pose une enveloppe sur la table sans rien dire.

— C'est quoi ? demande Vicky, curieuse.

— Ouvre-la, la prie Caroline en prenant une gorgée dans le verre d'eau posé devant elle.

Celle-ci s'exécute docilement, les yeux remplis de questionnements. L'enveloppe blanche non cachetée renferme une feuille beige cartonnée et pliée en deux. On peut y lire : « Chèque-cadeau valide pour un massage au Centre de détente de l'hôtel Hilton Québec », le tout au nom de « Caroline ».

— Voyons ? Encore Alexis ?

— Je sais pas...

Une serveuse approche de leur table avec un plateau rempli de splendides cocktails. Elle en dépose un devant chacune des filles. Il s'agit d'une version originale du Bloody Cæsar. Le traditionnel cocktail de jus de palourde est ornementé de trois minibrochettes : l'une de deux grosses crevettes enroulées de prosciutto, l'autre de trois variétés d'olives entremêlées de cubes de cheddar fort, et la dernière est garnie de différents morceaux de légumes marinés.

La serveuse explique :

— C'est de la part d'Alexis !

— Merci !

Ébahie devant l'impressionnant montage, Katia croque une crevette pendant que Caroline reste penaude devant son entrée, de nouveau hésitante à consommer le cadeau.

— C'est comme trop ! Il ne va rien se passer entre lui et moi, et il va avoir dépensé sa paye des trois prochaines semaines pour rien. Je dois lui dire, je me sens trop mal, réagit celle-ci, qui semble sur le point de se lever.

— Reste ici, ordonne Katia, une main bien haute.

— Ouin, c'est pas comme si tu jouais avec le feu en lui laissant croire qu'il t'intéresse, la rassure aussi Vicky. Le reste, c'est pas ton problème.

Silencieuse, Caroline agrippe la brochette de légumes pour engloutir le piment doux qui se trouvait au premier rang. Étrangement, une moue de doute orne son visage...

Après un copieux repas, les filles, toujours à table, observent les gens commencer à se lever avec entrain pour regagner leur congrès respectif. Katia souffle avec sa bouche en signe de découragement. Vicky fixe le plafond comme si elle implorait un dieu mystique quelconque de l'épargner d'un imminent supplice grec. En se levant de sa chaise, Caro tente de les motiver:

— Allez ! Ça va être le *fun* !

— Pfft...

— Je vais aller réserver à la réception pour recevoir mon massage tout de suite après le Zumba. Je vous rejoins sous peu.

Ses deux amies acquiescent d'un léger signe de tête, tout ce qu'il y a de peu convaincant.

En pénétrant dans la salle de congrès, Caroline remarque que tout le monde circule déjà à sa guise entre les kiosques de présentation. Ceux-ci sont nombreux et disposés en cercle autour de l'immense salle, qui a été dénudée de ses tables et de ses chaises pour l'occasion. Elle s'immobilise un instant pour tenter de repérer ses amies, mais sans succès. Caro se rend au milieu de la pièce pour avoir ainsi une meilleure vue d'ensemble. Elle pivote sur elle-même, le nez bien haut. Elle ne les voit toujours pas. Convaincue qu'elle les retrouvera bien en cours de route, elle retourne vers la table, à l'entrée, pour saisir un dépliant qui présente les divers kiosques, et débute sa tournée en solitaire.

Plus d'une heure plus tard, toujours aucune trace de Vicky et Katia. Caroline comprend alors qu'elles lui ont fait faux bond en cet après-midi de congrès. Mécontente de leur attitude peu mature et de leur insouciance, elle poursuit tout de même sa visite des kiosques, en se promettant de les sermonner sévèrement plus tard…

En se rappelant cet événement, Caroline revit presque la même colère que celle ressentie sur le moment. Elle donne même un petit coup sur son volant en guise de frustration.

—*My God!* Remets-toi pas dans un état pareil! la prie Katia, agacée de se faire une fois de plus remettre sa nonchalance sur le nez.

—Non mais, les filles! C'était n'importe quoi votre «skippage» de congrès.

—Écoute, Caro, on croyait aller faire une minisieste de vingt minutes après le dîner, et on s'est finalement réveillées à 15 h, explique Vicky en ouvrant les bras en guise d'impuissance.

— À ce moment-là, on s'est dit, tant qu'à arriver au congrès presque à la fin, allons plutôt dans la piscine! termine avec enthousiasme Katia, hermétique à l'attitude offusquée de Caro.

— Ah bon, la piscine? Vous me l'aviez pas dit sur le coup, hein...

— Ah, Caro! *Come on!* s'exclame Katia, pour désamorcer de nouveau son accès de colère.

— En tout cas, je pars plus jamais avec vous autres quelque part, les menace celle-ci, toujours les deux mains solidement agrippées au volant.

— Fais pas de promesse que tu ne tiendras pas... Tu nous aimes, affirme Katia en parlant maintenant à sa place.

— De toute façon, je pense que tu t'es vengée à ta guise, hein Caro? rétorque Vicky à son tour, l'air indigné, en croisant les bras sous sa poitrine.

— Qu'est-ce que tu voulais que je réponde aux gens qui me demandaient où vous étiez? se défend celle-ci.

— N'importe quoi, mais pas ça!

Katia, assise à l'arrière, rigole dans sa barbe en se remémorant ce que Caroline avait inventé comme excuse...

«Sixième étage. *Sexe floor.*»

Caroline marche rapidement dans le corridor en direction de la chambre dans l'espoir d'y retrouver les filles. En entrant, elle les aperçoit, fraîches et disposes, en habit sport, prêtes à se rendre au cours gratuit de Zumba.

— Allo! l'accueille Katia en espérant que leur absence de l'après-midi a passé comme du beurre dans la poêle.

— C'est pas drôle, les filles! bout de rage Caroline, en posant des feuilles et des dépliants sur la table de travail de la chambre d'hôtel.

— Caro, on voulait y aller plus tard, mais on a passé tout droit. Désolée...

Muette comme une carpe, celle-ci fouille avec empressement dans sa valise pour en ressortir ses vêtements de sport. Elle passe ensuite devant elles, l'air très enragé, et s'engouffre dans la salle de bain en refermant la porte avec fracas. Vicky tourne son visage allongé vers son amie, lui signifiant son embarras.

Katia tente une approche à travers la porte:

— Caroliiiine, t'es choquée après nous?

Celle-ci vocifère:

— C'est vraiment le *fun* venir quelque part avec vous ! Vraiment ! Wow ! Tout l'après-midi toute seule...

— On s'est jamais réveillées, ment à demi Katia étant donné qu'après leur sieste elles sont plutôt allées se prélasser dans l'aire de loisirs.

Elle juge bon de passer sous silence ce détail futile pour le moment.

— On s'excuse, insiste à son tour Vicky d'une voix douce.

— Demain, on va être avec toi, la rassure Katia en regardant Vicky.

Celle-ci lui adresse un signe affirmatif en retour, comme si son argument était du tonnerre.

— Demain, c'est juste le mot de la présidente et la clôture du congrès ; on s'en fout ! grogne Caroline.

— Ah ! On n'est pas obligées d'y aller, donc ? demande spontanément Katia, contente d'être mise au courant de ce détail crucial.

Vicky la fusille du regard, les yeux ronds comme un ballon.

— Je niaisais ! Ha ! ha ! simule Katia, désireuse de tout de même valider plus tard si l'activité du lendemain est réellement libre ou non.

Au même moment, Caroline sort vêtue de son survêtement et elle chausse ses espadrilles, assise sur un des lits. Toujours aussi frustrée et courroucée, elle dépose pêle-mêle ses vêtements dans sa valise ouverte, en déclarant :

— J'ai vraiment eu l'air nouille quand les gens me demandaient où vous étiez.

— Ouin, j'avoue. Désolée encore. Mais... t'as répondu quoi ? s'intéresse Vicky.

— Que tu avais des ballonnements et des flatulences et que Katia t'avait accompagnée à la pharmacie, l'informe sèchement Caroline en tentant d'attacher ses cheveux asymétriques devant le grand miroir[23].

— QUOI ? T'as pas dit ça pour vrai ? beugle Vicky, maintenant aussi offusquée que Caroline.

— Ha ! ha ! ha ! rigole de bon cœur Katia en s'assoyant sur l'autre lit tant elle s'amuse de la situation.

— Dis-moi que c'est pas vrai ? demande une fois de plus Vicky.

Cherchant des barrettes supplémentaires pour parvenir à attacher ses cheveux correctement, Caroline passe devant Vicky, qui la fixe toujours avec horreur.

— À qui ?

— On s'en fout ! Genre la prof d'ECR, son supposé amant, deux autres profs connus lors du premier soir, Marc et son collègue..., énumère vaguement Caroline.

— MARC ? C'est quoi ? Il va rire de moi jusqu'à la fin des temps. Il va vouloir venir filmer mes flatulences dans la chambre ? imagine Vicky, humiliée que plein de gens du

---

23. Hum... Douce vengeance d'une frustration refoulée après l'épisode dans le bain au Mexique ?

congrès la croient aux prises avec des problèmes intestinaux de cette nature.

— T'exagères...

— Je suis crampée ! rit encore Katia, qui ne se rend pas compte du calembour qu'elle vient de faire avec le mot « crampe ».

— C'était en réponse à ton mensonge d'allergie alimentaire aux fruits de mer que tu m'as fait passer sur le dos, explique rationnellement Caroline.

— C'est elle qui a inventé ça ! Pas moi ! rectifie Vicky, toujours outrée, en montrant du doigt Katia.

— Ah ouin ? J'étais certaine que c'était toi. De toute façon, trop tard, conclut Caroline, secrètement très fière de sa punition.

— Super ! J'ai pas eu assez de puer les oignons, je pète en plus ! Vraiment, wow ! se désole la victime, troublée et impuissante.

— Ha ! ha ! ha ! pouffe Katia, qui ne se peut plus, maintenant couchée sur le dos, les mains sur les côtes.

Dégageant une drôle d'énergie de groupe, les filles se rendent à l'essai gratuit de Zumba. Vicky semble toujours insultée de la rumeur que Caroline a fait courir à son sujet, tandis que celle-ci paraît de moins en moins en colère. Comme si la douce vengeance l'avait du coup apaisée. En entrant dans la grande salle, les filles constatent la présence de beaucoup de femmes. L'une d'elles les accueille en les priant de tout simplement se choisir une place, le cours gratuit débutant sous peu. Les trois enseignantes choisissent l'arrière de la salle et fixent les alentours. Bien qu'il s'agisse d'un cours d'introduction, la majorité des femmes semblent expérimentées ; elles portent pour la plupart la même camisole rose et rouge, au dos de laquelle on peut lire en grosses lettres : « Zumba *Team* ».

— OK, nous sommes les seules « touristes », remarque Katia, en faisant une moue terrassée à ses amies.

— Les filles avaient oublié de nous dire que les fesses de fer étaient un préalable au cours, chuchote à son tour Vicky, en désignant du menton trois filles qui placotent à l'avant.

En effet, les filles semblent être en excellente forme physique, leur cuissard leur modelant toutes avantageusement le popotin. En faisant référence à son tour à un autre groupe de sportives plus loin, Katia ajoute avec envie :

— Les faux seins aussi.

— Arrêtez de regarder les autres. On va s'amuser, prétend Caroline, pour les ramener à l'ordre.

L'animatrice active son micro statique sur serre-tête et souhaite la bienvenue aux participantes.

— Comme je vois quelques visages inconnus, je vais vous expliquer ce qu'est la Zumba...

Elle prend quelques minutes pour expliquer que l'activité sportive en question est un exercice cardiovasculaire sous forme de mouvements chorégraphiques répétitifs. Les séquences reviennent en alternance et sont associées au refrain et aux couplets d'une chanson.

Chaque séquence compte trois ou quatre mouvements. Elle rassure le groupe, pour celles qui auraient de la difficulté à suivre, en indiquant que le premier essai n'est jamais facile pour quiconque.

— Allons-y !

Une chanson aux rythmes latins commence.

— Je te l'avais dit que c'était comme de la danse latine, se réjouit Caroline en donnant un petit coup sur l'épaule de Katia.

L'animatrice débute par le refrain ; on doit avancer un pied en faisant un mouvement de bassin vers l'avant en même temps qu'on soulève les bras au-dessus de la tête. Ensuite, on pivote en mettant un pied devant puis on tourne sur soi-même avant de faire deux pas à gauche, deux pas à droite pour terminer par quatre rotations de bassin langoureuses, toujours les bras pointés vers le haut. Et on recommence…

— Simonaque, lâche Vicky, perdue, tentant de suivre comme elle peut la chorégraphie au rythme incroyablement rapide.

— Ben là, se plaint aussi Katia, qui n'a retenu aucun mouvement.

— Pivot, deux pas à droite, à gauche, rotation…, détaille avec énergie la fille à l'avant.

La chanson se poursuit de la sorte, avec deux autres blocs de mouvements. Toutes les participantes semblent bien suivre les pas, sauf les trois filles, bien sûr. De plus, le fait d'être situées trop à l'arrière de la salle les empêche de bien voir.

À la fin de la chanson, Katia, à moitié morte des trois premières minutes et demie d'effort, se tourne vers ses amies, l'air dépité :

— C'est donc ben dur !

— Sport de matante, hein ? rigole Caroline, aussi très essoufflée.

— Moi, avec mon sens nul du rythme, je l'ai pas pantoute, dévoile Vicky, contrariée de vivre des échecs successifs.

Les filles remarquent alors que toutes les participantes sont retournées dans leur direction ; elles lèvent la tête pour se rendre compte que l'animatrice s'adresse à elles. Comme elles n'ont pas prêté attention à ce qu'elle disait, celle-ci répète :

— Oui ! Vous trois. Venez à l'avant pour mieux voir les mouvements.

— Aaaahhh, fait Katia avec un sourire guindé, nullement emballée par l'invitation.

Gênées de retarder plus longuement le cours, elles obtempèrent et se déplacent juste en avant du professeur. Vicky arbore un sourire encore plus jaune que celui de Katia, déçue de devoir exposer son peu de talent et ses fesses ramollies au grand jour. Caroline semble contente.

Après la séance d'entraînement, qui a duré une heure, les filles quittent sans plus attendre les lieux après avoir remercié l'animatrice d'un signe de la main.

— Je suis toute trempée, affirme Katia.

— Moi, je suis déjà courbaturée. Demain, je vais mourir, c'est certain, se désole Vicky en s'étirant un peu les épaules vers l'arrière.

— C'était le *fun* ! se réjouit Caro.

— Oui, oui, surtout placées à l'avant. On n'avait pas l'air du tout de trois grosses impotentes pas en forme qui mangent trop au buffet du matin, exagère Katia avec ironie.

— On voyait mieux les mouvements, explique Caro, comme si son amie ne le savait pas.

— J'ai toujours aimé m'humilier publiquement en me mettant à l'avant-plan, raille à son tour Vicky.

— Surtout que toi, c'est ta deuxième fois en peu de temps, la taquine Katia, en lui poussant un peu l'épaule.

Celle-ci lui envoie un regard interrogateur, semblant se demander à quoi son amie fait référence.

— Le karaoké...

— Hish, oui, et l'hypnotiseur aussi, rajoute Vicky. Sans oublier mon nouveau problème de flatulences nauséabondes. Mais dans ce cas, c'est pas assez public comme humiliation; il faudrait que l'animateur l'annonce au souper de ce soir...

— Je m'en charge si tu veux, propose Caro en regardant sa montre. Eille, je dois me dépêcher pour me rendre à mon massage, il est 17 h.

— À plus tard, chanceuse !

— Moi, je m'inscris à un cours de Zumba à Gatineau dès demain ! clame Caroline avec entrain.

— Si un jour je remarche normalement, je vais y penser, avoue Vicky, qui a les muscles encore très endoloris.

— Mon massage était trop bien planifié, se souvient Caroline, qui avait apprécié d'autant plus le soin après une activité sportive.

— Nous autres, en se rendant à la chambre, on a croisé des gens des trois congrès ; des profs, des comptables et des gens qui formaient le train-train au *party* de la SAQ. Ils nous demandaient tous avec excitation si nous allions au *party* d'Halloween, se rappelle Katia, divertie à souhait.

— OBLIGÉES d'aller aux trois soirées à cause de nos mensonges, c'est tellement con, stipule Vicky, aussi amusée que Katia de la situation délicate.

— T'avais pas croisé Jean avant le *party*, finalement ? demande Caro.

— Euh... en personne, non, avoue Katia en détournant le regard.

Incertaine de bien comprendre le sens de sa révélation, Caroline l'interroge :

— Que veux-tu dire par « en personne » ?

— Disons qu'on t'a pas tout... tout dit, concernant une infraction qu'on a commise en revenant à la chambre après le cours de Zumba, débute Katia, l'air repentant.

— Qu'est-ce que vous avez fait? s'enquiert Caroline, apeurée d'entendre la suite.

— C'est pas vraiment une source de fierté, mais après coup, je ne regrette pas du tout..., commence Katia, tout de même hésitante à poursuivre.

De retour à la chambre, Vicky et Katia, allongées sur leur lit, discutent de leur week-end. Katia se confie à son amie:

— Il m'intrigue, Jean. Je sais pas pourquoi, j'ai l'impression qu'il ne me dit pas la vérité. En fait, il me dit pas grand-chose sur lui tout court, et il doit bien y avoir une raison à ça.

— À quoi tu penses?

— Je sais pas trop. Comme je disais à Caro hier, je crois qu'il est le grand patron ou un actionnaire. Il a sûrement plein de *cash* et il veut pas que je le sache. Les hommes riches ont tout le temps peur que les femmes ne s'intéressent à eux que pour leur fric. Il est peut-être marié aussi...

— C'est peut-être lui en personne, Raymond Chabot!

— Tu ris, mais peut-être... ou genre son fils qui a repris toute l'entreprise. J'aurais baisé avec *the* Raymond junior Chabot en personne?

En contemplant le plafonnier de la chambre, Katia réfléchit en silence, le sourire aux lèvres, avec un brin de contentement. Plusieurs questions fourmillent dans sa tête. Une illumination jaillit. Elle se lève alors d'un bond en toisant Vicky d'un drôle de regard.

— Quoi?

Sans rien dire, elle se dirige vers les portes communicantes et ouvre la première. Elle frappe trois petits coups sur la seconde.

— Qu'est-ce que tu fais?

Toujours sans rien dire, Katia attend une réponse. Jean ne semble pas y être. Doucement, comme si elle craignait de faire trop de bruit, elle tente d'ouvrir la porte de son côté. Bingo! Elle s'entrebâille. Ne sachant pas que Katia est passée par là ce matin et le matin précédent, il n'a pas verrouillé la porte de l'intérieur. Vicky observe sa compagne, sans trop comprendre le but de sa démarche. En ouvrant plus grand, elle vérifie de nouveau, au cas où il n'aurait pas entendu la première fois.

— Jean?

Elle passe la tête dans l'embrasure de la porte et l'appelle, plus fort cette fois-ci, pour être bien certaine de son coup.

— Jean?

Toujours pas de réponse. Elle se faufile dans la pièce en vitesse. Vicky se lève subito presto et la suit en pouffant.

— Tu va fouiller dans ses affaires ? lui lance-t-elle, tout de même pas convaincue que c'est l'idée du siècle.

— Juste un peu...

Restée entre les deux portes, Vicky se demande à cet instant si elle doit participer ou non à cette corvée de recherche illégale.

— Aide-moi ! supplie la fautive, en commençant par ouvrir délicatement les tiroirs.

— Qu'est-ce qu'on cherche ?

— Je ne sais pas... une carte d'affaires peut-être. Des documents de travail.

En riant toujours nerveusement, Vicky ouvre avec précaution la mallette de son portable placée sur une chaise. Les tiroirs étant tous vides, Katia s'attaque alors aux poches de ses vestons et chemises, soigneusement suspendus dans la penderie. Toujours rien. En se rendant ensuite dans la salle de bain, Katia constate que les divers articles de toilette qui s'y trouvent ne l'aideront guère à en apprendre davantage sur l'individu en question. Elle revient vers sa complice, bredouille. Vicky vient de terminer de soulever les vêtements de sa valise et d'en vérifier les poches extérieures. En avançant vers la table de travail, où repose le menu du service aux chambres et l'enveloppe de pourboire pour l'entretien ménager journalier, elle voit dépasser un petit bout de carton. Elle commente sa découverte à son amie :

— Une carte d'affaires ici, mais ça n'a pas rapport. La carte d'une entraîneuse privée d'un centre de conditionnement physique de Québec...

— Ah, ce doit être le congrès de Zumba qui recrute des membres.

— En effet.

— Sinon, rien.

— Il n'y a aucun papier ou document. Il doit les avoir avec lui pour le congrès, présume Vicky avant de revenir vers leur chambre.

Comme Katia reste là, Vicky lui suggère :

— Et à cette heure-ci, il doit revenir bientôt, donc viens-t'en !

Elle obtempère et suit son amie avant de refermer derrière elle, très déçue de n'avoir récolté aucun indice supplémentaire.

La bouche ouverte depuis le début de la confession des filles, Caroline gueule finalement à tue-tête dans le véhicule :

— C'est une intro par effraction ça !

— Non, c'était pas chez lui et, en plus, c'était pas barré. La chambre appartient à l'hôtel après tout et même un peu à moi aussi, vu que j'y ai séjourné deux nuits consécutives, rationalise Katia, en livrant de façon très persuasive son argumentaire ridicule.

— Ouin..., l'appuie mollement Vicky en secouant à peine la tête.

— Les filles ? s'exclame de nouveau Caroline.

— Ben quoi ? On est restées à peine deux minutes et quart...

— Une minute, deux minutes ou trois heures ! C'est pas la question pantoute, essaie de lui faire comprendre Caro.

— Ce qui est fait est fait, *anyway* !

Un silence s'installe de nouveau. Voyant une fois de plus l'air scandalisé de son amie, Katia regrette presque de lui avoir fait part de ce « détail futile ». Caroline soupire. Curieusement, elle enchaîne tout de même avec une question :

— Donc, vous n'avez rien trouvé ?

— Non. On est tout de suite revenues dans la chambre et on s'est préparées pour la soirée d'Halloween...

Ayant été mises au courant dès le départ qu'aurait lieu une soirée déguisée le samedi soir, les filles avaient pris soin d'apporter un costume. Katia avait opté pour une espèce de superhéros féminine, du genre Captain America, le tout étant composé d'un ensemble une pièce moulant, avec un bustier carré plongeant. Elle le met chaque année depuis environ cinq ans, obligeant ainsi ses amis à changer de club ou de bar pour célébrer l'Halloween, car elle craint que les gens remarquent qu'elle porte toujours le même déguisement. Caroline avait apporté un costume d'Amérindienne, composé d'une robe de cuir souple parsemée de plumes, ainsi qu'un serre-tête, orné de plumes également. Vicky avait dû faire trois appels téléphoniques de groupe avant de parvenir à fixer son choix. Elle hésitait entre un costume de danseuse du ventre, un costume de chatte et un costume de chanteuse de cabaret des années 1930. Elle avait finalement conclu que le costume de danseuse était trop *sexy* pour l'occasion et que celui de chattc rappelait beaucoup trop Passe-Carreau dans un épisode de *Passe-Partout*, où elle se léchait sensuellement la patte. Elle avait donc choisi celui inspiré des années 1930. Une splendide robe à franges rouges et noires rappelant les vieux cabarets anglais, le tout assorti d'un impressionnant boa de plumes et d'un fume-cigarette.

Tout en se maquillant à la salle de bain, Katia tente de prévoir le déroulement chronologique de leur soirée :

— On va souper à notre congrès, ensuite on va faire un tour au congrès de la SAQ pour boire sur le bras de la société d'État, et on termine chez les comptables, comme d'habitude.

— Méchant beau plan de match ! s'égaie Vicky en ajustant sa magnifique robe.

— Et on habite toujours à Victoriaville, conclut Caroline, comme si cela s'avérait réellement important dans la planification de la soirée.

— Eh oui, toujours des Victoriennes ! clame avec entrain Katia.

— Des Victorieuses plutôt, la corrige stupidement Vicky.

Caroline secoue la tête pour signifier une fois de plus qu'elle trouve l'ensemble de la situation complètement absurde.

— Regardez mon accessoire, fait Vicky en sortant d'un petit sac son fume-cigarette extensible en plastique.

— Trop *cool* ! La grande classe, apprécie Katia en examinant l'objet.

Vicky, qui remarque les loups sur la table de travail, décide d'essayer le sien. Il est justement dans les mêmes teintes foncées que son costume.

— Bonne idée ! approuve Katia en s'approchant de la table.

— On devrait toutes les remettre, on passerait vraiment inaperçues partout.

Dans le cas de Katia, le sien peut également s'avérer adéquat pour une superhéroïne.

— Moi, on s'entend que ça « matche » pas pantoute mon affaire ; le masque détonne, et que dire de mes cheveux à moitié verts. Pfft, se désole Caroline, qui tient entre ses doigts son loup aux grands cils roses.

— On s'en fout ! C'est l'Halloween, on peut porter ce qu'on veut.

— Ouin, songe-t-elle. Je vais le mettre juste après le souper pour les autres *partys*.

— Toi, dorénavant, on va t'appeler : Pocahontas ou Madame Yum Yum !

Sur le chemin pour se rendre au souper de leur congrès, elles décident, comme chaque soir, de bifurquer vers le bar de l'hôtel le temps d'un verre. Elles croisent Ramon dans l'entrée. Pour être gentilles, elles s'approchent pour le saluer et lui montrer leurs beaux costumes. À la dernière minute, elles enfilent leur masque pour tenter de le mystifier. La mise en scène fonctionne à merveille, car lorsque le jeune Portoricain les aperçoit, il envoie la main, la tête basse, pour souhaiter tout simplement bonne soirée aux trois inconnues.

— Ramon ! l'interpelle Caroline en gardant toujours son masque.

— Carrrrolina ? dit Ramon avant de rigoler bien fort. *¡ Jajaja !*

Les filles soulèvent leur loup.

— Pas rrréconnue..., s'excuse presque Ramon en la scrutant longtemps de haut en bas.

Il ne semble pas trop comprendre son accoutrement en « cuirette ». Probablement qu'il nécessiterait d'être éduqué au sujet des Premières Nations du Canada... Il détourne la conversation sans la questionner à ce sujet :

— Toi marrrrrier comme ça ?

— Bon, le mariage encore ! rigole Katia en levant ses bras de superhéroïne en l'air.

— Moi dirrre secrrret maintenant: bésoin dé mé marrrier pour lé visa..., badine-t-il après s'être approché de façon solennelle, comme pour donner de l'importance à sa confession inattendue.

— Aaaaaahhh! glousse Vicky comme si ce détail à lui seul expliquait l'ensemble de sa démarche.

— Mais amourrreux dé toi aussi, rajoute-t-il pour être comique, en mettant la main sur son cœur tout en fixant sa belle Amérindienne avec une ferveur simulée à la perfection.

— Mais aujourd'hui, c'est l'Halloween, pas la Saint-Valentin, plaisante Caro, gênée de recevoir encore un déferlement d'amour portoricain de sa part.

— Bon! envoie Katia, comme si elle jugeait que tout avait été dit concernant leur situation conjugale fictive.

— Bonne soirée, Ramon, enchaîne Caroline.

— Si! Va, va, marrrier demain, pas prrroblème, mentionne-t-il comme si l'aspect temporel dans la planification de leur mariage ne constituait qu'un détail insignifiant.

Les filles lui envoient la main en s'éloignant. Katia déclare en toute spontanéité:

— Je l'aime, moi, lui! Il me met de bonne humeur.

— On l'aimerait comme concierge à notre école, ajoute Vicky.

— Tu veux dire, concierge dans nos bureaux de Raymond Chabot à Victoriaville, rectifie Katia en lui faisant un clin d'œil non subtil.

— Ou à notre succursale de la SAQ? suggère Caroline, que Ramon semble aussi avoir mise de bien bonne humeur.

— Vous êtes nouilles, statue Vicky en entrant dans l'espace bistro.

Curieusement, Alexis ne semble pas y travailler aujourd'hui. Caroline trahit son appréhension de le voir en fouillant trop longtemps des yeux les alentours. Bien évidemment, ses amies remarquent son inquiétude, mais ne lui en soufflent pas mot. Comme les filles ont toujours leur masque relevé, la serveuse qui leur a servi les Bloody Cæsars le midi précédent les reconnaît.

— Bonjour, les filles ! Qu'est-ce que je vous sers ?

Les filles optent pour une simple bière pression. Les yeux toujours à l'affût, Caroline aperçoit les trois gars qu'elles « côtoient » depuis le début du congrès des comptables. Comme de raison, ils viennent vers elles. Ils sont tous costumés de façon très originale en sapin sent-bon que l'on accroche au rétroviseur des voitures. Un bleu, un rouge et un vert. Leur costume, qui les couvre des épaules jusqu'aux genoux, semble avoir été taillé dans un tissu spongieux assez rigide pour garder une belle forme sans nécessiter de support. On peut lire sur le devant : *car air freshener*. Leur assortiment coloré est très original.

— Trop drôles, vos costumes ! apprécie Katia en les voyant se planter[24] près d'elles.

— Ouin, c'est notre classique. On se trouve beaux en sapin. Vous ne nous aviez pas vus au congrès de l'année dernière, à Saint-Sauveur ?

---

24. Sapin... planter... Je me trouve si drôle !

— Heu… non. On n'y était malheureusement pas allées, improvise Katia, toujours l'experte en mensonge rapide.

— On va prendre une bière avec vous et on ira tous ensemble au souper, décide le sapin vert en levant la main pour attirer l'attention de la serveuse.

— Ouin, y a pas de fruits de mer au menu ce soir ! rigole le sapin bleu en poussant légèrement Caroline du coude.

— Hum… En fait, on soupe chez des amis. Mais on revient pour la soirée, explique Katia, mal à l'aise.

— Ouin, mais on ne veut pas que les gens du congrès le sachent, vous comprenez ? rajoute Vicky, pour s'assurer ainsi de leur discrétion.

— OK… Bande de délinquantes ! Pas de trouble ! Vous avez des amies à Québec ? C'est pour ça qu'on vous voit jamais, conclut le sapin vert en leur faisant un clin d'œil complice.

— Voilà !

En se rendant au souper de leur propre congrès, les filles reviennent sur cette situation qui a créé un certain malaise.

— Ils posent beaucoup trop de questions, les sapins. Il faudrait discrètement les éliminer, propose Katia, qui semble chercher des yeux un lieu pour commettre le crime.

— « On vous voit jamais… » Je comprends donc, pauvre toi. On n'est pas dans votre congrès. J'ai jamais fait un foutu rapport d'impôts de ma sainte vie ! explique Vicky, comme si elle avouait directement toute la vérité aux trois gars.

Caroline secoue la tête devant tant d'absurdités.

Au congrès sur l'éducation, le souper s'avère délicieux ; buffet, encore et toujours, sans thématique particulière cette fois. Ce soir, l'ambiance de la salle a bien évidemment des accents d'Halloween. Toiles d'araignées, ballons orangés et squelettes de carton parsèment les murs de la grande pièce. Environ les trois quarts des congressistes sont costumés, le reste ayant apparemment refusé de se prêter au jeu. Les filles s'installent à la première table, près de la porte. C'est Katia qui a effectué ce choix judicieux. Caro, légèrement excédée, la questionne :

— Coudonc, veux-tu t'asseoir dans le corridor tant qu'à y être ?

— Non, elle veut être prête à sortir en courant quand le 6e qui suce ou le prof d'éduc puant vont venir la « cruiser », corrige Vicky tout en levant le nez pour balayer la salle du regard.

— Je vais au bar nous chercher une bière, décide Katia en se levant.

Les filles continuent d'observer tout autour d'elles, s'amusant des costumes de tout un chacun.

— Tu vois, le gars en Captain America, là-bas ? Il irait bien avec Katia, fait remarquer Caro en lui montrant un homme au loin.

— Ah non ! Ah non ! Trop drôle ! Regarde ! s'excite Vicky en désignant une table du menton.

À ladite table siège le «couple» formé de l'enseignante d'éthique et de celui de sciences. Leurs costumes s'avèrent tout ce qu'il y a de plus approprié dans le contexte.

— Elle, en bonne sœur!

— Et lui, en Albert Einstein. C'est comme une farce. Si tu m'avais dit il y a deux minutes: «En quoi tu penses qu'ils vont être déguisés?», je t'aurais répondu exactement ça, juste pour niaiser, déclare Vicky, déçue de la prévisibilité quant à leur choix de déguisement.

— Ils se sont inspirés des matières qu'ils enseignent, je trouve ça bien pensé.

— Ils sont toujours ensemble en tout cas...

Katia, qui revient à table, commente son escapade au bar:

— J'ai croisé Marc là-bas. Son ami est déguisé en Obélix. Non mais, simonaque, donne-toi une chance d'avoir l'air plus svelte, le grand. Il ressemble à un lutteur sumo en bermuda rayé!

— Ici, on a un couple parfait, la met au parfum Caro, en lui indiquant du menton le duo d'enseignants.

Katia prend un petit moment pour repérer de qui son amie parle avant de rigoler discrètement:

— Ouin, plus prévisible que ça, tu sais à quelle heure tu vas mourir!

— L'autre fatigant est déguisé en quoi? Espion pour la CIA? demande Vicky, curieuse.

— Marc? En policier. Justement, il m'a demandé comment allaient tes ballonnements et tes flatulences...

— QUOI? s'offusque Vicky. Si vous trouvez une vie perdue quelque part, glissez-la-lui dans son sac de bonbons d'Halloween. Il en a grandement besoin.

Un serveur passe avec des carafes de vin sur un chariot à roulettes et demande aux convives à la table :

— Rouge ou blanc ?

— Non, merci, on a déjà une bière, refuse Caroline, raisonnable.

— Blanc ! rectifie plutôt Katia.

— Oui, blanc pour nous !

— Je vous avertis ; ce soir, il est possible que je fasse des abus, déclare Katia.

— Ce soir ? Parce que t'as pas fait d'abus encore depuis le début du congrès ? s'informe Caroline, pourtant convaincue du contraire.

— Pas tant ! On s'est couchées un peu « cocktails », mais plutôt tard qu'autre chose.

— C'est vrai, t'étais super à jeun le soir où t'as fait une danse russe au *party* du Carnaval de Rio. Yé ! yé ! yé ! l'imite Vicky en croisant les bras comme un danseur traditionnel slave.

— À jeun certain !

Caroline, qui a une fois de plus trop mangé, recule sa chaise en déclarant solennellement :

— Ce soir, je vais me coucher tôt.

— Non, *come on,* Pocahontas. On va te donner du Red Bull !

— Moi pas boire Red Bull dans ma tribu, divague celle-ci, en utilisant un langage à mi-chemin entre celui de Ramon et celui d'un potentiel membre d'un groupe autochtone pas encore parfaitement francisé.

— On bouge !

— On peut retourner au bar de l'hôtel en attendant de voir ce qu'on fait pour la suite ? propose Caro.

— Regardez qui veut retourner à ce bar-là ? la taquine Vicky.

— Pas rapport, s'objecte celle-ci pour tout commentaire.

Les filles se lèvent discrètement et s'éclipsent, sans se retourner, par l'entrée principale, à deux pas de leur table. Personne ne prête attention à leur départ sauf Marc, le policier, qui s'allonge le cou au loin. Assis à sa gauche, Obélix-sumo le questionne :

— Qu'est-ce que tu regardes ?

— Rien, rien.

Rendue face au fameux tableau mentionnant les organismes et les compagnies qui ont des congrès à l'hôtel Hilton et au Centre des congrès, Katia saute de joie en découvrant un détail, selon elle, fort intéressant :

— Un nouveau congrès vient de commencer !

— Hein ? Pas un congrès d'avocats *sexy*, toujours ? s'excite Vicky en se penchant vers le tableau.

Katia pointe fièrement la réponse à sa question sur le carton.

— Arrrrk ! Zéro intéressant !

Caroline lit à voix haute :

— Le rassemblement annuel de l'Association des Clubs Optimistes du Québec...

— Trop drôle ! s'emballe Katia, qui lit à son tour la description de la soirée de ladite association. « Souper et soirée dansante d'Halloween »... Il faut y aller !

— Pourquoi ? Quel est l'intérêt ? demande Caroline.

— Pour rire ! C'est comme rendu notre défi : entrer illégalement dans le plus de congrès possible.

— Assez de niaiseries. Allez, on va prendre un verre, les presse Caroline.

— À partir de maintenant, on met nos masques, annonce Katia, l'air très espiègle, comme si la soirée commençait réellement à ce moment précis.

Toujours aussi malicieuse, elle épie à gauche puis à droite et, petit à petit, laisse glisser le masque sur son visage. Les filles s'amusent de sa mise en scène cérémoniale, qui va justement de pair avec son costume de superhéroïne. Elle semble vouloir s'envoler afin d'accomplir une mission d'importance planétaire, mais très risquée pour sa vie.

— J'ai peur de la suite! Je veux vraiment aller me coucher, prétend Caro.

Lorsqu'elles arrivent au petit bar, le beau Alexis n'y est toujours pas. Elles y boivent tout de même une vodka Red Bull, debout près du bar. Des hommes en face d'elles leur payent ensuite une tournée de *shooters*. Elles acceptent par politesse, en espérant que ce ne soit pas une tentative de séduction, car les hommes s'avèrent nettement trop vieux pour elles. Ceux-ci restent finalement à leur place et discutent avec les filles par-dessus le comptoir. Ils ne sont pas en congrès, mais juste de passage à Québec pour des vacances.

Une heure plus tard, les filles, toujours à la même place, boivent cul sec un troisième *shooter* avant que Katia annonce aux hommes généreux :

— Écoutez, on doit absolument partir, on est en congrès et attendues pour la soirée, vous comprenez ?

— Oui, oui, pas de problème ! Quel congrès, par curiosité ?

— Celui de l'Association des Clubs Optimistes du Québec, clame fièrement Caroline sans aucune hésitation.

— Sti qu'est conne..., marmonne Vicky en se retournant vers Katia, la main sous le nez et devant la bouche, pour être discrète.

— Ah ouin ? fait l'homme avec un air qui semble prétendre que leur soirée sera franchement ennuyante.

— Au revoir et merci !

Un peu plus loin, Vicky rigole encore :

— Moi, si je voulais être niaiseuse, c'est comme toi que j'aimerais être !

— Était bonne, hein ? lance Caroline avec vantardise.

— Les trois messieurs ont eu l'air de se dire : « Ark, votre vie est officiellement la plus plate du monde entier... » Mais comme on a parlé de ce congrès, il faut y aller maintenant, leur indique Katia.

— Non. Ça nous donnera quoi ? s'objecte Caro, trouvant toujours le risque inutile.

— Juste pour rire, on prend un verre et on s'en va. C'est l'Halloween. Regarde-nous, on n'a jamais été aussi *low profile* depuis qu'on est ici, explique Captain America en tournoyant sur elle-même.

— Des idées de génie, toi, en veux-tu, en v'là ! lance pour tout commentaire Caroline.

— Les reines du génie ! C'est nous autres qui aurions dû nous costumer en Einstein, souligne Vicky.

— Non mais, on s'attendait à quoi ? demande à voix haute Caroline, même si dans ce cas, le « on » n'exclut pas la personne qui parle.

— N'importe quoi sauf ça !

Le téléphone de Caroline sonne. Elle s'affole comme si elle craignait de savoir qui l'appelle. Les filles attendent de voir aussi, l'air intrigué.

— Mon *chum*… ne dites rien, OK ?

Les filles affichent un visage offusqué, semblant lui dire : « Franchement ! » Elle met l'appareil sur mains libres et répond d'un air enjoué trop forcé.

— Allo !

— Salut chérie, ça va bien ?

— Oui, on est en route.

— OK ! Vous allez arriver vers quelle heure ?

— Hum… autour de 17 h 30. Pourquoi ?

— Juste pour savoir… C'était bien, ta journée d'aujourd'hui ?

— Oui, tsé, les conférences, les ateliers, comme je t'ai dit hier ; on a la tête pleine pas mal. Ouf…

— C'est bien. J'ai hâte de te voir.

— Moi aussi…

Katia, qui se délecte de la conversation, fait des mouvements avec ses mains, imitant des becs de canard ouvrant et fermant la bouche pour se moquer de son amie. Caroline réplique en donnant une tape dans le vide vers l'arrière, pour lui signifier de cesser ses mimiques.

Son *chum* rectifie un détail :

— OK. ON a hâte de te voir ! Dis bonjour à maman, mon grand...

Il approche le téléphone de son garçon, qui dit :

— Allo, maman ! M'ennuie...

— Oui, mon cœur ! Maman s'en vient bientôt, bientôt. Plein de bisous partout !

Son *chum* reprend l'appareil :

— Bon, bien, à tantôt !

— Oui. Bye !

Dès qu'elle dépose son cellulaire entre les deux sièges, les filles s'amusent illico à ses dépens :

— Chéri, je devais aussi te dire : je ne me suis pas fait « cruiser » par les trois quarts du personnel de l'hôtel Hilton... Non, non, non.

— Et attends de me voir la tête, tu vas faire un méchant saut !

— OK, les deux comiques ! réplique-t-elle.

— Mais Vicky, es-tu d'accord qu'il faut tout de même souligner l'exceptionnelle performance de Caro pour le congrès des Clubs Optimistes ? demande Katia, ironique.

— Ah oui ! Tout à fait ! Sa meilleure implication de tout le congrès...

En s'engageant dans le corridor menant à la salle de la soirée «Clubs Optimistes», les filles semblent tout à coup prises d'une confiance en elles inébranlable. Mais pourquoi donc? Est-ce dû au port du costume? À leurs expériences antérieures d'introduction illégale fructueuse à d'autres congrès que le leur? Qui sait? Elles avancent avec aisance vers les deux portes béantes. On peut entendre, en s'approchant, un groupe de musique qui chante avec très peu de conviction la chanson *Eye of the Tiger*, de Survivor. En arrivant vis-à-vis l'entrée, les filles passent les portes comme si de rien n'était en saluant nonchalamment de la tête la portière, déguisée en clown. Elle les interpelle sur-le-champ en levant la main:

— Oups! Oh! oh! Un instant, mesdames...

Les filles reviennent vers elle, l'air confus. La clown les incite à reculer un peu plus pour exécuter la procédure d'identification des congressistes dans les règles de l'art:

— Bonjour et bienvenue. Avez-vous vos cartes de membres?

— Nos cartes...

— Vos cartes d'adhésion à un Club Optimiste, en tant que membres reconnues et accréditées, précise la clown. De quel district êtes-vous?

— Victoriaville, répond Caroline, très fière de prendre en charge l'intervention pour une fois.

— Donc le district des Bois-Francs, improvise Vicky pour apporter une précision au mensonge de sa complice.

— Euh... Le district du Centre-du-Québec plutôt? rectifie la portière, en fronçant les sourcils.

— Oui... c'est ça..., acquiesce Caroline, l'air peu convaincant.

— De toute façon, avec vos cartes de membres, je vais le savoir, articule la clown en tendant la main, la paume vers le haut.

Pour tout de même participer un peu à la démarche crapuleuse, Katia enchaîne:

— C'est que, on les a oubliées.

— Hish... vous devez absolument avoir vos cartes pour entrer. Vous savez, c'est une soirée privée et exclusive aux membres.

— Madame, pensez-vous vraiment qu'on viendrait ici sinon? tente à son tour Vicky.

— Qui dans la vie voudrait s'immiscer illégalement dans une fête privée de la sorte? rajoute Caroline, en mettant ses mains de Pocahontas sur ses hanches.

— Désolée, je ne peux pas vous permettre d'entrer sans cartes. On avait bien précisé sur le formulaire de participation que la carte était O-BLI-GA-TOI-RE. On n'a aucune liste pour valider votre identité, explique la clown, comme si l'entrée à cette soirée se déroulait presque sous surveillance policière.

Caroline, plutôt «cocktail», lève son loup pour tenter de redorer son blason. Elle se défend de nouveau:

— Madame? Dans ma famille, nous sommes membres du Club Optimiste de mère en fille, et ce, depuis des générations...

La clown, qui devrait pourtant trouver touchant l'essence même de son témoignage, n'apprécie guère son petit ton arrogant. Elle l'examine d'un regard suspect. Elle lève finalement la main en l'air en disant, catégorique:

— Écoutez, tentez de communiquer demain avec les responsables de votre district pour qu'ils nous envoient une copie de votre carte de membre par télécopieur afin de pouvoir accéder aux conférences. Je ne peux rien faire d'autre pour vous ce soir.

— Bon ça va, on comprend, affirme Vicky en lâchant prise, compte tenu de leur réel intérêt à s'y introduire.

— C'est très insultant! réagit Caroline en tournant les talons comme si elle venait de vivre le pire affront de sa vie.

Les filles la suivent dans le corridor en riant sous cape. Un peu plus loin, elles commentent la scène:

— Eille! Notre premier échec d'intrusion du week-end, se désole Katia, désarçonnée par la tournure inattendue des événements.

— C'est quoi? Un congrès de la CIA dissimulé sous une fausse identité de congrès des Clubs Optimistes? présume Vicky, outrée.

— On aurait eu plus de facilité à s'immiscer dans une réunion annuelle de la mafia italienne! exagère Katia en riant.

— La fille avec sa face de clown pis son air hyper dramatique: «Les cartes sont OBLIGATOIRES...» Comme si on tentait de pénétrer dans la Maison-Blanche le soir des élections présidentielles! Il y avait des détecteurs de métal, aussi? s'amuse à son tour Caroline.

— Ce sont eux qui font des initiations douteuses avec des chèvres? se demande tout à coup Katia.

— De quoi tu parles, misère? réagit Caro, dégoûtée par son hypothèse de bestialité.

— Tu te trompes avec les Chevaliers de Colomb, lui précise Vicky, qui a aussi déjà eu vent de cette légende urbaine.

— Ils font vraiment ça? interroge Caroline, toujours sous le choc.

— Probablement des rumeurs, ajoute Vicky, en doutant de cette probabilité étant donné que son oncle, plutôt timide, est membre des Chevaliers de Colomb depuis des années. Tout compte fait, merci de ton implication, Caro. Pour la première fois, on te sentait vraiment avec nous, hein Kat?

— Ah oui! La partie de ton discours qui disait: «membre en règle de génération en génération» m'a beaucoup touchée, déclare celle-ci en se mettant la main sur son bustier de superhéroïne.

— On sentait ta détresse de ne pas pouvoir perpétuer la tradition de mère en fille, ajoute Vicky en faisant semblant d'être émue aux larmes par la prestation touchante de son amie.

— Où va-t-on maintenant ? s'informe Caroline, tout feu tout flamme.

— OK ! Toi, le Red Bull, ça te fait vraiment pas ou quoi ? souligne Katia, qui ne reconnaît pas son amie à travers cette motivation festive désarmante.

— *PARTY !* crie celle-ci en guise de réponse.

— On va aller boire sur le bras de la SAQ, Pocahontas ! décide Captain America.

Tout se passe rondement en ce qui concerne leur seconde « introduction » à la soirée de la SAQ. La même hôtesse, déguisée en princesse, et encore bien soûle, se trouve à l'entrée. Les filles ont même droit à un généreux câlin de sa part.

— Amusez-vooooooooous ! clame-t-elle en les libérant de ses étreintes affectueuses.

— Ayoye ! Moi si j'avais à être soûle, c'est comme elle que j'aimerais être, déclare Vicky en pénétrant dans la pièce.

— Voyons ? C'est ta phrase du jour ou quoi ? s'étonne Katia, en lui reprochant son manque d'originalité dans ses expressions.

En se dirigeant cahin-caha vers le bar où elles s'étaient rendues la veille, elles aperçoivent parmi la foule dense un élément perturbateur qui vient brouiller les cartes : Alexis est en poste derrière le comptoir.

— *Shit !* On lui a dit quoi, à lui ?

— Je m'en souviens plus, avoue Caroline, confuse face à autant de mensonges. Mais je ne lui ai sûrement pas répondu qu'on était au congrès de la SAQ...

Comme celle-ci s'est brusquement immobilisée, Katia la pousse dans le haut du dos, en disant :

— Ben là, on ne va pas rebrousser chemin pour lui ! Allez !

Plus du tout convaincue de vouloir y aller, Caroline avance d'un pas tout ce qu'il y a de plus hésitant. Comme il fallait s'y attendre, Alexis sursaute en les voyant apparaître. Contrairement à Ramon, il les reconnaît très bien, et ce, malgré leur loup et leur costume.

— Allo ! Qu'est-ce que vous faites icitte ?

Son air dérouté leur confirme qu'elles ne lui ont assurément pas mentionné qu'elles faisaient partie du congrès de la SAQ. Ont-elles dit celui des comptables ou des enseignants ?

— Bah ! Tsé, on se promène, envoie Katia en lui lançant une œillade complice.

L'air taquin, Alexis semble tout comprendre.

— OK...

Un malaise gagne la troupe de joyeuses luronnes masquées. Personne ne dit mot. Elles regardent tout autour en se demandant s'il va leur exiger de quitter les lieux, en sachant très bien qu'elles ne sont pas censées être à cette soirée. Il sourit finalement, avant de leur faire une moue adorable, en disant :

— Qu'est-ce que je vous sers, mes chères dames ?

— Une bouteille de blanc, tiens. Succursale de Victoriaville, lui répond Katia, du tac au tac, heureuse qu'il passe sous silence ce qu'il sait trop bien.

— Un blanc pour mesdames ! Ce soir, c'est le Château St-Jean[25], un chardonnay, déclare-t-il avant de s'éloigner.

— *Good !*

— Câline..., dit Caroline, embarrassée par la situation.

— Il s'en fout, lui ! Il doit juste noter un numéro de succursale sur sa feuille.

— Mais le pire, c'est que je me souviens pas du tout si je lui ai dit le congrès des profs ou celui des comptables, avoue Caroline, penaude.

— Pas grave. On veut juste boire du vin...

Caroline, qui repense aux événements de cette soirée-là, formule sans ménagement :

— Petit maudit !

— Avec son petit air innocent. Pas de problème, je vous couvre les filles... mon œil, oui !

---

25. Deuxième vin conseillé par votre sommelière Dubois ! Mmm !

— J'aurais jamais pensé qu'il aurait osé faire une chose pareille.

— Moi non plus.

— Quand il t'a parlé durant sa pause, il t'a dit quoi exactement ? s'informe Vicky, qui tente toujours d'analyser la réaction inadéquate du jeune serveur.

— Il m'a dit qu'il devait me parler. J'ai dit « OK ». On est allés dans un coin plus loin, et là, il m'a demandé...

Lorsqu'ils arrivent près des toilettes, pour être plus tranquilles, Caroline ne sait pas trop comment réagir. Comme Alexis voulait lui parler et qu'il semblait très sérieux, elle le laisse s'exprimer en premier afin d'en savoir plus. Puisque sa pause ne dure probablement pas longtemps, il commence sans se faire prier :

— Je sais que tu es ici pour un congrès et tout, mais honnêtement, Caroline, j'aimerais vraiment te revoir après. Tu me fais « tripper » ! T'es belle pis t'as l'air *full* fine. T'es vraiment mon genre de fille, genre...

Caroline, embarrassée mais flattée à la fois, explique poliment au jeune homme :

— Tu sais, tu sembles vraiment gentil et attentionné mais... je ne suis pas disponible, Alexis. Il y a quelqu'un dans ma vie actuellement. Pour dire vrai, j'ai même un enfant avec cet homme-là ; un petit gars de 5 ans...

— Quoi ? Tu me l'avais comme, genre, pas dit l'autre soir quand t'es venue me voir, s'offusque le jeune homme, se trouvant ridicule tout à coup.

— Ben...

— Quoi ? la coupe Katia. Comment ça « l'autre soir » ?

— Quel soir es-tu allée le voir ? Explications ? renchérit Vicky.

Caroline expire bruyamment par la bouche, consciente de ne pas avoir tout dit à ses amies. Une fois de plus, une vague impression de déjà-vu flotte dans l'air.

— C'est que...

— Vas-y ! On t'écoute. Et tu sais qu'on te jugera pas, quoi que tu aies fait, la rassure Vicky, en faisant bien évidemment référence au passé.

— Ç'a comme été plus fort que moi. Je me trouve conne et j'ai couru après le trouble dans le fond. Je suis pas correcte. Le deuxième soir, quand je vous ai quittées pour aller me coucher, toute seule...

En s'éloignant, les filles s'amusent de la scène mettant en vedette les deux enseignants :

— Mon Dieu ! Elle discutait avec nous, et là, paf ! Elle a semblé succomber à une poussée d'hormones sexuelles incroyable, décrit Vicky.

— C'était quelque chose, hein ? Elle le déshabillait littéralement des yeux, on n'existait plus, s'amuse aussi Caroline, surprise de la tournure soudaine de la conversation.

— Juste à voir son air, elle est mariée, c'est certain. *My God*, elle le regardait d'une manière tellement cochonne : des missiles sexuels dans le regard, toi ! affirme Katia en rigolant.

— Mariée ou pas, elle va se le faire. Y en a qui se le permettent..., conclut Vicky en envoyant encore une flèche à Caro.

— AAAAHHHH ! rage celle-ci.

— C'est ce que je disais : toi, tu peux en parler, mais pas nous, conclut Katia en constatant le mécontentement de Caro face à l'allusion de Vicky.

— Vous êtes trop connes, je vais me coucher, déclare Caroline en arrivant près du corridor menant à l'ascenseur.

— Apporte nos déguisements à la chambre, ils pourraient toujours resservir. Nous, on va magasiner un comptable pour Vicky de l'autre côté de la rue, affirme Katia en relevant les manches de son chandail, comme si elle s'en allait faire des travaux physiquement très exigeants.

— Bonne nuit. Demain, à 8 h 30 !

— Ben oui ! Ben oui ! répondent en chœur les filles, qui sont déjà rendues loin.

« Sixième étage. *Sexe floor.* »

Caroline se rend à la chambre. En y entrant, elle dépose masques et colliers sur la table de travail et se dirige vers la salle de bain pour faire sa toilette. Elle réfléchit en s'observant avec attention dans la glace. Machinalement, elle avait commencé à défaire les barrettes qui rendaient sa coiffure un peu moins excentrique ; elle décide finalement de les replacer, se farde un peu les joues et se vaporise un jet de parfum. Sans se poser de questions, elle attrape avec empressement sa carte magnétique et sort de la chambre.

Lorsqu'elle approche du bistro du complexe hôtelier, ses pas deviennent plus hésitants. Une petite voix en elle lui dit de rebrousser chemin, tandis qu'une autre la prie de s'y rendre au plus vite. Écoutant la deuxième, elle entre dans le bar et sourit à Alexis, qui se tourne au même moment afin d'accueillir le nouveau client. Son visage s'illumine lorsqu'il la voit se diriger vers le comptoir.

— Allo !

— Allo ! Le *party* était trop bruyant, j'avais besoin d'un peu de calme.

— Quelle belle idée ! T'es à quel congrès, donc ?

— Euh... je suis prof, donc celui sur le système d'éducation...

Vicky, qui écoute passionnément son histoire, la bouche entrouverte et les yeux bien ronds, intervient en concluant :

— Ah ! Alors tu lui avais dit pour le congrès des profs.

— Oui, en vous racontant la scène plus en détail, ça me revient.

— C'était donc bien normal que, lorsqu'il nous a vues arriver au *party* de la SAQ, il ait fait : « Qu'est-ce que vous faites icitte ? »

— Exact !

— Continue, t'es arrivée là et... ?

— Il n'y avait presque personne, on papotait tranquillement en prenant un verre...

Le bistro de l'hôtel est presque désert. Maintenant très courbé par-dessus le bar pour être assez près de Caroline,

Alexis la contemple en répondant à la question qu'elle vient tout juste de lui poser:

—Je suis encore à l'université; j'étudie en droit...

Caroline songe: «Décidément, mon karma[26]...»

Sans aucun rapport avec leur conversation, Alexis étale une serviette de table blanche carrée en face de Caroline; il se penche pour saisir un crayon-feutre sous le comptoir. Il trace deux lignes verticales, deux lignes horizontales, et place un petit «X» dans la case en bas à droite. Elle sourit et fronce les sourcils devant son défi enfantin: le tic-tac-toe. Elle saisit le crayon qu'il lui tend et inscrit aléatoirement un petit cercle dans une case.

Comme il a commencé, il gagne. Il recommence avec une autre serviette. Au moment où elle exécute son petit cercle, il la complimente:

—T'as de maudits beaux yeux...

Elle rougit en répondant simplement:

—C'est gênant... Ha! ha!

—Mais tu crois sûrement que je suis *full* trop jeune pour toi et blablabla, présume d'emblée Alexis, l'air déjà résigné en esquissant un «X» dans une case.

—Ben là, pas SI jeune que ça, quand même..., rétorque-t-elle.

---

26. Souvenez-vous du métier d'un certain Thomas dans *Ce qui se passe au Mexique reste au Mexique!*... Quel karma, en effet!

Caroline continue à siroter le fond de son verre avec une paille. Elle reporte son attention vers la serviette sur le comptoir, tout à coup extrêmement intéressée par la partie en cours. L'air satisfait de son choix, elle dessine un cercle dans le coin supérieur droit.

— Tu dois avoir des *dudes* après toi tout le temps, hein ?

Elle hausse les épaules pour toute réponse.

— Alors, quelles sont mes chances de succès, tu crois ? fait-il en posant en même temps un nouveau « X » dans le carré du milieu, avant de plonger ses grands yeux dans les siens pour lui indiquer qu'il ne parle pas de la partie en cours.

Mal à l'aise, Caroline ne répond toujours pas...

— OK, croit comprendre Katia en déduisant que Caroline a trompé son *chum*.

— Vous êtes allés où ? Dans notre chambre ? demande Vicky, qui devine la même chose.

— Hein ? Nulle part ! Je suis partie après, rectifie Caroline. Vous pensiez qu'on avait...

— Oui, j'avais compris que tu terminais ton histoire... Eh bien, que tu laissais sous-entendre que...

— Non, non, non, je suis partie me coucher, répète celle-ci.

Trouvant que l'histoire de Caroline finit un peu en queue de poisson et craignant de lui faire part de leurs soupçons, les deux filles n'émettent plus de commentaires. L'ambiance lourde fait vite réagir Caroline :

— Arrêtez donc de penser que je l'ai fait ! scande-t-elle en se tournant vers sa copilote.

— On a rien dit...

— Ben justement, arrêtez de rien dire !

— Dans le fond, ça explique très bien pourquoi Alexis était un peu en colère hier soir en te reprochant de ne pas lui avoir dit la vérité.

— Exact, il m'a ouvert beaucoup de portes pour me donner la chance de lui avouer que j'étais en couple et je l'ai pas fait.

— En tout cas, je vais avoir appris que, dans la vie, il faut poser des questions directes. Moi aussi, j'ai ouvert beaucoup de portes subtiles à Jean pour en savoir un peu plus sur son poste au sein de la compagnie et je n'ai jamais eu une maudite réponse, car j'étais pas assez claire, conclut Katia.

— En tout cas, hier, méchante soirée de fous !

— Présentement, ça paraît *wild* parce que c'est tout frais dans notre tête. Je vous jure que, dans quelques mois, vous aurez tout oublié.

— Durant notre procès pour fraude ou après ? marmonne Caroline, qui revient une fois de plus sur le sujet, toujours anxieuse face à cette possibilité.

— Et peut-être un procès criminel dans mon cas, avec les policiers qui me soupçonnaient, exagère Vicky en pinçant les lèvres.

— On a ri au *party* des comptables par contre, leur fait prendre conscience Katia, désireuse de tout de même faire ressortir le côté positif de la soirée.

— Ouin...

Au moment où les trois amies pénètrent au congrès des comptables pour leur soirée costumée, une fille à l'accueil les reçoit comme on le ferait avec des amies de longue date. Baisers sur les joues et accolades à l'appui.

— Salut, les filles ! Super, vos costumes ! Tenez, ce sont vos coupons pour les prix de présence.

Elle leur remet chacun un coupon, après avoir pris soin de déchirer le duplicata pour le déposer dans un seau à l'effigie d'une marque de bière populaire. Les filles rentrent dans la salle avec le sentiment de se retrouver dans de vieilles pantoufles confortables. Elles saluent même quelques congressistes au passage avant de gagner leur éternelle place, près du bar central. Un des serveurs les reconnaît, malgré leur déguisement, et s'approche tout près de Katia afin de prendre sa commande. Si près, que Vicky semble heureuse de constater que leur réputation de filles à l'haleine nauséabonde semble désormais chose du passé. Pour se montrer amusant, le serveur ne lui demande pas ce qu'elle désire, mais essaie de le deviner :

— Une bouteille de vin ?

— Exact, garçon ! Blanc, cette fois, acquiesce Katia en levant son pouce en l'air.

— Non mais, on est comme à la maison ici ! exagère Vicky, en faisant référence au fait que tout le monde semble maintenant convaincu qu'elles font partie intégrante de l'Ordre des comptables professionnels agréés du Québec.

— Même moi je suis rendue super à l'aise, déclare Caroline avec conviction en se déhanchant sans gêne au son de la musique.

À la fin de la chanson, un animateur à l'avant annonce que des jeux auront lieu sous peu et que des prix de présence seront tirés au sort plus tard.

— Si c'est amusant, on participe ! clame Katia avec motivation.

— Non mais, là, il faut juste pas ambitionner, précise Caroline, tout de même soucieuse de ne pas trop attirer l'attention.

Dans un élan décidé, les filles entament leur bouteille de vin en dansant sur place. Les gars déguisés en sapin s'approchent près d'elles.

— Allo, vous êtes déjà revenues de votre souper. C'est *cool* !

— Oui, c'était le *fun*.

En scrutant les alentours, Caroline remarque un drôle de déguisement :

— Regardez les deux gars là-bas : ils sont en pôpa et en môman de *La petite vie*, avec un lit portatif en carton en plus.

Leur accoutrement complètement hilarant force les deux personnages à se déplacer difficilement et de côté, puisqu'ils sont attachés à un grand carton recouvert d'une couverture qui fait référence à feue la populaire émission.

— On a un four à micro-ondes là-bas ! note Katia, en pointant un autre gars qui se promène avec la carcasse d'un vieux four à micro-ondes sur la tête ; pour voir son visage, on doit ouvrir la porte.

Le costume le plus populaire reste les imitations des membres du groupe LMFAO, avec des fringues bizarres de couleurs fluorescentes variées et des grosses perruques frisées. Sinon, on retrouve une panoplie de costumes traditionnels du genre vampire, sorcière, fantôme, pirate, imitation du tueur avec le masque blanc et la grande tunique noire dans le fameux film *Frissons*. Batman conserve aussi sa cote de popularité. Hormis les déguisements habituels, il y en a des originaux : un immense carré rouge géant (engagé !), une haie de cèdres (quand même !), un homme de plus de six pieds en costume de fée des étoiles trop petit (*sexy ?*), un micro (avec un afro géant en guise de récepteur), sans oublier le four à micro-ondes (on aime !) et le trio de sapins colorés, en poste auprès des filles. La plantureuse blondasse, toujours avec son patron, est à vrai dire presque nue. Elle semble avoir voulu se déguiser en diable, mais elle porte une minijupe si courte qu'on se demande si ce n'est pas carrément un porte-jarretelles. Un simple soutien-gorge bandeau rouge couvre sa poitrine. Les cornes rouges sur sa tête restent le seul indice permettant d'interpréter la nature de son déguisement (on doute...). Un bon nombre de gens n'est pas costumé aussi ; il y a toujours des récalcitrants.

Cependant, un élément important manque à la soirée : aucun Jean en vue. Encore...

— Il doit être quelque part, déguisé, et il me niaise en ce moment. C'est possible, il y a beaucoup de congressistes qui portent des masques, raisonne Katia en cherchant toujours des yeux son riche homme d'affaires.

À peine quelques minutes plus tard et sans crier gare, une main se pose sur l'épaule de Captain America. Une main ? Plutôt un gant avec des couteaux. Freddy en personne se trouve près d'elle, l'air d'hésiter entre l'égorger vive ou lui enfoncer ses couteaux directement dans l'abdomen. Elle prend tout de même un petit moment avant de reconnaître Jean derrière son masque au visage défiguré et son chapeau noir.

— Suis-moi dans ma chambre sinon je te zigouille, la menace ouvertement l'homme derrière le costume.

Comme il rit de bon cœur, sa menace perd toute crédibilité, mais il reste tout de même très épeurant.

Heureuse de le voir apparaître, Katia lui murmure à l'oreille :

— T'avais pas besoin d'en faire autant ; tu le sais que je te suivrai à ta chambre de toute façon...

— T'es ben mieux ! réplique-t-il sèchement en approchant de nouveau son gant de couteaux près de son visage.

Même si elle sait très bien qu'il plaisante, un drôle de frisson lui parcourt la colonne vertébrale. Ses yeux, visibles à travers le masque horrifiant, ont du mal à paraître doux comme d'habitude.

— On t'aime pas de même, avoue Vicky, qui a semblé ressentir la même chose que son amie.

— Ouin, moi je préfère les «*car air fresheners*». Le bleu en particulier, envoie tout de go Caro pour égayer l'atmosphère.

Le sapin bleu en question effectue une échappée en avançant d'un grand pas vers elle:

— Ah ouin!

Regrettant amèrement son allusion de flirt gratuite, elle ajoute d'une petite voix, pour justifier son sous-entendu:

— C'est ma fragrance préférée...

Encore plus émoustillé, il l'agrippe par la taille en lui déclarant d'une voix forte:

— Je sens pas juste bon, ma belle, je goûte bon aussi.

Figée et démunie, Pocahontas reste là à rire jaune. Captain America la tire d'embarras avec sa répartie héroïque:

— Ark! Commentaire de Gino, le sapin! On va t'accrocher dans une Camaro, toi!

— Ha! ha! ha! Imagine le gros, accroché après le miroir d'une Camaro, sti, visualise son copain en se tordant de rire.

Katia, qui préfère les laisser à leur délire de projection, s'approche un peu plus de son Freddy pour discuter (enquêter) un peu.

— Tu viens d'arriver ?

— Oui, je m'étais endormi. Pas facile, les congrès, j'ai la tête pleine...

Katia se demande pendant une seconde si elle va au front sur ce terrain glissant ou si elle se tourne plutôt vers le bar pour commander une tournée de *shooters*. Elle fait un choix :

— T'avais quelles conférences aujourd'hui ? Je t'ai pas vu de la journée ?

— Pas les mêmes que toi, c'est sûr, mon bébé ; moi, c'était sur un autre étage. T'es curieuse, s'amuse-t-il en pivotant vers le bar.

« ... pas les mêmes que toi... un autre étage... », analyse silencieusement Katia. Sa pensée bifurque. « Mon bébé » ? se surprend-elle de nouveau dans sa tête, en trouvant cette appellation plutôt chouette dans le contexte. Elle se laisse finalement aspirer par l'aspect plaisir de la soirée plus que par son enquête préliminaire, et elle focalise son attention sur le plateau de petits verres qui vient d'apparaître sous son nez.

— OUUUUH ! s'époumone-t-elle en attrapant un verre de la main droite et une fesse de Jean de la gauche.

Vicky analyse la parcelle d'histoire de son amie et souligne :

— L'apparition des petits mots doux en plus...

— Rendue à ce stade, moi, je l'aimais vraiment, tsé... On est connes de même, nous autres, les filles ; un peu de proximité physique et un petit « mon bébé » envoyé en l'air et paf ! on tombe amoureuse. Je me sens tellement ridicule...

— Amoureuse ? répète Caroline, qui ne semble pas saisir que la description exagérée de son amie s'avérait ironique.

— Une façon de parler. Mais c'est vrai, on n'a pas besoin de grand-chose des fois pour être accrochée. Je pouvais bien crier à tue-tête « *fish on* » le premier soir. C'est qui le poisson à la fin, hein ? demande Katia, pince-sans-rire, en fixant toujours le paysage qui défile.

— Hum..., approuve Vicky, l'air songeur, en se tournant aussi vers la vitre.

— Toi, Vic, c'est plate que pas un gars t'ait intéressée durant tout le congrès. Sauf le pompier crosseur déjà en couple, là.

— On dirait que je suis de plus en plus sélective, même juste pour un flirt, explique-t-elle vaguement.

— En tout cas, un des sapins goûtait bon à ce qu'il paraît, déconne Caro en reprenant la réplique machiste du gars.

— Parce que tu le sais pas ? Pourtant, vous avez jasé longtemps ce soir-là, sous-entend Katia, toujours convaincue que son amie a probablement sauté la clôture durant le congrès.

— Veux-tu arrêter de penser que j'ai baisé avec tout le monde ! se défend une fois de plus celle-ci.

— OK ! OK ! Grimpe pas dans le sapin, tente de blaguer Katia pour la détendre.

— Une fois soûle, t'aurais pu te faire passer un sapin, poursuit Vicky dans la même veine.

— À un moment donné, t'avais comme l'air prise entre l'arbre et l'écorce, affirme Katia.

— Mais on touche du bois ! C'est pas arrivé ! conclut Vicky, en envoyant un regard complice à Katia qui s'est enfoncée dans son siège pour rire.

— Deux belles tartes ! Vraiment deux belles tartes ! les insulte Caroline en hochant la tête en guise de découragement.

— Quand je repense à Katia, toute mêlée, ressasse Vicky.

— J'en reviens pas encore, moi non plus, change froidement d'attitude Caroline.

— Ah ! ah ! ah ! C'était juste un léger égarement de ma part...

Caroline et Vicky se déhanchent énergiquement au son de la musique du D.J., toujours en poste à l'avant. Le week-end tirant à sa fin, Caro sent la pression retomber, ce qui la rend plus libre de s'amuser pour la dernière soirée. Responsables pour une fois, les filles ont chacune en main une bouteille d'eau pour leur permettre de profiter au max de leur soirée sans se retrouver K.-O. par l'alcool à leur insu. Belle initiative[27].

De retour à leur place, elles remarquent que Captain America, Freddy et les trois sapins n'y sont plus.

— Où sont-ils partis ?

— Aucune idée. Je les vois nulle part.

Sans trop en faire de cas, elles continuent de placoter tranquillement.

Quinze minutes plus tard, le groupe revient. Sans poser de questions, elles présument qu'ils ont dû faire une tournée de la place. Le sapin bleu s'approche de Vicky, l'air étrange. Il se met à toucher les franges de sa robe en semblant particulièrement apprécier l'expérience sensorielle.

---

27. Que vois-je poindre à l'horizon ? Serait-ce un signe d'évolution ?

— Ayoye ! C'est doux, ta robe, balbutie-t-il en laissant doucement glisser sa main sur le tissu à la hauteur de son flanc.

— Ben oui, fait Vicky en dévisageant Caroline, lui signifiant ainsi qu'elle trouve le type franchement bizarre.

La musique cesse alors subitement et quelques lumières s'allument. L'animateur de la soirée, vêtu d'une queue-de-pie et coiffé d'un chapeau haut-de-forme impressionnant, prend la parole.

— Quelle belle soirée nous passons, HEIN ? crie-t-il au micro pour que la foule acquiesce à sa déclaration.

Tout le monde fait du bruit en retour.

— Nous allons maintenant procéder au tirage des prix de présence et vous pourrez ensuite vous amuser pour le reste de la soirée.

Tout le monde réagit encore positivement à cette perspective en applaudissant de plus belle. L'élégant animateur poursuit :

— Comme vous le savez tous, le congrès annuel est très, très généreux en prix de présence…

Avant même qu'il ne termine sa phrase, des gens arrivent près de la scène avec les cadeaux en question. Une sorcière pousse un superbe cellier sur un chariot à roulettes, tandis qu'un Dracula dépose sur la table trois paniers de boisson bien garnis. Un homme des cavernes les rejoint aussi, un sac de golf sur l'épaule et quelques enveloppes en main.

— Vous savez que nous avons aussi beaucoup de chèques-cadeaux, dont un séjour de deux nuitées dans un hôtel membre des Relais et Châteaux et, bien sûr, le grand prix que vous connaissez tous. Sortez donc le coupon que nous vous avons remis à l'entrée, car les congressistes doivent absolument être présents ce soir pour venir réclamer leur prix. On sait que les comptables se couchent tôt, mais on voulait vous faire sortir de votre zone de confort un peu ! blague l'animateur, en approchant un boulier rotatif de bingo où les nombreux duplicatas des billets ont été insérés.

Katia fixe l'homme à l'avant, en pâmoison. Elle ne parle pas. Le sapin bleu scrute toujours la robe de Vicky avec fascination.

Caroline se tourne vers celle-ci pour lui glisser discrètement :

— Il y avait sûrement des prix de présence à notre congrès aussi...

— Oui, mais on va pas y retourner juste pour s'informer du moment du tirage.

Comme si de rien n'était, cette dernière sort son petit bout de papier. Caroline, qui se rappelait plus ou moins ce détail, trouve aussi le sien. Elle le regarde pendant un instant et panique :

— En vérité, on peut pas gagner un prix ici, voyons !

— Dans mon cas, j'ai jamais rien gagné de ma vie, donc je m'en fais pas trop.

Comme Katia, l'air absente, observe toujours la scène à l'avant, Vicky lui donne une tape dans le dos en soulevant son billet pour lui signifier ainsi de sortir le sien. Elle s'exécute en le cherchant pendant longtemps dans son petit sac à main.

— Notre amie est vraiment soûle, je pense, déclare Vicky à Caro en constatant ses yeux hagards.

Le premier numéro est tiré, tout le monde regarde son billet avec attention. *A priori*, personne ne semble réclamer le prix. Pensant que ce pourrait être elle la gagnante, Vicky tire légèrement Katia par le bras pour que celle-ci s'approche d'elle. Une gestion groupale de son billet s'impose, car elle semble fixer les chiffres en ayant peine à les voir.

— Vois-tu double ou quoi? la taquine Caro lorsque celle-ci se range docilement près de Vicky.

Vicky vérifie son billet, qui n'est pas gagnant, et au même moment l'heureux élu se manifeste à l'avant. Katia lève les yeux vers ses amies et avoue:

— Les filles, j'ai fumé un joint dehors et je suis gelée ben raide...

— QUOI? crie Vicky, qui réprime une envie de rire.

— T'as pris de la drogue? chuchote Caro en cachant mal son affolement.

— Juste une petite *puff* d'Halloween avec trois sapins, rigole celle-ci, qui a en effet l'air très *stone*. Je suis comme toute mêlée...

Elle sort alors de sa poche le fume-cigarette de Vicky pour le lui rendre.

— Ark ! Avec mon fume-cigarette en plus, s'offusque celle-ci en reniflant son accessoire, qui sent dorénavant la marijuana.

— Depuis quand tu fumes ?

— Je fume pas, sauf depuis tout à l'heure, rit Captain America avec un air stupide à travers son loup. Regarde, le sapin bleu a même pris une photo avec mon cellulaire.

Elle tend son téléphone aux filles ; on la voit en effet prendre une bouffée du joint, soigneusement inséré au bout du fume-cigarette.

— Pas certaine par contre que c'est l'idée du siècle d'avoir des preuves, lui fait remarquer Vicky.

— Ouin, si un jour la police trouve ton cellulaire, exagère à outrance Caroline, qui semble maintenant certaine que la brigade des stupéfiants de la Gendarmerie royale du Canada débarquera d'une minute à l'autre pour arrêter son amie.

— C'est le *fun*..., commente vaguement Katia à ses amies.

Caroline se tourne alors vers Vicky, le visage scandalisé, comme si leur amie venait de leur annoncer s'être fait un *fix* d'héroïne possiblement létal. Vicky tempère son indignation par un geste de la main, doublé d'une expression signifiant : « C'est quand même pas la fin du monde. » Caroline se calme un peu. Un second prix est tiré, puis un autre et ainsi de suite. Ne connaissant pas du tout les effets de la substance en question, Caroline regarde Katia du coin de l'œil toutes les dix secondes, comme si elle croyait que celle-ci pourrait à tout moment délirer complètement ou tomber raide morte par terre.

Les trois sapins ainsi que Freddy demeurent très attentifs au tirage en cours. Voilà maintenant qu'on procède au tirage du cellier, un prix très convoité. Une femme, heureuse comme une gamine, l'emporte. Elle monte sur scène, prend une photo souvenir avec les organisateurs et revient vers son groupe, les bras brandis haut dans les airs, telle la vainqueur d'un *round* de boxe déterminant. À chaque numéro tiré, Vicky jette un œil vers Katia, afin de valider qu'elle parvient à bien suivre le tirage. Freddy confie au groupe avec excitation :

— Bon, le sac de golf ; c'est ce que je veux !

Le sapin rouge réplique :

— Je te le laisse, je vais prendre le grand prix, moi !

Plongée dans son esprit analytique, Caroline se rend compte que les gars ne semblent pas aussi « partis » que Katia, qui arbore toujours un sourire tout ce qu'il y a de plus insignifiant. Peut-être que la drogue a plus d'effet sur certains que d'autres ? Peut-être que ces gars-là en consomment souvent ? Le tirage continue d'aller bon train ; l'homme qui a gagné le sac de golf se présente à l'avant, heureux comme un roi.

Arrive le moment du dernier prix ; l'excitation est à son comble dans la salle. Katia, qui cligne des yeux, commente à nouveau son état :

— Je suis « vedge », là...

— Je vais te chercher une bouteille d'eau, décide Caroline en se tournant vers le bar.

L'animateur enchaîne donc avec le grand prix :

— Tous les organisateurs me prient de vous remercier chaleureusement de votre participation pour une autre belle année consécutive. Ils espèrent que le congrès annuel vous a plu. Le dernier prix, en collaboration avec Voyage Air Québec, est un voyage pour deux à Cuba dans une formule tout compris, comme à chaque année.

— Mais je me sens pas mal pour vomir, juste *stone*, décrit Katia à Vicky, qui l'observe avec amusement.

Caroline attend toujours d'être servie, les serveurs au bar étant tous occupés.

L'animateur poursuit :

— Donc, le numéro gagnant est le 235 021...

— C'est sûr, Kat, tu fumes jamais, rationalise Vicky.

— 235 021, répète l'animateur, étonné que personne ne crie de joie.

Vicky jette un œil à son numéro et Caroline, qui attend toujours au bar, vérifie aussi le sien. Vicky saisit la main de Katia pour y lire le numéro de son billet : 235 021.

— EILLE ! C'EST ELLE ! crie Vicky en direction de Caro, qui écarte les bras, pas sûre de bien comprendre.

Sans réfléchir, Vicky lève le bras de Katia très haut pour désigner à l'animateur que la gagnante est bel et bien là. Confuse, Katia regarde son numéro en fermant un œil :

— Hein ? Quoi ?

— T'as gagné ! Viens ! explique Vicky en la tirant maintenant par le bras.

Sa bouteille d'eau en main, Caroline les suit, à mi-chemin entre une émotion euphorique et une réelle inquiétude. Vicky, moins réfléchie, entraîne rapidement Katia à l'avant. Tout le monde applaudit le trio masqué qui grimpe sur la scène. Katia, toujours plongée dans les limbes, rigole maintenant de gêne. Elle ne comprend pas trop pourquoi elle s'est retrouvée ainsi à l'avant de la salle, en une fraction de seconde.

— Qui a gagné ? demande l'animateur, interloqué, cherchant à connaître la raison pour laquelle trois congressistes se sont déplacées ensemble à l'avant.

— Elle ! Mais on est une équipe, lui spécifie Vicky en se tournant pour prendre Katia dans ses bras, afin de lui témoigner publiquement sa joie.

En la serrant, elle lui explique de nouveau discrètement à l'oreille :

— T'as gagné un voyage, allume, ostie...

— D'où venez-vous ? s'informe l'animateur en désignant Katia de la main.

— Euuuuh..., réussit-elle à marmonner dans le micro avant que Vicky ne la pousse subrepticement.

— Victoriaville ! clame celle-ci à sa place et en laissant transparaître une fierté palpable face à son faux coin de pays, alias la région des Bois-Francs.

Caroline sourit largement aussi, pour faire croire à la foule qu'elles sont vraiment dignes de mériter ce prix. Au fond d'elle-même, cependant, elle s'affole à l'idée qu'on les interroge sur leur emploi, sur la compagnie ou sur le congrès en général. Comme les congressistes semblent un peu impatients pendant cet intermède sans musique, tout se passe en deux temps trois mouvements. On place les filles au milieu des organisateurs de l'événement ; elles enlèvent leur loup pour la prise de la photo, avec dans les mains l'enveloppe contenant le chèque-cadeau ; on leur serre la pince, puis elles retournent à leur place.

Lorsqu'elles reviennent près du bar, les sapins acclament Katia avec émotion :

— BRAVO ! Calvince ! claironne le sapin bleu.

— Trop chanceuse ! ajoute le sapin rouge.

Jean arrive au même moment et l'embrasse sur une joue :

— Bravo, ma belle !

Katia paraît toujours un peu confuse des événements. Vicky l'entraîne un peu à l'écart et Caroline les suit. Une fois de plus, elle tente de lui faire réaliser la chance qu'elle a eue :

— Kat ! Allo ! T'as gagné un voyage à Cuba !

— C'est fou, hein..., fait-elle avec une petite voix.

— Voyons donc ? lance Caroline, qui n'en revient toujours pas. Et s'ils découvrent qu'on n'avait pas d'affaire ici pantoute ?

Des gens inconnus félicitent Katia avec enthousiasme au passage. Elle leur sourit sottement, toujours à moitié dans les brumes.

Caroline secoue la tête de découragement. En vérité, depuis hier, elle reste toujours aussi ébranlée. Pas en raison de leur fin de soirée tragique ni du prix de Katia, mais bien à cause de ce que celle-ci a consommé.

— DE LA DRO-GUE...

— Pas obligée de l'épeler, on sait comment ça s'écrit. Il va falloir que t'en reviennes aussi, Caroline, à un moment donné, et que tu recommences à vivre TA vie normalement, exagère Katia, écœurée de voir son air scandalisé toutes les deux minutes depuis le début du voyage de retour.

— C'est vrai que c'est pas si pire que ça, approuve à mi-voix Vicky en baissant les yeux pour ne pas croiser le regard furtif et offusqué de Caro, qui semble dire: «Encourage-la donc à s'autodétruire, tant qu'à y être.»

— Écoute, Caro, j'ai pas fumé trois roches de *crack*, j'ai pris une *puff* de joint.

— De la dro-gue, c'est de la dro-gue! T'as eu l'air mêlé pas à peu près en tout cas. Qu'est-ce qui serait arrivé selon toi si tu avais croisé un participant de notre congrès dans cet état? Hein?

— Je n'aurais pas eu l'air pire que la prof d'ECR soûle morte qui a presque déshabillé le prof de sciences en plein milieu du couloir avant-hier, précise Katia.

— Oui, mais tu me nommes le pire exemple. C'est juste que ça coïncide pas avec ton métier. Tu peux pas d'un côté être un exemple pour la jeunesse puis, de l'autre, fumer un petit joint tranquillement, continue Caroline, déterminée à faire comprendre le bon sens à son amie.

— Fumer un petit joint avec trois sapins, je tiens à le préciser. C'est ben pire, ajoute Katia, pince-sans-rire.

— Pfft!

— À t'entendre, Caro, je serais rendue dépendante parce que j'ai fumé un joint hier. Une droguée, même! Dois-je m'inscrire aux Narcotiques Anonymes? La police va surveiller ma ligne téléphonique pour parvenir à démanteler un réseau en baptisant l'enquête l'« Affaire fume-cigarette »? exagère Katia pour qu'elle la laisse un peu respirer.

Vicky ne s'en mêle pas et écoute plutôt ses amies se renvoyer férocement la balle. Elle sourit un peu, amusée de voir s'entrechoquer leur vision diamétralement opposée par rapport à la situation.

— En tout cas...

— Mais, honnêtement, je suis devenue comme végétale, un peu amorphe. Me semble que l'effet était différent quand j'étais ado... *Anyway!* Au moment où les événements de la fin de soirée sont survenus, je trouve que j'étais encore un peu perdue. La prochaine fois, je vais prendre du *speed* à la place, semble réfléchir à voix haute Katia.

— EILLE ! crie Caroline, totalement en désaccord avec son futur projet.

— Je ni-ai-se ! lui précise Katia en détachant chaque syllabe pour s'assurer que son amie comprenne bien.

— En vérité, j'étais quant à moi loin d'avoir fumé un joint hier et je comprends toujours pas ce qui a pu se passer. Ça me fait même peur, confie Caroline. Une chance qu'ils nous ont changées de chambre après.

— Il faut pas paniquer. C'était pas dirigé vers nous. On n'a rien à voir là-dedans, la rassure Katia, l'air pas très convaincue elle-même.

— C'est probablement juste un accident, présume à son tour Vicky.

— Non. Je crois pas à la thèse de l'accident... Qui a fait ça ? Et pourquoi ?

— On le saura jamais...

Une demi-heure après la fin du tirage, l'ambiance retrouve peu à peu son côté festif et devient plus endiablée. Les filles sont dispersées dans la salle. Captain America, qui semble tranquillement sortir de son état de perturbation perceptuelle toxique, danse maintenant avec suavité tout près de son Freddy. Elle tente désespérément de lui apprendre le merengue sur une chanson d'Elvis Crespo.

Devant leur évidente difficulté de synchronisation, Jean enlève son gant plein de couteaux afin de mieux maintenir sa partenaire. Durant leur danse improvisée, elle se risque à l'embrasser au beau milieu de la piste de danse. Il lui renvoie son baiser avec fougue, en ajoutant même :

— Hum... j'ai hâte à plus tard...

Katia ne donne pas suite au commentaire flatteur et poursuit avec détermination son enquête sur le suspect.

— Ça te dérange vraiment pas que je t'embrasse devant tout le monde ?

— Non, je te l'ai déjà dit ! répond Jean, l'air extrêmement sûr de lui.

Désinhibée par le cannabis, elle lui lance :

— En tout cas, t'es pas marié certain, toi !

— Non, je te l'ai dit aussi que je n'avais pas de femme, pas de blonde non plus.

Lasse des mystères et des non-dits, elle lui lance un autre crochet en plein visage :

— C'est quoi ton poste dans la compagnie ?

— Quelle curieuse ! C'est pas important, bébé...

— Plus tu fais de mystère autour de toi, plus je veux savoir, c'est bien normal.

— Ce soir, on s'amuse et on pense à rien. De toute façon, t'as vu notre tête ? Costumés et à moitié pafs en plus...

Katia, qui semble oublier depuis le début de la soirée qu'elle est costumée, réplique d'un signe de tête affirmatif avant de se remettre à danser en levant les bras. Jean change finalement d'idée et l'entraîne par la main vers le bar. Ils y retrouvent le trio de sapins, toujours fidèles au poste, et Caroline, qui discute encore avec le spécimen rigolo de couleur bleue.

Katia s'approche d'elle.

— Je me sens un peu mieux que tantôt.

— Une chance.

Bien qu'elle soit éméchée, Katia reste suffisamment alerte pour remarquer un détail :

— Où est Vic ?

— Elle m'a dit : « Je vais aux toilettes et si je reviens pas, c'est que je suis partie me coucher. »

— Ah ouin ? Déjà ? Elle est ben plate.

— Je lui ai pourtant fait remarquer : « Pour une fois que je fais la fête et que je reste tard », se désole Pocahontas.

— Pas grave, nous on s'amuse !

Sur ces entrefaites, Jean revient avec des petits verres pour tout le monde...

Continuant leur exercice de récapitulation de groupe, les filles tentent de remettre par ordre chronologique les événements marquants de la soirée afin de comprendre ce qui a bien pu se produire.

— Toi, Vicky? T'es allée aux toilettes et ensuite te coucher. T'as rien entendu du tout? lui demande encore Katia, même si ça fait trois fois qu'elles en discutent et même si elle connaît déjà la version que Vicky a donnée aux policiers.

— Exact, j'ai allumé la télé en arrivant à la chambre, j'ai commencé à me changer pour la nuit et je suis tombée sur une fin de film pas pire, donc je me suis étendue sur le lit. Je me suis finalement assoupie. À un moment donné, j'ai entendu quelqu'un entrer dans la chambre voisine. Je croyais que c'était vous deux. Ensuite, j'ai dû me rendormir, parce que, peu de temps après, l'alarme de feu avait été déclenchée. J'ai senti de la fumée donc j'ai couru au-dehors de la chambre à moitié habillée...

— De notre côté, comme le Centre des congrès n'est pas directement relié à l'hôtel, on savait pas trop ce qui se passait non plus, explique Katia.

— Moi j'étais toute seule, imaginez..., leur rappelle Caroline, avec émotion.

Katia, la seule combattante à rester avec les gars, regarde Caroline s'éloigner. Celle-ci vient de déclarer forfait pour la soirée en se dirigeant d'un pas chancelant vers leur chambre.

— T'es déçu que la belle Caro parte, hein? présume Katia en direction du pauvre sapin bleu, qui semblait en effet assez convaincu de conclure sa «touche» de fin de soirée.

Tout le monde autour continue de parler de tout et de rien. Jean discute avec des collègues plus loin.

Quelques minutes plus tard, la musique s'arrête tout à coup et les lumières éclairent la salle, jusque-là maintenue dans la pénombre. L'animateur explique que l'alarme d'incendie s'est déclenchée au Hilton, mais que les gens doivent rester sur place, le temps de savoir ce qui s'y passe.

— *My God!* fait Katia, presque plus importunée par la lumière crue des plafonniers que par le potentiel risque de voir ses copines périr dans un grave incendie.

— Ils font un exercice d'évacuation comme dans les écoles secondaires? divague un des sapins.

— Sûrement, il y avait justement un congrès de profs à l'hôtel en fin de semaine, complète un autre.

— Ben oui, il paraît, murmure Katia en hochant la tête de côté, avec un rire intimidé.

L'organisateur reprend le micro pour signifier aux congressistes de rester calmes et pour indiquer qu'il s'agit peut-être d'une fausse alerte. Jean revient vers Katia.

— Ce doit être quelqu'un qui a fumé dans sa chambre. C'est un hôtel non-fumeurs.

— On le sait nous autres, on fume dehors! envoie le sapin rouge, fier d'avoir respecté le règlement.

Irrités de se voir ainsi privés de musique, certains fêtards protestent tandis que d'autres semblent quelque peu s'affoler...

— C'était de voir des gens chialer en laissant sous-entendre: «On s'en fout du feu, on est soûls et on veut danser», imite Katia en se souvenant de l'ambiance ambivalente qui régnait dans la salle.

— Le complexe est si grand, ils ne pouvaient pas évacuer tout le monde sans savoir s'il y avait effectivement un feu dans le bâtiment voisin...

— Moi, en sortant de l'ascenseur, je me demandais en titi ce qui se passait, se remémore Caroline.

— Imagine si tu avais été encore à l'intérieur? Ce genre d'alarme de sécurité ne bloque pas automatiquement les ascenseurs? s'inquiète Vicky.

— Tu dis. Je venais juste de sortir. Il me semble d'ailleurs que la porte s'est même refermée derrière moi, juste au moment où l'alarme a retenti...

— Et là, t'as fait quoi? lui redemande Katia.

— Il faut dire que j'étais quand même un tout petit peu réchauffée...

Debout et légèrement chancelante dans l'ascenseur menant à l'étage de leur chambre, Caroline chantonne avec une passion brûlante *L'encre de tes yeux*, de Francis Cabrel, qui résonne en sourdine.

> *«J'aimerais quand même te dire, tout ce que j'ai pu écrire, je l'ai puisé à l'encre de tes yeux...»*

«Sixième étage. *Sexe floor.*»

À l'ouverture des portes, elle continue de fredonner, les yeux mi-clos, complètement absorbée par la douceur et le romantisme du parolier.

> *«Puisqu'on est fous, puisqu'on est seuls, puisqu'ils sont si nombreux...»*

PAN ! PAN ! PAN ! Elle fait un saut vertigineux en entendant l'alarme de feu qui, dans un vacarme assourdissant, retentit sur tout l'étage. Apeurée, elle fige sur place, ne sachant pas si elle doit immédiatement sortir de l'immeuble par les escaliers de secours. Étrangement, son réflexe est de s'engager dans le corridor menant à leur chambre. En tournant le coin, elle aperçoit un homme de dos, les fesses nues, mais vêtu d'une chemise et avec des effets personnels dans les mains, qui court en direction des escaliers de secours. «Mon Dieu, c'est la panique!», se dit-elle. D'autres clients ouvrent la porte de leur chambre afin de voir ce qui se passe. Des gens quittent la leur pour évacuer les lieux comme il se doit en cas d'alarme d'incendie. En approchant de leur chambre, Caroline aperçoit Vicky, qui galope vers elle, en camisole et en sous-vêtements.

Essoufflée et complètement affolée, elle lui explique :

— C'est dans la chambre voisine. J'ai vu de la fumée en dessous de la porte...

Au même moment, deux agents de sécurité arrivent en trombe, sachant exactement où se diriger. Ils tiennent chacun en main un extincteur de fumée. Ils foncent droit vers la chambre de Jean et ouvrent la porte avec une clé magnétique. Un nuage de fumée opaque s'échappe de la pièce. Les gicleurs du plafond de ladite chambre sont en fonction. Après une analyse rapide de la scène, ils activent simultanément leur extincteur.

Ils éteignent leur appareil après à peine quelques secondes et ressortent aussitôt, la situation étant visiblement maîtrisée. Ils rassurent les gens dans le corridor en les informant que les pompiers ne tarderont pas à arriver pour vérifier que tout est en règle. Caroline, complètement abasourdie, flatte le dos de Vicky ; celle-ci doit tout de même avoir eu la frousse de sa vie en se faisant réveiller par un tel bruit. Comme l'incident semble terminé, les clients s'interrogent à savoir s'ils doivent ou non évacuer l'hôtel. Les pompiers surviennent effectivement quelques minutes plus tard. Ils entrent dans la chambre de Jean et y restent pendant un bon moment.

L'un d'entre eux en ressort pour signaler à tous ceux qui sont dans le corridor de regagner leur chambre, car tout danger est maintenant écarté. Ceux qui sont logés à proximité doivent toutefois être relocalisés, car de la fumée a dû s'introduire dans leur chambre. L'alarme cesse immédiatement son cri strident. Les filles se dirigent plus loin, vers la jonction des corridors, dans l'attente des instructions. Naturellement, elles font partie de ceux qui ne peuvent pas regagner leur chambre. Les pompiers veulent d'abord vérifier qu'il n'y a pas d'autres foyers d'incendie potentiels. Tout compte fait, à la vitesse dont le tout s'est réglé, le feu devait être très mineur. Caroline, qui voit que Vicky tente de se cacher les cuisses avec son chandail, avance vers la chambre la plus près. L'occupante observe discrètement la scène, la porte entrouverte. Caroline lui demande une serviette. En revenant vers son amie et au moment de la couvrir avec la pièce de tissu, elle remarque un détail :

— Pauvre toi ! T'es tombée ?

Vicky se penche et inspecte à son tour ses genoux, qui sont en effet rouges et écorchés.

— Ouais, en me levant du lit.

— Et ce bleu ?

Caroline lui désigne maintenant une large ecchymose violacée sur le côté extérieur de sa cuisse. Vicky, qui se moque royalement de ce détail en ce moment, répond, expéditive :

— Non, non. Je l'avais avant d'arriver ici. On s'en fout.

Des policiers surgissent à leur tour. Après avoir discuté quelques minutes avec les pompiers, ils se dispersent pour interroger sommairement les clients des chambres avoisinantes, qui doivent toujours attendre les consignes expliquant la marche à suivre pour être relogés. Évidemment, l'un d'eux se dirige vers les filles avec son calepin de notes...

— *God!* C'est qui le responsable, vous pensez? s'exclame Katia, encore atterrée.

— Aucune idée, fait Caroline. Je sais juste que je me sentais hyper suspectée. J'ai même précisé le nom de la toune qui jouait dans l'ascenseur pour paraître crédible dans ma déclaration.

— Et moi donc. En bobettes sur le petit fauteuil, se remémore Vicky, encore gênée.

— C'est quelqu'un qui en voulait à Jean. Un employé mécontent? avance Katia, toujours plongée dans son scénario dramatique.

— Je comprends pas pourquoi les policiers sont pas allés le chercher tout de suite au *party*?

— Il aurait pu être sorti ailleurs. En ville, par exemple. C'est pour cette raison qu'ils ont appelé sur son téléphone à la place.

— Ouin, c'est vrai.

Katia se souvient:

— Et lui, sur le coup, il voulait pas répondre. Il m'a dit...

Dring ! dring !

— Je sais même pas qui c'est ! Je déteste les numéros masqués. À cette heure-là en plus, vocifère Jean, agacé que son portable ait sonné deux fois en moins de cinq minutes.

Comme l'alarme a cessé de retentir au Hilton, les organisateurs du congrès se demandent s'ils peuvent de nouveau faire vibrer la musique ou s'ils doivent plutôt s'assurer que tout est vraiment maîtrisé. Le D.J. décide tout de même d'augmenter légèrement le volume. Quelques lumières s'éteignent çà et là dans la salle.

— C'est peut-être important, fait valoir Katia, les yeux un peu dans le même trou.

Jean hausse les épaules comme si cela s'avérait impossible. L'ambiance ainsi gâchée, lui et Katia se demandent un peu quoi faire.

Lorsque son téléphone retentit pour la troisième fois, il se décide finalement à prendre l'appel, mais répond sur un ton impatient :

— Oui ?

Il écoute ensuite attentivement son interlocuteur...

— J'arrive !

Il se tourne vers Katia, le visage pétrifié.

— Criss ! Le feu est pris dans ma chambre, de l'autre côté...

— HEIN ?

Les filles continuent de se remémorer la terrible saga.

— À leur arrivée dans la chambre, les policiers ont bien vu que Jean n'avait rien à voir là-dedans.

— Le pire, c'est que tout au long de cette péripétie, on est toujours costumés comme des débiles, rigole Caroline en revoyant la scène.

— Tu dis ! Et c'est ainsi que Captain America et Freddy sont arrivés sur les lieux pour constater la scène de crime. Ridicule ! décrit Vicky.

— Et c'est à ce moment-là aussi que Freddy a réalisé que Captain America occupait la chambre voisine de la sienne..., explique Katia en faisant une grimace.

— J'avoue ! Il le savait pas, constate Caroline.

— Non. Mais il m'en a même pas reparlé, il semblait s'en foutre un peu étant donné l'événement.

— Mais bon, pour le feu : mystère et boule de gomme, conclut Caro.

Vicky, qui bâille en s'étirant, se lamente :

— Je suis tannée d'être assise dans l'auto.

— Il nous reste une heure trente environ…

— Mais toi, à cause de ce malheur, t'as pas eu droit à ton cunnilingus de fin de soirée, présume Vicky, avide de savoir.

— Non. Eille, Jean était traumatisé. Ils l'ont naturellement changé de chambre, comme nous, et la soirée d'amour s'est terminée illico, je vous jure. Ses affaires étaient pleines de poudre d'extincteur. Une partie de la nuit, il a tellement cherché dans sa tête qui avait bien pu mettre le feu. Quelqu'un est tout de même entré dans sa chambre. Y était plus du tout obsédé par ma noune tout à coup.

— Vous n'étiez plus au «*sexe floor*», c'est pour ça, lui explique Vicky, vu que Jean avait été transféré au quatrième étage.

— Voilà !

— C'est juste normal. Pauvre lui ! BEAUCOUP de gens sont entrés illégalement dans sa chambre durant le week-end, hein, souligne Caroline en faisant bien évidemment référence aux recherches infructueuses des deux filles.

— En tout cas, ce matin, après toute cette aventure, j'en avais tellement rien à foutre de la fin de notre congrès de profs. Avouez que c'était n'importe quoi les mots de clôture qui n'en finissaient plus de finir, s'insurge Katia.

— Il fallait quand même remercier les gens un minimum.

— Pas pendant deux heures…

Lorsque le réveille-matin retentit dans la chambre des filles, Vicky grogne un peu avant d'appuyer sur le bouton. Elle se rendort profondément en presque deux secondes. Motivée à ne pas passer tout droit, Caroline bouge dans son lit pour s'aider à garder les paupières ouvertes. Malgré l'immense fatigue, elle se redresse pour s'asseoir. Heureusement, en dépit du tourbillon de leur fin de soirée, elle a dormi comme une bûche. Mais pas suffisamment... L'hôtel ne leur a assigné une nouvelle chambre que très tard dans la nuit, à la suite de quoi elles ont dû tout déménager au cinquième étage. Elle prend d'assaut la salle de bain, se doutant bien que Vicky attendra à la dernière minute avant de se lever.

En sortant de la douche, elle entreprend de ranger ses bagages et commence doucement à réveiller son amie, qui, malgré son tapage, dort toujours à poings fermés.

— Viiiic ? Il faut se lever maintenant...

— Hum...

— On doit ranger nos affaires en plus, car je crois qu'on va faire le *check out* tout de suite après la fin du congrès.

— Ark, il faut retourner là-bas, maugrée Vicky dans son lit, en se roulant de nouveau dans sa couverture.

— On va passer au buffet d'abord, tente de l'allécher Caro.

Gourmande et surtout affamée, elle considère cet aspect comme un appât séduisant et ouvre enfin les yeux.

Lorsque Katia entre dans la chambre en trombe, les filles ont presque terminé leurs bagages et elles sont prêtes.

— *Shit!* Il n'avait pas à se lever, lui, le chanceux. Je serais bien restée couchée, je vous le jure.

Elle saute dans la douche en vitesse.

Après avoir généreusement garni leur assiette une fois de plus, les filles se rendent à une table. Vicky, qui a oublié de prendre des confitures, se relève pour y retourner. Elle croise Marc, qui est justement en train de se servir. Les filles l'observent discuter avec lui un moment. En revenant vers la table, elle roule des yeux en direction de ses amies.

Elle déclare en s'assoyant :

— Fatigant, lui ! « Vous êtes pas restées longtemps à la soirée, hier, blablabla... », fait-elle en l'imitant avec une drôle de voix. Trouve-toi une vie sur eBay, insignifiant !

— Qu'est-ce que t'as inventé ? s'inquiète Caroline.

— Il croit aussi qu'on a des amis à Québec, donc j'ai dit qu'on était allées prendre un verre quelque part pour l'Halloween. Vous savez pas ce qu'il m'a répliqué ?

— Non ?

— « Pas présentes le jour, pas présentes le soir... grosse implication, les filles ! », ajoute Vicky.

— Il est vraiment venu ici pour nous surveiller ?

— Ben non. Il « trippe » d'avoir un peu de pouvoir, analyse Vicky.

Un homme s'avance à l'avant et prie les congressistes de bien vouloir prendre place à une table. Il débute un discours interminable sur l'importance de partager son expérience dans des congrès de ce genre afin de faire avancer positivement le système d'éducation québécois. Les trois organisateurs principaux font aussi un long discours. La représentante du ministère de l'Éducation, du Loisir et du Sport vient également faire une intervention. Pour clôturer l'événement, le maire Régis Labeaume prend la parole quelques minutes.

Autour de 10 h 45, et après une blague concernant le retour imminent des Nordiques à Québec, les congressistes sont libérés après, bien sûr, avoir rempli un questionnaire d'appréciation de dix pages recto verso.

— S'il faut remplir tout ce document-là, on va se relouer une chambre pour la nuit et prendre un congé de maladie demain, note Katia, découragée.

— Vous n'avez sûrement rien écrit dans la partie concernant les kiosques en visite libre que vous avez manqués par mégarde hier après-midi, présume Caroline, un sourire en coin.

— J'ai écrit que tout était parfait, parfait, parfait, répond Vicky, heureuse de mentir.

— Moi, j'ai surtout commenté la piscine et le buffet du matin, récapitule Katia en réfléchissant. Ah ! Je vais ajouter mon appréciation de la *joke* du maire Labeaume. Le reste était secondaire de toute façon.

— Bon, vous avez terminé ? On va faire le *check out* en vitesse, question de ne pas arriver à Gatineau trop tard.

— Oui, il faut que je trouve Jean. On n'a pas encore échangé nos coordonnées. Et je veux lui dire au revoir aussi, précise Katia en consultant sa montre.

— T'es triste ?

— Non, je vais le revoir, j'en suis certaine…

— Ouin…, lâche Caro pour tout commentaire.

— Coup de théâtre… J'aurais jamais pensé ça, compatit Vicky.

— *Anyway*, quant à moi, vu la fin de l'histoire, il aurait pu brûler vif, le gros colon, avec sa petite graine !

— Petite comment, donc? réitère Vicky, toujours insatisfaite de l'estimation réelle quant à la mesure du pénis de Jean.

Katia esquisse une mesure en écartant à peine son pouce de l'index. Elle exagère pour se faire plaisir.

— J'ai l'impression que plus le voyage de retour avance, plus il est petit, observe Caro en voyant son amie très en colère.

— En effet, plus j'en reparle, plus j'y repense et plus je suis en beau maudit. Même plus que tantôt, on dirait...

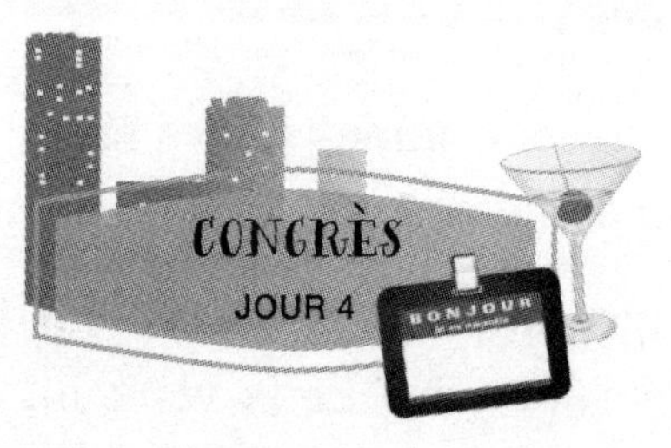

«Cinquième étage. *Fifth floor.*»

— C'est super, maintenant c'est rendu «Fif *floor*», se désole Katia, qui préférait de loin l'étage du sexe.

— Franchement, Kat, réagit Caro à sa blague quasi homophobe.

Les filles se rendent rapidement à leur chambre pour aller récupérer leurs bagages. Katia bifurque vers l'escalier pour descendre d'un étage, afin de passer à la nouvelle chambre de Jean. En y arrivant, elle n'obtient pas de réponse. Le croyant peut-être au restaurant en train de déjeuner, elle remonte dans l'espoir de le trouver quelque part pendant que les filles effectueront le *check out*. Tout se passe rondement, les trois amies ayant déjà rangé leurs effets personnels avant de se rendre au congrès.

— Bon, voilà la fin, soupire Katia, la mine nostalgique.

— Enfin, tu veux dire ! rectifie Caroline, heureuse de partir.

— Bye-bye, Québec ! ajoute Vicky, dans le même état d'esprit.

En déplaçant leur valise jusqu'à l'ascenseur, elles restent silencieuses. Le trio est complètement exténué à la suite de ce week-end tumultueux.

En arrivant au lobby, elles constatent que plusieurs congressistes s'y trouvent déjà. La plupart des congrès se terminent aujourd'hui. Les filles se mettent donc en file. Caroline remarque la présence de policiers sur les lieux. Vicky, qui jette un regard circulaire, est frappée de plein fouet par une vision. Elle prend le bras de Katia pour lui dire avec émotion :

— Calvaire, Kat ! Regarde !

Celle-ci se retourne rapidement. Jean se trouve près de l'entrée de l'hôtel, embrassant une fille sur la bouche.

— HEIN ? beugle Katia, en tentant de se déplacer afin de mieux voir la désolante scène.

De toute évidence, il discute avec une fille habillée en survêtement de sport, enlacée amoureusement à son cou. Le couple entremêle leur discussion de baisers en souriant.

— C'est quoi la *joke* ?

— On dirait une fille du congrès de Zumba, remarque Caroline.

— Ben oui, il embrasse la prof qui donnait le cours !

En effet, un groupe de femmes de ce congrès, toutes en vêtements sport, semble attendre que l'amante éplorée termine ses déchirants au revoir. Bien évidemment en furie, Katia semble vouloir aller interrompre leur passionnante conversation. Vicky la retient par le bras, lui conseillant plutôt :

— Non, attends au moins qu'il soit seul.

À contrecœur, elle obéit et agrippe très fort la poignée de sa valise à roulettes en pestant. Le « couple » revient à l'intérieur. Jean salue chaleureusement les amies de sa belle flamme et il s'en va en se retournant de nouveau vers elle, tout sourire. Comme il se dirige vers les ascenseurs pour regagner probablement sa chambre, Katia tonne :

— Mon ostie, lui !

Puis elle fonce droit dans sa direction. Lorsqu'elle arrive à sa hauteur, il semble content de la voir :

— Hé, ma belle ! Je te cherchais...

— Laisse faire « ma belle », là ! T'es ben dégueu ! rage-t-elle, le visage décomposé.

Réalisant qu'elle a assisté au départ de son autre valentine, il tente mollement de se défendre :

— Ah ? La fille ? C'est une amie de ma cousine que j'ai croisée par hasard...

— Eille ! fait-elle pour lui signifier que son excuse est du gros n'importe quoi.

— OK, non, c'était mon ex...

— Trouve mieux que ça !

— Ma belle, c'est toi qui as dormi avec moi tout le week-end, je te signale...

— Quelle veine! Je suis la chanceuse que tu as choisie pour les *shifts* de nuit? Et elle? C'était le jour?

Un peu agacé par son sarcasme, Jean rectifie un point crucial:

— On se devait rien, quand même...

— Non mais, dans la vie, y a un minimum de respect quand t'es pas un écœurant!

— Oh! oh! oh! Tu t'attendais à quoi? À l'exclusivité? À ce qu'on se revoie? interroge-t-il, comme si ces deux possibilités étaient les plus ridicules qui soient.

Comme elle ne dit rien, humiliée dans son orgueil, il poursuit en lui empoignant doucement le bras:

— On a eu du bon temps ensemble, ma belle, c'est l'important...

Elle se dégage avec force pour lui cracher:

— T'es vraiment un esti d'trou de cul!

Puis elle tourne les talons. Il lui répond avec désinvolture, en écartant les bras:

— Je mérite pas ça...

En revenant près de ses amies, elle ne dit pas un mot et secoue la tête pour leur témoigner son désarroi. Avant même que ses deux amies n'aient le temps d'écouter la suite de son histoire, un policier s'approche des filles en s'adressant directement à Vicky:

—Excusez-moi, madame. Pourriez-vous venir avec nous quelques secondes ? Nous aurions d'autres questions à vous poser...

Caroline grogne comme un chien, aussi frustrée que Katia à la suite de ce dénouement désastreux. Vicky peste également. La pauvre victime avoue :

—On se demande plus c'est qui l'esti de poisson en bout de ligne.

—Ha ! ha ! Poisson en bout de ligne, fait Vicky, qui apprécie particulièrement le jeu de mots de sa copine.

Réalisant que Katia ne rit pas du tout de sa blague non intentionnelle, Vicky arrête subitement de s'en amuser, passant d'une moue rieuse à un visage très sérieux en moins de deux secondes.

—Le plus frustrant dans l'histoire, je pense, c'est le petit ton avec lequel il m'a fait sentir comme la pire conne de la terre : « OK... tu pensais qu'on allait se revoir ? » Eille, l'innocent ! Pour qui vous prenez-vous, toi pis ta petite criss de quéquette ?

—Donc, il a rencontré deux filles et les a fréquentées en alternance ? J'y pense, ce doit être la fille dont le nom figurait sur la carte d'affaires qu'on a trouvée sur sa table de travail, conclut Vicky en se rappelant ce détail.

— Il a dû la rencontrer à la soirée *pool fitness* le soir où tu le trouvais nulle part, en déduit à son tour Caro. C'est peut-être elle qui a mis le feu à sa chambre ?

— Peut-être... C'est dégueulasse ! Il a cunnilingussé[28] toutes les filles du complexe hôtelier ou quoi ? se plaint Katia, presque au bord de la crise de larmes, en tapotant des doigts sur sa langue.

— Ark ! J'avais pas pensé à ça. Est-ce que je peux te dire que je te comprends ! Il aurait mérité une passe-passe de Tabasco lui aussi[29], avoue Vicky, aussi très dégoûtée par le scénario possible, mais surtout solidaire avec son amie, compte tenu de sa situation honteuse.

— Tantôt, tu nous expliquais que son petit machin fonctionnait pas très bien... c'est peut-être la raison, suppose Caroline en faisant référence à son pluralisme sexuel.

— Ah, tu parles de sa microquéquette molle ? ressasse Katia, toujours en train de se venger par la bande en exagérant la petite taille dudit pénis.

— Oui, mais vu qu'il était en congrès toute la journée, il devait pas baiser avec elle tant que ça, rationalise Vicky pour apaiser un peu sa rage.

— De toute façon, t'as vraiment eu raison de l'envoyer promener, justifie Caroline.

---

28. Beau verbe, beau verbe ! Aussi à paraître dans *Le Petit Dubois illustré*...
29. Encore un *inside* inspiré de leur voyage au Mexique.

— *Anyway*… En parlant de ce matin, ç'a été long Vic quand les policiers ont voulu te reparler, change de sujet Katia.

— Oui, je sais, ils avaient presque l'air de m'accuser.

— Pourquoi ?

— Parce que j'étais dans la chambre à côté, je pense…

Vicky, debout devant les deux policiers qui prennent scrupuleusement des notes, relate avec exactitude les mêmes faits que la veille. Elle les fixe, agacée, en semblant se demander pourquoi ils l'interrogent de nouveau. Un des policiers explique :

— C'est que l'enquête préliminaire démontre que le feu semble avoir été allumé de façon intentionnelle. Comme si quelqu'un avait cherché à se venger de l'homme qui occupait cette chambre. Le connaissiez-vous ?

— Non, ment Vicky en le regardant droit dans les yeux.

— Vous ne l'aviez jamais vu ?

— Dans le corridor peut-être, mais il n'était pas dans notre congrès.

— Peut-être ? reprend habilement le policier, pour signifier à Vicky que sa déclaration précédente reste très floue et qu'elle sous-entend même la possibilité qu'elle l'ait vu plus d'une fois.

— Écoutez, il était voisin de notre chambre, je l'ai «probablement» croisé par hasard.

— D'accord..., fait le policier, qui semble une fois de plus douter de son témoignage.

— Est-ce que je peux partir maintenant?

Il approuve d'un signe de la tête avant de lorgner son collègue, qui n'a pas l'air lui non plus de croire un mot de son histoire.

Elle revient vers ses amies, la mine préoccupée...

— Pourquoi t'as menti? demande Caroline.

— Je voulais pas leur dire: «Oui, ma collègue a baisé avec lui tout le week-end, mais là, elle le déteste, car c'est un beau crosseur...» Ils nous auraient accusées sans hésiter, vous comprenez?

— Ou encore: «On l'a rencontré en s'infiltrant illégalement dans le congrès des comptables agréés.» Une chance qu'ils n'ont pas remarqué que j'étais arrivée sur les lieux avec lui..., ajoute Katia, qui saisit très bien les raisons justifiant son mensonge.

— En effet...

— Ah, j'avoue. Je comprends mieux pourquoi tu semblais si nerveuse, à ton retour, affirme Caro.

Katia poursuit l'analyse.

— Et surtout, pourquoi tu voulais pas riposter lorsqu'on nous a fait part de la «bonne nouvelle» en payant la chambre.

— Ça, c'est tellement de ma faute, les filles, se repend Caroline en secouant la tête de découragement.

Croyant de nouveau qu'elle a un aveu à faire, les filles se taisent pour lui laisser le champ libre. Prenant conscience de leur silence, elle précise :

— Non, mais juste parce que j'ai pas été claire avec Alexis dès le départ, je veux dire.

— OK..., consent Katia, laissant clairement paraître qu'elle s'attendait à des révélations plus manifestes.

— Petit maudit...

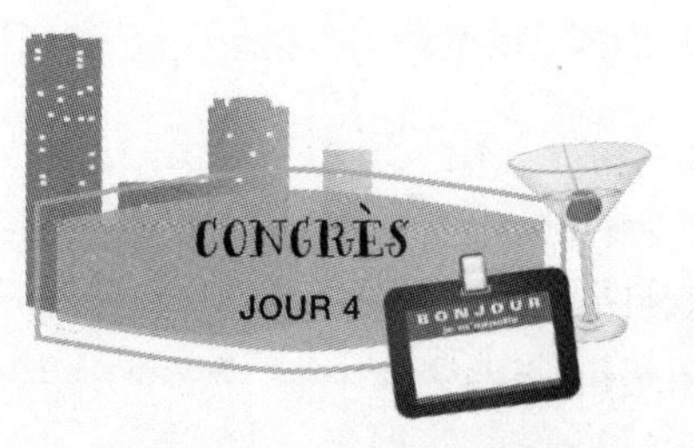

À leur tour de faire le *check out*, Vicky tend les cartes magnétiques, l'air nerveuse, en jetant de temps à autre un regard vers les policiers, qui semblent toujours l'avoir à l'œil. La femme à l'accueil fixe longuement son écran :

— Je mets le montant total de la note rattachée à votre chambre sur la même carte de crédit que celle au dossier ?

— Quelle note ? demande Vicky, étonnée mais aussi impatiente, en ayant, encore une fois, une impression de déjà-vu.

— Voyons voir. On y retrouve divers produits et services : des fleurs, un massage à notre centre de soins, des bouteilles de vin, une de champagne…

— QUOI ? fait Caroline, dans tous ses états.

— Diverses consommations au bar de l'hôtel aussi…, poursuit la femme. En ajoutant le service de base de 15 % sur les consommations seulement, nous arrivons à un total de 513,92 $. Votre serveur était Alexis, désirez-vous ajouter un pourboire supplémentaire à son intention ?

— On va plutôt lui demander d'aller se faire voir de notre part ! Non, encore mieux, est-il ici aujourd'hui ? Je vais moi-même aller lui livrer un char de marde « à son intention », bout Caroline, hors d'elle.

— Euh… Laissez-moi voir… non, il ne travaille malheureusement pas le dimanche, confirme doucement la femme, qui semble stupéfaite de l'attitude agressive de la cliente à l'endroit du jeune serveur. Mesdames, si vous avez eu quelque problématique que ce soit avec un employé du complexe hôtelier, nous aimerions en être avisés.

Puisque Caroline a haussé le ton comme si elle s'adressait à un sourd-muet, la totalité des voisins immédiats se tournent vers elles. Vicky, qui ne désire pas attirer davantage l'attention des policiers, confirme, expéditive :

— Non, tout va bien. Ajoutez juste le pourboire de base.

— On va pas payer ça ? s'oppose Caroline en se tournant vers son amie.

— Vous n'avez pas consommé ou utilisé les produits et services mentionnés sur la facture ? demande la réceptionniste, toujours désireuse de connaître le fond de l'histoire.

— On s'en va, chuchote Vicky à Caro, les dents serrées, en appuyant son commentaire de ses yeux les plus ronds. Non, tout va bien madame, on va payer.

— Juste une *gang* de beaux crosseurs, fulmine à son tour Katia, en croisant les bras, sans défense.

La femme derrière le comptoir hausse les épaules en guise d'impuissance avant d'effectuer la transaction. Katia, qui voit Ramon pousser un chariot de produits ménagers plus loin, s'élance dans sa direction. Caroline, trop en furie pour blaguer à propos de mariage, reste dans la file avec Vicky, qui attend patiemment qu'on lui donne la facture désastreuse. Caro lui envoie tout de même un léger signe de la main, sans sourire.

Katia revient près des filles quelques minutes après avoir discuté avec le Latino. Elle jette un regard tout autour, paraissant bizarre.

La transaction terminée, Vicky prend les papiers et attrape sa valise avant de dire :

— On débarrasse, maintenant.

Une femme les interpelle en criant « mesdames » dans le lobby. Son appel est assez fort pour que les clients présents se retournent de nouveau vers le trio. Essoufflée, elle les rejoint. Heureusement, elle baisse le ton en arrivant près d'elles. Il s'agit de la femme qui gérait les entrées et sorties à la soirée costumée de l'Association des Clubs Optimistes.

— Quelle bonne chose que je vous croise ici. Vous partez déjà? Je me demandais si vous aviez réussi à rejoindre quelqu'un pour faire «faxer» votre carte de membre et…

Caroline, encore en furie, la coupe sans ménagement:

— On l'a PAS, la criss de CARTE!

— Mon doux…, fait la femme en se mettant la main sur la poitrine, interloquée de se faire crier après de la sorte.

Malgré sa frustration récente, Katia se retient pour ne pas éclater de rire, tandis que Vicky lève un sourcil vers les policiers, qui semblent une fois de plus intéressés par la scène explosive. La femme reprend son sang-froid et déclare sur un ton formel:

— C'est que je ne pourrai pas vous laisser entrer aux conférences de la journée si je n'ai pas votre carte de membre.

— Nos cartes! Nos cartes! On a d'autres choses à gérer que nos cartes, nous autres! crache Caro, exaspérée, en levant les deux bras bien haut.

Elle saisit la poignée de sa valise et se retourne pour sortir de l'hôtel. Katia la suit. La femme reste en plan en répétant tout bas:

— Mais, c'est le règlement…

Un policier, qui les épiait toujours, dresse son index pour leur signifier d'attendre. Il s'approche d'elles et leur tend chacune une carte en disant:

— On aurait aimé que vous restiez à proximité du complexe, mais vous devez partir, n'est-ce pas ?

— Oui, et on a cinq heures de route à faire...

— Bon, voilà ma carte. S'il vous revient des informations par rapport aux événements d'hier soir, contactez-moi.

— On en avait déjà une. Au revoir.

Puis les filles s'élancent vers la sortie avec la ferme intention de se rendre au stationnement souterrain sans attendre une minute de plus.

Un homme les interpelle au loin. Encore... Les filles se retournent, clairement agacées de se faire retenir une fois de plus. Pourront-elles un jour quitter cet hôtel ?

— Ça m'a fait çuper plaiçir de vous rencontrer !

— Super ! Nous aussi ! vocifère Caro, en le regardant à peine pour continuer sa route.

— Bye, fait aussi Katia, qui a maintenant plus que jamais envie de rire.

Près de la porte, Vicky souffle de découragement :

— Eille ! Le 6e qui suce qui s'en mêle... On peut-tu juste partir ?

Juste avant de sortir, Katia dit :

— Je vais aller aux toilettes. Allez chercher la voiture et attrapez-moi devant l'entrée principale. Ensuite, on sacre notre camp d'ici...

Quelle saga! Personne ne dit un mot dans la voiture. À vrai dire, l'histoire avec le jeune serveur et la facture salée reste tout de même un peu le problème de Caroline; celle-ci ne lui a pas révélé tout de suite qu'elle était en couple, lui laissant ainsi l'espoir de la courtiser. Personne ne commente ce fait indéniable. De toute façon, à quoi bon? Elle se sent déjà suffisamment coupable.

— Caro, t'as vraiment pété les plombs tantôt! Je t'avais jamais vue dans un état pareil, avoue Katia.

— Moi non plus. Quand t'as dit à la dame: «On l'a pas, la criss de carte!», j'ai figé. Je me disais: elle va la battre, enchaîne Vicky.

— Je suis fatiguée et c'était comme trop... La goutte qui fait déborder le vase comme on dit. Tout le monde s'était donné le mot, on dirait.

Toujours anxieuse face à toute cette histoire, Caroline poursuit et rassure ses amies en parlant rapidement:

— Mais, les filles, ne vous inquiétez pas, je vais payer les coûts supplémentaires de la facture; les fleurs, le massage, par exemple.

— Ben oui, mais le reste on l'a bu avec toi, donc on va diviser la facture à trois. Le total va faire moins mal au portefeuille.

Vicky reprend la fameuse facture dans son sac à main et l'analyse plus attentivement.

— On se paye du champagne à 126$ en congrès, nous autres! Il nous a chargé la bouteille au complet pour les trois kirs royaux, petit con. Moi qui étais certaine que ça goûtait le mousseux *cheap*; on voit qu'on est des connaisseuses, se rappelle Vicky, franchement honteuse face à son manque de talent en sommellerie.

— Une chance qu'on a une facture différente pour la chambre. Tu nous vois la remettre à la commission scolaire pour recevoir le remboursement? «Ouin... les profs se sont légèrement gâtées au congrès», extrapole Caroline, contente d'ainsi éviter le pire.

— Combien ils coûtaient, au juste, les super Bloody Cæsars spéciaux? demande Katia, curieuse.

— Heu... un beau 17$ chacun.

— *My God!* Pas donné!

— Sinon, il y a la bouteille de vin du midi, et... ah ben le petit maudit! Il a ajouté sur le *bill* la bouteille du *party* de la SAQ. Le Château St-Jean, le soir où il était serveur là-bas. Eille, 48$.

— Et dire qu'on le croyait complice de notre intrusion illégale. En plus, c'est vraiment chiant étant donné que c'était gratuit pour tout le monde.

— C'est le soir où je lui ai avoué que j'étais en couple, rappelle Caroline. Il a probablement été notre «complice» jusqu'à ce moment-là...

— Il a dû saliver de plaisir en rédigeant la facture à la fin de son *shift*, trop content de te faire suer, suppute Vicky.

— Mais le pire, c'est qu'on aurait pu défendre notre cause, mais tu voulais tellement partir vite, Vicky. Par exemple, la serveuse qui nous a servi les Bloody Cæsars le midi aurait vraiment pu témoigner que nous n'avions jamais commandé ça et que c'était de la part d'Alexis, note Caroline.

— Tu as raison, réfléchit à son tour Katia.

— Pour le champagne aussi? Elle y était, il me semble, quand il nous a «offert» les kirs royaux, se questionne Caroline.

— Oui, en effet. On aurait dû faire quelque chose auprès des gens de l'hôtel, quitte à partir dix minutes plus tard, regrette Katia.

— OK! C'est beau, on a compris. C'est ma faute si on doit payer ce montant, conclut Vicky de façon expéditive en s'incriminant.

— Vicky? C'est pas ce qu'on dit, tente de la calmer Katia d'une voix douce.

Elles semblent toutes avoir les nerfs à vif. La fatigue, additionnée à la série d'événements rocambolesques, ont rendu les trois congressistes à fleur de peau. Cependant, Vicky paraît plus étrange que ses deux amies. Comme si un élément supplémentaire la tracassait. Sensible à ce fait indéniable depuis le début du trajet, Caroline l'interroge avec précaution:

— Qu'est-ce que t'as, Vicky? T'es bizarre, je trouve.

— Je sais pas, hein ? J'ai failli brûler vive dans une chambre d'hôtel hier soir, rugit celle-ci comme si c'était une évidence.

— Non, Caro a raison. Il y a autre chose. On te connaît, Vic, appuie Katia en s'avançant de la banquette arrière pour l'observer de plus près.

Silence. Celle-ci souffle avec force par la bouche pour faire comprendre à ses amies qu'elles ont effectivement raison. Néanmoins, elle reste muette. Katia analyse à haute voix le comportement de sa chère amie :

— Ton attitude tout le week-end ; ton peu d'intérêt envers les gars ; tu semblais préoccupée...

Katia est interrompue dans son élan de dissection comportementale, car le téléphone portable de Vicky sonne pour annoncer la réception d'un message texte. Celle-ci prend connaissance dudit message sans rien dire. Katia poursuit sur sa lancée analytique, les sourcils de plus en plus froncés :

— Ton téléphone sur lequel tu passes beaucoup de temps sans nous dire qui c'est... C'est pas toi, tout ça.

Vicky, qui se sent littéralement au banc des accusés à la Cour suprême, soupire une fois de plus en dévisageant Katia à l'arrière. Ses yeux sont étranges. Son regard semble repentant. Elle fixe ensuite Caroline, qui tourne rapidement la tête vers elle, pour ne pas quitter trop longuement la route des yeux. Katia commence à s'affoler :

— Pourquoi je suis pas bien quand tu me regardes avec cette face-là ?

— Parce que je vous ai VRAIMENT pas tout dit, les filles..., débute Vicky, la voix chancelante d'indécision et de remords.

— Qu'est-ce que t'as pas tout dit? l'encourage alors Caroline, avide tout autant que Katia de connaître la suite.

— Je suis troublée...

Ses copines restent perplexes devant cette information floue et manquant cruellement de contenu.

— Troublée? reprend habilement Caroline en bonne thérapeute.

— On t'écoute, Vicky. Tu le sais que tu peux nous faire confiance...

Vicky prend une longue inspiration par le nez, pour se calmer mais aussi pour se donner du courage.

— Pfft... si je vous explique tout du début, début, il faut que je remonte à il y a longtemps. Très longtemps. C'est grave...

POLYVALENTE. QUELQUE PART EN MAI...

Vicky, qui vient de terminer d'évaluer les travaux de sculpture de ses élèves, commence la planification du matériel nécessaire pour la journée suivante. Elle jette un œil à l'horloge murale de sa classe. Elle indique 18 h 45. Décidément, elle va encore rentrer tard à la maison. Prévoyante, elle avait apporté une collation qu'elle a mangée afin de permettre à son estomac de patienter jusqu'à son souper tardif.

Debout devant une grande armoire et dos à la porte, elle analyse son contenu avec concentration. Soudainement, sans trop savoir pourquoi, elle ressent une présence derrière elle. Elle se tourne vers la porte ouverte de son local, convaincue d'y apercevoir le concierge, probablement la seule personne encore présente dans la polyvalente à cette heure-là. À sa grande surprise, ses yeux tombent sur Marc, mi-éclairé par les lumières tamisées du corridor. Il ne dit rien, comme s'il l'observait depuis longtemps déjà. Un frisson parcourt le dos de Vicky, qui a sursauté intérieurement sans que cela paraisse.

— Salut. T'es encore là, dit-elle pour contrecarrer l'étrange effet qui l'habite.

— Ouais. Toi aussi à ce que je vois, réplique-t-il sur un ton un peu baveux, fidèle à lui-même.

Se remettant au travail, elle déplace des articles afin de lui permettre d'atteindre un contenant de pastels, tout au fond. Les bras aux trois quarts dans l'armoire, elle commente sans se retourner :

— Ce que j'aime par-dessus tout chez toi, c'est ta rapidité d'esprit. T'es vif !

— Moi, ce que j'aime par-dessus tout chez toi, c'est ton corps.

Elle pivote le tronc pour le regarder en croyant qu'il déconne encore. Depuis l'épisode de la vidéo exhaustive du Mexique, il lui fait de temps à autre ce genre de remarques désobligeantes. Cependant, cette fois, il semble très sérieux, toujours bien droit dans le cadre de la porte. Elle le fixe un instant. Son regard est profond, froid, voire un peu sévère. Totalement abasourdie par ce commentaire, qui ne semble pas du tout une blague cette fois, elle répète :

— Mon corps ?

— Oui.

— OK..., répond-elle, encore sceptique, croyant que celui-ci va profiter de l'occasion pour rire d'elle.

Ayant finalement saisi ce qu'elle cherchait, elle sort de l'armoire et se tourne au complet. Elle le dévisage toujours afin de tenter de déchiffrer le fond de sa pensée. Rien à faire. Il semble de glace. La voyant perplexe, il ajoute :

— Je te baiserais drette là, t'as même pas idée.

Quoi ? Il conserve son air austère et continue de la déshabiller sans gêne des yeux. Son attitude non verbale est directe et sans équivoque ; il la darde d'œillades clairement sexuelles. Maintenant convaincue que ses déclarations ne font pas partie du registre de la blague ou du sarcasme, elle sent monter en elle une excitation sexuelle impossible à contrôler. Elle a soudainement très chaud. Le bas de son ventre semble se gonfler, lui procurant une sensation agréable qui se répand insidieusement dans tout son abdomen. Déstabilisée, elle peine à lui répondre.

Elle balbutie finalement :

— Bai... serais ?

Son ton de voix trahit incontestablement son excitation. Toujours dans le cadre de la porte, il murmure en avançant un peu la tête :

— Je te ferais jouir, tu t'en remettrais jamais.

Comme son cerveau ramolli lui dicte encore de répéter: «Je m'en remettrais jamais?», elle se tait et continue de le fixer. Il fait un pas devant et ferme la porte avant de reprendre sa position statique en croisant les bras. Il décide finalement de répéter lui-même la fin de sa dernière menace:

— Non, ma belle, tu t'en remettrais jamais.

Vicky avale difficilement sa salive en l'observant toujours. Il ne bouge pas. Sans réfléchir, elle pose avec fermeté le pot de pastels qu'elle avait en main sur la table haute près d'elle et elle fonce sur lui, telle une veuve de guerre qui voit apparaître son feu mari dans la pénombre. Dans une synchronisation parfaite, les mains puissantes de Marc l'accueillent en la saisissant solidement par les épaules avant de l'embrasser. Totalement abandonnée et à la merci de son charmant ravisseur, elle se laisse guider, telle une poupée de chiffon, par ses caresses qui ne manquent pas de conviction. Il empoigne fermement le chignon de ses cheveux qu'elle porte à la base de sa nuque pour descendre sa tête doucement sur le côté. Il lui embrasse le cou en extension, à la fois de façon sensuelle, mais en lui faisant sentir sa domination quasi totale. Complètement émoustillée, plus rien ne défile dans la tête de Vicky. La toile de fond de sa pensée est noire, inexistante. Son seul point de mire: Marc.

En grognant tel un animal enragé, il la soulève de terre pour la jucher sur la table la plus près d'eux. Comme des sculptures d'élèves sont éparpillées sur celle-ci, l'une d'elles tombe au sol et se brise. Aucune réaction de la part du couple. Marc attrape doucement l'échancrure du chemisier de Vicky, juste à la hauteur des seins, et la regarde quelques secondes avant de l'ouvrir d'un geste brusque. Deux boutons cèdent sous la pression. Ceux-ci rebondissent au sol dans un tintement sonore. Vicky, qui respire bruyamment, n'entend rien du tout. Le regard toujours intransigeant, Marc admire son soutien-gorge pigeonnant avant de relever les yeux vers elle pour agripper l'arrière de sa nuque afin de l'embrasser de nouveau. Elle entreprend alors elle-même d'enlever sa jupe. Il lui fait un signe négatif de la tête en enfouissant ses mains sous celle-ci afin d'uniquement la dérober de sa petite culotte. Toujours avec fermeté, il approche le bassin de Vicky contre la table, il remonte sa jupe et se penche pour goûter son sexe. Elle s'incline légèrement sur la table et se laisse renverser par une jouissance quasi libératrice. Habile, il poursuit sa manœuvre buccale pendant un moment, tout en baissant sa fermeture éclair pour enfiler avec brio un condom d'une seule main. Sans avertissement, il cesse sa manœuvre pour la rapprocher encore un peu plus afin de la pénétrer d'un seul mouvement de bassin. Comme il est plutôt grand, la table s'avère à la hauteur idéale. Il allonge le bras pour lui empoigner de nouveau le chignon. Vicky gémit au rythme de son va-et-vient énergique. Il lui stimule à nouveau le clitoris pendant quelques instants avant que celle-ci ne se cambre le dos sur la table en s'abandonnant à un long orgasme puissant[30]...

---

30. Ouf ! Désolée pour les chaleurs...

— TAAAABARNAK! crache Katia, totalement sous le choc.

— Fffffff, siffle Caroline, en craignant presque de perdre le contrôle de la voiture sous l'émotion de cette révélation-choc.

Silence. Long silence.

— Y fait chaud dans le char, hein? envoie Katia en baissant sa vitre électrique.

— Oui, oui, oui, il fait vraiment chaud, approuve Vicky en faisant de même avec la sienne.

— Euh... Les filles, il fait douze degrés dehors, leur rappelle Caroline, qui ressent un courant froid.

— Aaaah, fait Katia en la remontant pour finalement s'éventer le visage avec sa main.

Vicky l'imite. Comme quelqu'un du trio doit commenter, la plus courageuse des trois se lance.

— Ayoye! s'exclame Katia.

— C'est euh... surprenant, la seconde Caro, en laissant fuser un petit rire nerveux. Hi! hi! hi!

— Hum, consent Vicky.

Caroline revient alors sur un détail qui la chicote dans le seul et unique but de faire la conversation:

— La sculpture, elle ? Vous l'avez brisée…

— *Fuck* la sculpture ! J'en reviens juste pas ! Marc ? Il t'a prise sauvagement sur une table de travail… à l'école ! récapitule Katia, qui désire plutôt revenir sur l'aspect croustillant de l'histoire.

— Oui. Les filles, c'était malade ! J'ai jamais été excitée de même de toute ma vie, confie avec gêne Vicky. Je pensais pas que je caressais ce genre de fantasme de douce domination…

— Moi, un peu, mais maintenant plus que jamais ! avoue Katia, qui a été très excitée par le récit détaillé de son amie.

— Il t'a déchiré le linge sur le dos, n'en revient toujours pas Caro, ambivalente quant à son appréciation de ce passage.

— Quand même pas tant que ça. Il a juste fait exploser quelques boutons de ma chemise. Je suis retournée chez moi à moitié déboutonnée, les cheveux tout défaits, décrit Vicky.

— Pourquoi tu nous en as jamais parlé ? se désole Caroline, déçue que son amie ne leur ait pas fait confiance.

— Je sais pas. Je me trouvais stupide. On dirait que j'avais honte. Marc ? On le connaît toutes depuis si longtemps, essaie d'expliquer Vicky, elle-même confuse quant aux raisons sous-jacentes expliquant son secret.

— Et son coup était prémédité ; il avait un condom sur lui, fait remarquer Katia, perspicace face aux détails.

— Comment vous êtes-vous quittés ce soir-là ? Dans le genre, on va manger une pizza pour en parler ? Vous êtes quand même collègues de travail...

— Non, ç'a pas fini de cette manière. Quand on a eu terminé...

POLYVALENTE. QUELQUE PART EN MAI...

Au moment où Marc jouit en elle, Vicky s'accroche à son cou, pour tanguer avec lui au rythme de ses derniers mouvements de va-et-vient. Il expire longtemps dans sa nuque avant de se redresser. Maintenant un peu mal à l'aise d'être si près de son collègue de longue date, elle se recule pour le regarder, l'air hébété. Il s'éloigne vers son bureau pour agripper un mouchoir avant de se diriger vers la poubelle. En se retournant, il attache son pantalon qu'il a conservé tout au long de la partie de jambes en l'air. Vicky, toujours sur la table, l'observe revenir vers elle. Il lui empoigne la mâchoire par la gorge et l'embrasse avant de lui murmurer :

— Criss que t'es belle.

Il s'éloigne en direction de la porte. Il l'ouvre, mais avant de sortir, il se retourne de nouveau. Il mime un lancer de balle de baseball dans les airs. Il refait le geste quelques fois, tout en lui précisant :

— Ma belle, moi, je reprends ça n'importe quand.

Puis il fait mine de lui lancer sa balle fictive. Perspicace, elle fait semblant de l'attraper. Il lui sourit et sort en refermant derrière lui. Seule au monde dans sa classe sombre, Vicky secoue un peu la tête pour être certaine de bien comprendre ce qui vient de se produire...

— Y est ben trop *hot*! ne se peut plus Katia, dans une admiration des plus totales.

— Bof! Il la baise et il se pousse en sauvage. Moi j'appelle ça un profiteur, interprète plutôt Caroline.

— Non, non, Caro. Analyse sa stratégie comme il faut: tout d'abord, il lui laisse le choix que les événements aient lieu ou non en restant dans le cadre de la porte. Il bouge pas. Quand ELLE décide que c'est oui, il la fait jouir à mort, tel que promis, et ensuite il la fait se sentir belle comme jamais puis se pousse avant de lui lancer la balle, en voulant dire: «Moi je veux te revoir, à toi de décider!» C'est juste trop parfait! décortique Katia en fine psychologue.

— Ah ouin? réagit Caroline en réfléchissant sérieusement à l'analyse de son amie.

— Vu la suite de l'histoire, t'as totalement raison, avoue Vicky.

— La suite? s'emballe Katia, très émoustillée de l'entendre.

— La suite? répète Caro, qui se laisse porter au gré du vent par cette discussion abracadabrante.

Vicky poursuit son histoire:

— J'ai regretté tout de suite après d'avoir baisé avec lui. Je me suis dit: «C'était n'importe quoi!» Imaginez, je fréquentais encore Christian à ce moment-là. Moi qui trouvais que ce gars-là manquait de piquant depuis le début, il est comme devenu le plus ennuyant de la terre entière, et ce, bien malgré moi.

— Ouin, j'avoue. Et Marc a agi comment par la suite? Moi, honnêtement, j'ai jamais remarqué que vous aviez eu une aventure, tente de se souvenir Katia, qui s'était retrouvée très souvent en présence d'eux après l'événement.

— Pour Marc, je vous jure, il agissait comme s'il s'était RIEN passé. Moi j'avais comme de la misère à rester normale. Mais lui, il semblait parfait. Tout allait bien!

— Et là, ç'a fini comment? demande toujours Caroline.

Vicky continue donc son récit:

— Quelque part au mois de juin, donc plusieurs semaines plus tard...

POLYVALENTE. QUELQUE PART EN JUIN...

Vicky, qui termine encore une fois sa journée tard, passe devant le secrétariat pour aller y déposer du courrier interne qui doit se rendre à la commission scolaire avant la fin des classes. Comme il est 18 h 15, la pièce est déserte. Elle glisse ses enveloppes dans les casiers appropriés et retourne vers sa classe, au premier étage. En passant devant le gymnase, elle y entend du bruit. Elle approche à pas de loup. Elle ne peut pas voir qui s'y trouve, mais elle entend bien ce qui s'y passe. Poum! Paf! Poum! Paf! Poum! Paf! Quelqu'un, probablement Marc, fait rebondir un ballon de basketball du mur au sol pour le relancer ensuite rapidement. Poum ! Paf ! Poum ! Paf ! Ne pouvant résister à la tentation, elle entre. Sans se retourner, il continue ses lancers au mur, avec beaucoup de précision. Il s'adresse à elle, toujours sans la regarder :

— Ç'a été long...

— En fait, je passais, j'ai entendu du bruit, je me suis dit : « Ah ben coudonc, un autre qui "rushe" en cette belle fin d'année. » Ha ! ha ! ha ! et là, j'ai...

Comme il la sent nerveuse et qu'elle parle très vite, il la coupe sans ménagement :

— Long avant que tu reviennes me voir.

Au moment où le ballon revient vers lui, il l'attrape, mais sans le relancer. Il se tourne finalement vers elle. Regard sévère, profond. Un silence envahit le vaste gymnase, dont seulement la moitié des plafonniers sont allumés. Contrairement à la fois précédente, il avance vers elle tranquillement. Elle a de nouveau très chaud, sans trop savoir pourquoi. Elle le fixe. Il s'immobilise à quelques centimètres d'elle. Elle déglutit avec difficulté en raison de l'excitation sexuelle qui, une fois de plus, la fait frémir jusqu'à la moelle sans qu'elle comprenne rationnellement pourquoi. Marc le sent, tel un loup affamé reniflant la chair fraîchement meurtrie à des kilomètres à la ronde. Comme s'il lui en voulait, il déclare :

— Je me suis ennuyé, moi...

Toujours sans comprendre pourquoi, elle réplique à mi-voix :

— Je m'excuse...

Dans un élan incontrôlable, elle se jette sur lui pour plaquer sa bouche contre la sienne. Libéré, le ballon frappe le sol... Boum ! boum ! boum...

Suspendue à ses lèvres, Katia beugle dans la voiture :

— Ben là ! Il se prend-tu pour Christian Grey, lui, avec ses jeux de domination ? Quessé ça !

— Hi ! hi ! hi ! Peut-être bien ? J'ai pas lu les livres. En tout cas, je vous le jure, je n'y entrais pas en me disant je vais aller le baiser. Pantoute ! Mais c'est ce qui s'est passé finalement. Il m'avait comme hypnotisée, avoue Vicky, elle-même déroutée de la tournure des événements.

— Marc Messmer ! rigole Katia.

— Parle pas d'« hypnotisage », Kat va se mettre à danser partout ! plaisante Caroline, penchée sur le volant à se dilater la rate.

— Bon..., réagit celle-ci, dont la blague la laisse de glace. Donc, continue, grosse baise sauvage dans le gymnase ?

— Oui. Je vous passe les détails, mais il m'a fait l'amour férocement dans la petite salle de matériel d'éducation physique au fond à droite, accotée sur un *rack* de ballons...

Caroline, d'humeur à faire des blagues comme jamais, commente :

— Mais le ballon tombé au sol au début, vous l'avez ramassé ou pas ?

— Regarde mon autre avec ses détails insignifiants ! Parle-nous de ton orgasme puissant entre deux raquettes de badminton à la place, la prie Katia, assoiffée de croquant.

— Même chose : quand j'ai joui, je pensais pleurer tellement c'était intense.

Katia, complètement gaga, la dévisage en miaulant :

— Aaaah ouuuuin...

Caroline, plus rationnelle, revient dans le vif du sujet :

— Comment s'est terminée votre histoire tout court ?

— Bref, on s'est revus incognito deux fois avant la fin de l'année scolaire...

— Incognito ? Tu veux dire dans l'école ?

— Oui, comme une conne de dépendante, c'est moi qui allais toujours le retrouver. Les deux fois, c'était le soir quand il n'y avait plus personne dans l'école sauf le concierge.

Katia, l'imagination trop fertile, invente une histoire :

— Et là, une fois, le concierge vous a surpris et il vous a rejoints pour une partouze à trois entre les ballons et le cheval d'arçons ? Et il te tapait vigoureusement les fesses avec une raquette après t'avoir attachée avec une corde à danser...

— Ark ! C'est ton fantasme ! Pas le mien ! précise Vicky, dégoûtée par la scène. Non, il nous a jamais surpris, heureusement.

Déçue, Katia secoue la tête. Caroline tire la langue en direction de Vicky pour lui signifier qu'elle partage son écœurement.

— Vous êtes-vous revus durant le congé estival ?

— C'est bizarre... La dernière journée des classes, j'ai trouvé son numéro de portable dans ma boîte de courrier interne, avec rien d'autre d'écrit sur le papier. Quelque part au mois de juillet, je l'ai texté en disant juste : « Allo ! » J'ai hésité avant de l'expédier, car je me demandais : « C'est quoi, on va aller souper ou un truc du genre ? » et on dirait que ça me tentait pas nécessairement. Il m'a retexté : « Où ? Quand ? Comment ? » J'ai répondu par des points d'interrogation, en voulant dire que je comprenais pas trop ce qu'il voulait dire. Je voulais pas qu'il vienne chez moi. Il a finalement pris les choses en main et il m'a récrit : « Parc de la Gatineau, 20 h ». Je m'y suis rendue et on a baisé, en pleine nature. C'était aussi bon que toutes les autres fois...

— OK, vous vous donniez des rendez-vous de sexe ?

— Oui, c'est arrivé trois fois durant l'été. Sinon, aucun autre contact.

— Ordinaire, je trouve, commente Caroline. Tu voulais pas le voir dans un autre contexte ? Passer plus de temps avec lui ?

— Pas vraiment. Comme si j'avais peur de perdre l'ardeur de notre relation torride. Ça m'amusait de pas savoir où et quand se passerait le rendez-vous suivant.

— Vraiment pas mon genre de relation, ajoute Caroline, qui trouve le truc très impersonnel, voire futile.

— Moi, j'aime le concept, déclare sans surprise Katia, absorbée par l'aspect excitant de la relation atypique.

— On s'est vus au même parc deux fois, et ensuite dans les toilettes d'une station-service. Je revenais de faire l'épicerie et il m'a textée de m'y rendre.

— T'as jamais eu envie de dormir avec lui ? Je sais pas... se coller, se réveiller ensemble le matin, se flatter le dos, tente encore de mettre en perspective Caroline, incapable de comprendre ce type de relation.

— Non. En plus, j'ai fréquenté quelques gars cet été avec qui je soupais ou faisais des activités, et mon sentiment de trouver tous les gars ennuyeux revenait toujours au grand galop. Avec lui, je gardais tout l'aspect épicé, imprévisible, mais à l'extrême, j'en conviens.

— À un moment donné, tu vas devoir trouver un équilibre si tu veux être en couple et avoir des enfants, note Caro, moralisatrice.

— Je sais... mais on a quand même développé une belle complicité durant cette période-là.

— Il y a d'autres façons de vivre que le traditionnel couple-maison-enfant-chien-tracteur-à-gazon, Caro, souligne Katia.

Les filles se taisent un instant. Chacune essaie d'analyser les balises peu conventionnelles d'une relation de ce genre. Acceptable ? Immorale ? Excitante ? La route qui défile les rapproche de leur ville d'origine. Chacune a bien hâte de retrouver le confort de son petit chez-soi. Elles poursuivent la discussion.

— Et quand l'année scolaire a recommencé en août ?

— Le manège de l'été a perduré, mais plus fréquemment. On s'attendait souvent le soir; il laissait des mots dans mon casier ou sur mon pupitre.

— Donc tu le savais depuis le début qu'il serait au congrès ?

— Ah ! celle-là est bonne en maudit ! se souvient Vicky.

— Tu le savais pas ? comprend Katia.

— Non... et ça faisait quand même deux semaines qu'on s'était pas « vus ». Je l'ai aperçu en même temps que vous autres. J'en revenais tout simplement pas...

Dans une ambiance de branle-bas de combat, les congressistes saluent leurs confrères avant de se lever pour se diriger vers la seconde étape de ce souper échangiste. Les trois filles discutent de la coiffure de Caroline au centre de la salle.

— Dis-toi au moins que tu croiseras personne que tu connais. Les gens vont croire que t'es simplement une prof un peu originale, c'est tout ! prétend Vicky, qui essaie à son tour de la réconforter, en continuant d'analyser les cheveux de son amie, les yeux plissés. Elle t'a carrément rasé le côté de la tête ?

— Je sais. Quand j'ai réalisé que le truc qui faisait du bruit dans ses mains était un rasoir électrique, il était, disons, un peu trop tard pour intervenir...

— Ouin…

En s’avançant comme on le fait pour confier un secret, Katia lui partage une information importante :

— Dans un tout autre ordre d’idées, on a vu un méchant beau gars !

Ce détail futile étant à des années-lumière de ses préoccupations actuelles, Caro se montre tout de même à l’écoute de son amie en demandant :

— Où ça ?

Excitée comme une puce, Vicky enchaîne :

— À gauche, là-bas… Le gars debout avec la chemise rayée noir et blanc…

Caroline cherche quelques instants du regard avant de repérer le grand et solide gaillard qui se trouve de biais avec elles. Elle ne peut s’empêcher d’agrandir les yeux.

— *My God!* Hein ? lui lance Katia, totalement émoustillée, heureuse de la voir ainsi confirmer leur fameuse découverte.

— Un genre de mélange entre Brad et Bradley, je capote ! rajoute Vicky.

— Tellement *sexy*… On l’a justement surnommé « le 6e » en référence au « *sexe floor* », explique Katia à Caroline, pour la mettre au courant du surnom de ce dieu grec.

— Le 6e ? répète Caro, en doutant de la qualité dudit surnom.

— Salut, mes trois préférées ! murmure alors un homme en guise d'introduction en arrivant derrière elles.

Stupéfaites, les filles se retournent en même temps pour voir qui les interpelle de la sorte.

— Marc ? sursaute Vicky en apercevant l'enseignant d'éducation physique, alias son amant.

— Surprise ! fait celui-ci en haussant les épaules, amusé de découvrir de l'ahurissement dans le regard médusé de ses collègues, surtout dans celui de Vicky.

— T'es là…

— Oui, je suis là ! C'est bien moi, je pense, plaisante celui-ci en se caressant le torse, comme s'il prenait conscience de son corps au même moment.

Les trois amies semblent interloquées et restent bouche bée. Il lorgne un peu la coiffure spectaculaire de sa collègue enseignante de français avant de se moquer :

— À ce que je vois, t'es déjà prête pour le *party* d'Halloween de samedi soir, Caroline ?

— C'est ça, oui, je me suis prise d'avance cette année…

— On savait pas que tu serais ici ! C'est le *fun* ! ment Vicky, en lui adressant le pire sourire forcé de toute l'histoire des mimiques faciales du monde entier.

— Oui, le directeur m'a envoyé en mission pour m'assurer que vous ne feriez pas honte à notre école. Au cas où vous auriez envie de vous mettre les boules à l'air autour de la piscine de l'hôtel, des trucs comme ça ! déclare Marc, sans gêne, un sourire narquois sur les lèvres.

Vicky, reste muette. Elle pense halluciner. « Qu'est-ce qu'il fait ici ? », se demande-t-elle, abasourdie.

— Ha ! ha ! ha ! fait Caroline avec un rire forcé, rougissant tout de même un peu.

— Sans blague, un collègue avec qui j'ai étudié à l'université m'a écrit la semaine dernière pour me dire qu'il venait ici en fin de semaine. J'ai donc demandé au directeur de m'inscrire à la dernière minute et il a accepté ! C'est génial, hein ?

Il regarde Vicky droit dans les yeux en souriant largement.

— Ben oui, toi ! lance celle-ci, ambivalente d'être heureuse ou non de voir son amant surgir de la sorte.

— Faites pas trop les folles. Je vous ai à l'œil ! rigole-t-il en reculant de quelques pas en soutenant, bien évidemment, le regard de Vicky plus que celui des autres.

Comme le maître de cérémonie prie tout le monde de prendre place pour la suite du service, les filles se dévisagent en silence avant de se rendre à leur tour à leur nouvelle table.

En arrivant à la sienne, Vicky salue poliment les nouveaux visages avant de s'emparer de son téléphone dans son sac à main. Elle texte Marc illico :

(Qu'est-ce que tu fais là ????)

Comme il se trouve à l'opposé de la salle, elle ne le voit pas. Il la fait languir avant de lui répondre :

(J'aurais aimé que t'aies l'air un peu plus contente de me voir...)

Elle décide de le faire poireauter à son tour. Pourquoi lui a-t-il caché ce détail ? Dans quel but ? Son flot de sentiments intérieurs s'avère contradictoire et mêlé. D'un côté, elle a ressenti une poussée d'hormones incroyable en le voyant arriver. De l'autre, elle s'est aussi vraiment sentie importunée de son intrusion-surprise dans son week-end de filles. Elle a aussi eu peur que ses amies décèlent un malaise dans son attitude lorsqu'il s'est approché d'elles…

— Tu vois, en y repensant bien, c'est vrai que t'as eu l'air vraiment plus troublée que nous autres de le voir débarquer, analyse Katia, qui se rappelle très bien ce moment.

— Moi, j'ai rien remarqué, se désole Caroline.

— Donc, tu l'as vu en secret durant tout le congrès ; je commence à comprendre…, réfléchit Katia.

— Moi aussi, approuve également Caroline, en secouant la tête de haut en bas.

— Durant le premier souper, je l'ai jamais retexté pour jouer à son petit jeu, vous comprenez. Je voulais que ce soit lui qui fasse les premiers pas. Donc, plus tard ce soir-là…

Après presque trente minutes de nettoyage de dents, de gargarismes intenses au rince-bouche, de retouches de maquillage et de coups de fer plat, les filles sortent finalement de la chambre plus ou moins satisfaites du résultat, à l'exception de Katia, toujours d'une humeur pétillante.

— Bon ! On est heureuses et on s'en va faire la fête !

— C'est un peu mieux mon affaire, mais on partait de loin, commente Caro en songeant à sa coiffure qui demeure très excentrique.

— On pue quand même encore beaucoup, fait remarquer Vicky, qui regarde discrètement son cellulaire en faisant mine de chercher quelque chose dans son sac à main.

Toujours rien. Elle commence vraiment à craindre que Marc ne lui récrive pas.

En arrivant dans le bar du lobby déjà plein à craquer, les filles semblent satisfaites de leur décision et elles se faufilent discrètement près du comptoir central.

— *Shooters !* clame haut et fort Katia, en regardant un jeune serveur qui avance vers elle.

Ledit serveur leur sert aussitôt trois tequilas, tel que demandé. Les filles avalent leur petit verre avec difficulté.

— Ouache ! C'est donc ben dégueulasse ! La tequila est vraiment meilleure au Mexique, conclut avec emphase Vicky, qui avait oublié le goût infect de celle d'ici.

Elle analyse de loin les bouteilles de boisson parfaitement alignées. Comme elle risque de croiser Marc quelque part durant la soirée, elle doit absolument trouver un moyen d'éliminer son haleine d'oignon.

— Ça prendrait quelque chose de frais pour l'haleine...

Le charmant jeune serveur, appelé Alexis, attend patiemment leur nouveau choix.

— Crème de menthe verte, en *shooter*, demande Vicky, certaine de son coup.

Vicky sent une légère vibration dans son sac à main. Enfin, un texto. Pour ne pas éveiller les soupçons de ses amies, elle ne vérifie pas tout de suite s'il s'agit bien de Marc, et songe à une façon de s'éclipser en douce.

Elles ingurgitent illico le petit verre en faisant cul sec. En réglant la note, Katia laisse le serveur repartir vers la caisse avant d'émettre une drôle d'hypothèse.

— Il « trippe » sur toi ! déclare-t-elle en désignant Caroline.

— Ben non, voyons, répond celle-ci en rougissant tout de même un peu.

— Je vais aux toilettes, annonce Vicky, peu attentive aux allusions de son amie, en s'éloignant les yeux rivés sur l'écran de son téléphone portable.

C'est effectivement Marc.

(Si je t'attrape dans un coin, ça va faire mal.)

Vicky se réjouit licencieusement de cette menace. Elle lui récrit :

(Pour ça, il faut que tu m'attrapes...)

Comme ils sont en congrès pour tout le week-end, elle décide de repousser les limites de sa patience. Son but est-il de le rendre encore plus dominant ? Peut-être bien...

Les deux filles semblent maintenant saisir la suite :

— D'où la raison pourquoi tu voulais retourner à notre salle de congrès plutôt que d'aller à celle des comptables après, dit en premier Caroline.

— Ça explique aussi pourquoi tu semblais regarder ton cellulaire en cachette tout le temps et que tu capotais à outrance avec ton haleine, se souvient Katia.

— Voilà ! Entre nos deux chansons au karaoké, il m'a textée en majuscules :

(TU ME RÉPONDS MAINTENANT. T'ES OÙ ?)

Katia, qui analyse bien le sens de ce message, écarquille les yeux en ouvrant la bouche. Vicky poursuit :

— Imaginez, j'étais « chaudaille » à force de boire du vin. Étant donné que nos aventures se passaient toujours à l'école ou dans des endroits publics, on n'a jamais été sous l'effet de l'alcool. Je suis comme devenue folle, je voulais qu'il m'arrache le linge sur le dos avec ses dents…

Katia lève une main en l'air avant de la couper brusquement :

— Est-ce que je peux placer un commentaire ? Les filles, je vous trouve poches ! Pas mal poches, même. Excuse-moi Caro d'en reparler, mais j'ai l'impression de vivre un copier-coller du voyage au Mexique, avec les révélations-chocs à la toute fin de notre séjour. C'est quoi le problème ? On n'est pas assez amies pour se parler, pour se confier des secrets ? On est quoi d'abord ?

— C'est pas ça…

— C'est quoi alors ? Tu fréquentes un gars depuis des mois, sans nous en dire un mot…

— Dans un autre contexte, je vous l'aurais dit, mais là, il travaille avec nous. T'as une grande trappe des fois Katia ; tu l'aurais peut-être taquiné devant tout le monde, avoue Vicky, en la fuyant du regard.

— Franchement ! Je suis capable d'être discrète. En tout cas, j'avais besoin de vous le dire. Bon, continue, on était rendues à « arracher ton linge sur le dos avec ses dents ».

Un peu ébranlée par la profonde déception de son amie, Vicky réfléchit un instant avant de reprendre le fil de son récit. Caroline baisse la tête aussi, comprenant à la fois le point de vue de l'une et de l'autre.

— Euh… donc, je suis soûle, je veux qu'il me tire les cheveux, résume succinctement Vicky. Et je l'ai pas vu depuis longtemps, je vous rappelle. Tout au long du karaoké, je lui texte des affaires cochonnes, mais là, à la fin, j'en peux plus et lui non plus, donc…

Les filles, considérablement éméchées, terminent la chanson en faisant un «cocon» bien soudé, bras dessus, bras dessous, laissant transparaître la mélancolie qu'elles attribuent aux paroles de la ballade.

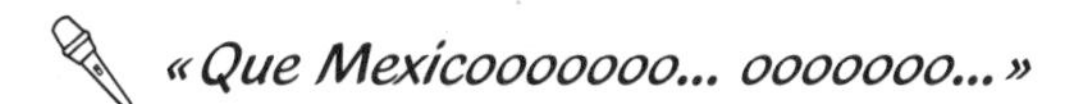
«Que Mexicooooooo… ooooooo…»

À la fin de la chanson, Katia avoue sans détour à Jean:

— Le plus curieux, c'est qu'il s'agit sûrement du pire voyage de l'histoire, mais on est comme unies viscéralement par cette expérience-là, tu comprends?

— Ouais, ouais…

— Sérieux, ce voyage-là, c'est vraiment LE pire de tous! renchérit Vicky. J'ai dû vider mon compte de banque à cause d'un trou de cul qui m'a fait chier. Pas grave, je me suis vengée en publiant une photo de lui nu, avec sa grosse graine molle géante en gros plan sur le Net. Combien d'internautes l'ont vue, les filles?

— On était rendu à vingt-trois mille personnes la dernière fois qu'on a regardé, lui rappelle Katia avec fierté, satisfaite de la démarche de vengeance de son amie.

Jean dévisage les filles bizarrement. L'anecdote ainsi rapportée, et hors contexte, lui paraît un peu inusitée, voire décousue. Il hausse même les épaules, semblant vouloir plus de détails face à l'embryon d'histoire qu'elles lui ont livré. Katia, qui meurt d'envie de tout lui raconter, se fait rapidement ramener à l'ordre par Caroline.

Vicky, qui regarde son téléphone intelligent, cligne des yeux plusieurs fois. C'est Marc :

(Je te donne 3 minutes pour me rejoindre dans le lobby.)

Elle déclare à ses amies :

— Bon ! Il est tard, je vais me coucher !

— Moi aussi. Attends-moi, je vais aller aux toilettes avant. J'ai trop envie, la prie Caro, qui disparaît en cinquième vitesse.

« Merde, elle peut pas me suivre... », songe Vicky.

Restant au bar, les autres observent avec attention une femme dans la quarantaine qui monte sur scène. Débute la trame sonore d'une douce mélodie...

— Hooooon ! Whitney Houston ! J'espère qu'elle chante bien, au moins, souhaite Katia, emballée par la potentielle prestation touchante.

Jean, qui saisit l'occasion d'effectuer un rapprochement facile avec Katia, la prend par la taille, et le couple se tourne ainsi vers la scène pour apprécier le spectacle.

Saisissant la chance inouïe de s'éclipser en douce, Vicky se met en retrait et quitte la salle. Elle marche d'un pas pressé pour ne pas croiser Caroline lorsqu'elle sortira des toilettes. Rendue dehors, elle emprunte le chemin extérieur, en trottinant toujours sur ses talons hauts à bonne vitesse. Lorsqu'elle arrive dans le lobby au premier étage, Marc est là, assis bien droit sur une chaise, les jambes écartées, les bras croisés. Sans rien dire, il se lève et s'engage dans un corridor adjacent à la réception, qui mène à la cage d'escalier. Elle le suit docilement, en croyant qu'il a un plan. Il monte au troisième étage près de l'aire récréative, et il tente d'ouvrir quelques portes au passage, mais en vain. Tout semble verrouillé. Comme il n'y a personne dans le corridor, il en profite un peu. Il agrippe sa belle par la taille et l'attire avec force vers lui.

— Toé là…

— On va où ?

— Ma chambre est occupée et tu partages la tienne aussi…

Un concierge poussant un chariot passe au bout du corridor. Pris d'une illumination soudaine, Marc ordonne à Vicky :

— Demande-lui de t'ouvrir cette porte, je me cache là.

— Oui, mais…, hésite Vicky pas convaincue du plan à suivre.

Trop tard. Marc part en trombe dans la direction opposée et tourne le coin pour se cacher dans l'espace encastré d'une machine à glace. Vicky réfléchit à une excuse vraisemblable qui justifierait au concierge de lui ouvrir la porte de l'espace récréatif. Légèrement éméchée, elle songe à une option facile. Son cellulaire annonce la réception d'un texto. « T'es où ??? » lui demande Caroline.

Elle ne lui répond pas et court à petits pas vers l'homme à l'autre bout du corridor. En arrivant près de lui, elle lui demande :

— Excusez-moi, j'ai oublié mes lunettes dans le vestiaire de la piscine. Pouvez-vous m'ouvrir, svp ?

— Si ! Pas dé prrroblèm, madame, réplique l'homme latino, tout simplement content de pouvoir aider quelqu'un.

— Ma chipie ! T'as soudoyé Ramon ! rit Caroline.

— Ha ! ha ! ha ! Crampant !

Caroline ajoute un nouveau morceau de casse-tête à l'histoire :

— Et quand il m'a demandé plus tard ce soir-là : « Eséqué votrrre amie cherrrcher lunettes ? », je l'ai regardé comme si je le trouvais bizarre, mais il avait raison finalement.

— Ou la fois à la piscine, quand il nous a fait sa mise en garde de ne pas oublier nos lunettes et qu'on comprenait pas du tout le rapport, se souvient aussi Katia.

— Saisissez-vous maintenant pourquoi je le connaissais déjà quand tu nous l'as présenté ? leur fait prendre conscience Vicky.

— Hein ? À quel moment ?

— Le midi, au resto...

Pour rajouter à l'hypothèse farfelue des filles à propos du pouvoir-capillaire-attractif incontestable de Caroline, Ramon, qui surgit de nulle part avec un chariot rempli de vaisselle propre, lui envoie à son tour la main avec un engouement tout aussi vif. Caro lui balaie un petit signe des doigts, pas plus haut que la hauteur de ses épaules. Sans crier gare, Ramon se détourne de sa tâche, fonçant vers elle comme si elle l'avait clairement prié de venir éteindre un feu ardent sous la table.

— Carrrolina ! s'exclame le jeune Portoricain en arrivant près d'elle.

Les yeux dans la graisse de bines, il la dévisage sans rien dire. Katia déclare, complètement dépassée :

— Ben voyons ! D'où il sort, lui ? T'as-tu envoûté tous les employés de l'hôtel, coudonc ?

Caroline lui adresse un large sourire, qui semble clairement vouloir dire : « Je te déteste », pendant que Vicky se présente :

— Moi, c'est Vicky. On s'est déjà croisés, je crois.

— Aaah. Si, dans lé corridor, ayer…

Elle enchaîne rapidement pour éviter d'élaborer sur le sujet devant ses amies, qui n'en savent rien :

— D'où viens-tu ?

— Ramon, dé Porto Rico, répond celui-ci, tout sourire, comme s'il auditionnait pour l'émission de téléréalité de l'heure.

— Bien, bien…

Les filles rigolent encore dans la voiture en se souvenant également très bien de cette scène. Après coup, tout fait du sens.

— Je te le jure, j'ai jamais pensé à ça. Je croyais qu'il t'avait peut-être vue dormir sur la chaise dans le lobby comme tu nous l'avais dit, explique Caroline.

— J'ai jamais dormi sur une chaise. Quand il a dit: «Siii, rencontrrrée ayer…», j'ai enchaîné assez vite merci avec une question, comme vous l'avez vu, confie Vicky en riant aussi. Imagine s'il avait dit: «Toi trrrouvé lunettes?» Vous auriez dit: «Hein? Quoi?»

— Hish, pas certaine que j'aurais compris, avoue Caroline. C'était tout de même subtil.

— C'est vraiment drôle. Quand tu en auras terminé avec tes confidences, je vais en faire une aussi…, déclare Katia, en se mettant la main à plat devant la bouche comme si elle regrettait instantanément d'avoir parlé.

— Quoi? fait Vicky, contente de ne pas être la seule à avoir des squelettes dans le placard.

— Moi aussi, j'ai soudoyé Ramon…

— HEIN ? crie Caro, amusée à souhait.

— Mais le dossier de Vicky, d'abord. Donc, Ramon t'ouvre la porte, et ensuite ?

Vicky la dévisage, maintenant trop curieuse de savoir pourquoi Katia a elle aussi nécessité l'aide du jeune Portoricain.

— Tu m'intrigues, mais bon, on va y revenir. Donc oui, il ouvre et il me dit que j'ai juste à refermer en sortant, car la porte se verrouillera automatiquement. Il n'avait pas à craindre que je me noie soûle dans la piscine, car une barrière empêchait d'y accéder.

— Naturellement, vous avez vérifié, en déduit Katia, qui aurait fait la même chose.

— Évidemment. Donc, quand je suis entrée, j'ai fait semblant d'aller au vestiaire et il est parti ; j'ai juste eu à revenir sur mes pas pour ouvrir la porte de l'intérieur à Marc. On a ensuite choisi au hasard le sauna qui était éteint, question de ne pas suffoquer. Ailleurs, on craignait qu'il y ait des caméras de surveillance.

— C'était le *fun* ?

— Vraiment ! Les deux, on était « cocktails », donc ce fut encore plus torride que les autres fois. On y est restés presque trois heures. C'était parfait, sauf pour un détail…

— Quoi ?

— Euh ! Je puais les oignons à trois kilomètres à la ronde ! crie Vicky à tue-tête dans le véhicule.

— Ha ! ha ! ha ! Je te comprends d'avoir capoté avec ça autant, souligne Caro.

— Tu dis.

Katia s'amuse à souhait de la situation. Elle en profite pour la féliciter.

— Trop drôle ! Vous avez été vraiment bons de tout cacher en feignant de vous détester. Le lendemain au déjeuner, il avait l'air de te taper royalement sur les nerfs.

— On en mettait plus que le client en demande pour être subtils.

— Moi aussi j'étais certaine que tu le détestais à mort, renchérit Caroline, qui avait ressenti le même genre d'animosité entre les deux amants.

— Je le déteste aussi, ment Vicky en leur faisant un clin d'œil.

— Tu as très bien joué ton rôle.

— Je riais dans ma barbe chaque fois qu'il venait nous voir…

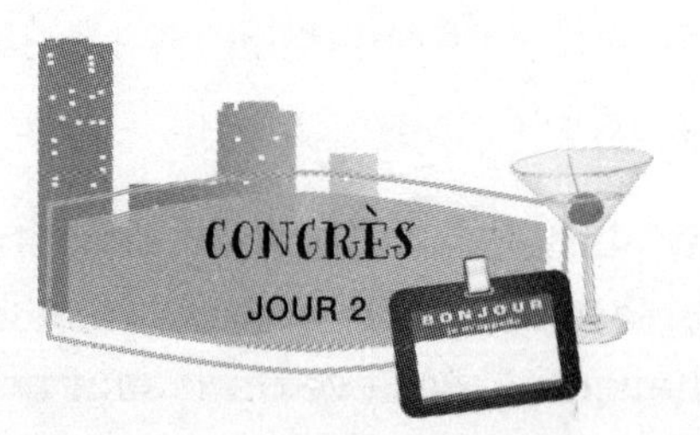

— Salut, les filles ! articule Marc en s'assoyant à leur table, l'air d'avoir l'intention de prendre son déjeuner avec elles.

— Salut…, répond avec mollesse Vicky, paraissant toujours peu enjouée de le voir présent audit congrès.

— J'ai des pas pires vidéos de vous autres, hier, durant le spectacle de l'hypnotiseur! se vante allégrement celui-ci, avec un sourire en coin éclatant.

— T'as filmé ça? lui crache Katia, pas très contente de ce détail.

— Ne vous inquiétez pas, c'est juste le directeur qui me l'a demandé. Ça va être drôle en maudit au *party* de Noël! déconne Marc, qui semble se délecter de la situation.

— Pas drôle, lui envoie Caroline pour tout commentaire.

— Au fait, on a pris un verre à la soirée hier et on ne vous a jamais vues. Vous étiez où? enquête Marc, toujours sans se mêler de ses affaires.

— On a pris une bouteille de vin entre filles à la chambre, ment Vicky en lui faisant un sourire forcé pour lui signifier, mine de rien, que ce n'est pas de ses oignons.

Discrètement, il étire la jambe sous la table afin que son pied touche la jambe de Vicky assise à sa droite. Elle coince alors le soulier de Marc entre ses deux mollets et le serre en étau pour répondre à son petit manège.

— Vous êtes donc ben matantes! Je pensais que vous faisiez du monokini près de la piscine, présume celui-ci, toujours fier d'évoquer des événements du passé.

— Ha! ha! ha! On peut en revenir de ça aussi, lui suggère Vicky, en riant très jaune cette fois-ci.

— Bah! Arrêtez donc de faire vos profs prudes, là! Mais j'avoue qu'avec une haleine d'oignon de même, ce n'était pas le temps de sortir... Ça devait être terrible, hein?

Aucune réponse. Il sourit à Vicky qui hausse les sourcils discrètement dans sa direction avant de tourner la tête. Ne se sentant finalement pas le bienvenu à leur table, les filles regardant dans tous les sens en silence, Marc se lève pour rejoindre son ami, assis plus loin.

— À plus !

— C'est ça, oui.

Une fois Marc parti, les trois copines émettent quelques commentaires à son sujet. Katia avoue la première :

— Il m'énerve tellement avec son petit air de « vous êtes à ma merci ».

— Méchant pas de vie, lui, déclare Vicky tout en matant de loin ses fesses rebondies d'enseignant d'éducation physique très en forme.

Un homme à l'avant prie gentiment les congressistes de s'asseoir afin de commencer le déjeuner-conférence. Plus loin, Marc se retourne vers Vicky, qui imite son geste au même moment. Il ouvre légèrement la bouche en faisant remuer sa langue de haut en bas. Vicky roule des yeux subtilement avant de tourner sa tête vers l'avant de la salle.

Katia semble tout à coup s'interroger à propos d'un détail. Elle tape sur l'épaule de Vicky et lui demande :

— Au fait, lui as-tu avoué qu'on était au congrès des comptables ce soir-là ?

— Non, on n'a pas « jasé » beaucoup, en vérité, affirme celle-ci en clignant d'un œil.

— Et le soir suivant ? Tu l'as pas vu étant donné qu'on était en ville, note Katia.

— Et Marc n'était pas à la soirée casino non plus, il me semble, fait remarquer Caro.

— Non, il est allé prendre un verre en ville lui aussi…

— Je suis toute mêlée. Il s'est donc jamais farci une fille de Zumba ? tente de récapituler Caroline.

— AH NON ? semble tout comprendre Katia. Ne me dis pas que toute cette histoire de pompier rencontré dans le bar en revenant des toilettes était un canular ?

— Attendez ! Vous allez tout saisir. Il m'a solidement renvoyé la monnaie de ma pièce ce soir-là. Je l'avais un peu fait languir le jeudi, eh bien, j'ai payé pour. Je vais vous lire notre conversation de textos.

Vicky cherche sur son téléphone portable puis trouve le fil des messages datant de ce jour-là.

— Quand on s'est rendu compte que le *party* des comptables était le *fun*, mais sans plus, je lui ai écrit : « Je veux te voir… »

— Ark ! Quand monsieur-le-puant-dégueu me crachait dessus en parlant. Ouache ! vomit presque Caro en se remémorant la scène pathétique.

Katia poursuit en exagérant encore volontairement leurs péripéties:

— Avant de lancer des bouteilles de vin rouge sur moi...

— Exact! Et là, Marc me récrit pas. Je suis frustrée raide. Je lui retexte «EILLE?»

— Juste «eille»? répète Caro.

— Oui, comme dans «Eille, chose?», comprend d'emblée Katia, qui aurait probablement utilisé une réplique de ce genre dans le même contexte.

— Toujours pas de nouvelles. Plus tard, au *party* de la SAQ, je reçois un texte qui dit: «Pas disponible ce soir, ma belle.» Là, je veux vraiment le chercher dans tout l'hôtel, mais vous voulez pas revenir au *party* de notre congrès, donc je sais pas quoi faire.

— C'est vrai, tu voulais y retourner, toi, se rappelle encore Caroline.

— Complètement folle, je lui réponds: «T'es où?» Il récrit tout de suite: «En ville et pas tout seul...» *WHAT?* Je vous le jure, à ce moment-là, je voulais tuer des bébés chats à mains nues.

— Ark! Mon Dieu, gesticule Caro en trouvant son image réellement dégoûtante.

— Je voulais arracher les yeux des danseuses du Carnaval de Rio avec mes ongles, poursuit Vicky, encore sous l'impulsion de la rage qui l'habitait.

— C'est beau, Vic... On a compris le concept. Donc? la presse Katia, qui désire en venir au fait. Où était-il? Au Maurice?

— Attends... Je lui récris affectueusement: «VA CHIER», en beau maudit. Quand on fait le petit train à la fin du spectacle, je veux plutôt étrangler mon voisin d'en avant. Mais je le cache bien. Donc, on quitte le *party* de la SAQ, et là, je suis toujours «chaudaille», donc je n'arrête pas de lui texter discrètement de douces insultes parce qu'il ne répond plus du tout. Si je lis ce que je lui ai envoyé, on a dans l'ordre: «CONNARD», «JE TE DÉTESTE», suivis de «TROU DE CUL», et je termine en beauté avec «TU VAS ME LE PAYER».

— Tu le menaces? expose Caroline, surprise du comportement de son amie.

— On voit bien l'escalade de ta colère à travers les messages, analyse docteure Katia.

— Oui, madame. Et le pire, je déconne pas du tout. Je suis en beau fusil.

— Quand on conseille de pas texter un individu du sexe opposé quand on est en maudit et soûle... voilà un bon exemple! souligne Katia en guise de message éducatif pour tout le groupe[31].

— Tu dis. À éviter en tout temps. Cela dit, baveux, il répond finalement par un sourire à ma série d'insultes, s'insurge Vicky, en montrant son téléphone à Katia pour qu'elle constate elle-même le grave affront.

---

31. Et pour les gens à la maison aussi... 😉

— C'est chien, ça, Stan! approuve celle-ci en reprenant habilement l'expression classique du film *Les Boys*.

— Là, il me texte juste «Le club en haut du Maurice» comme s'il veut voir jusqu'où je suis prête à aller.

— Et c'est là que tu me déclares: «On va en ville!» Et si j'avais dit non?

— Je t'aurais plantée là pour m'y rendre. Eille, je pense que j'aurais abandonné mes enfants d'âge préscolaire nus dans la brousse équatoriale pour pouvoir aller le rejoindre, avoue Vicky, tout de même un peu honteuse.

— Il était avec une fille ou non en fin de compte?

— Attends, en arrivant au bar...

Arrivées au club où elles se dirigeaient, les filles grimpent l'escalier menant à la terrasse. Comme l'intérieur semble bondé, elles restent plutôt à l'extérieur; elles s'installent au bar du deuxième étage de l'immeuble qui surplombe la Grande Allée, histoire de profiter de la température clémente. Vicky ordonne avec empressement:

— Commande-moi un *drink*, je vais aux toilettes, puis elle disparaît dans le bar en un clin d'œil.

En y entrant, elle grimpe au Charlotte Ultra Lounge, l'endroit en haut du Maurice tel que nommé par Marc dans son texto. Elle active son radar pour le chercher des yeux.

L'endroit est plein à craquer et sombre. Elle marche sans s'arrêter en se faufilant difficilement entre les groupes de fêtards. Après presque dix minutes de recherche, elle saisit son téléphone pour lui envoyer un message, lasse d'essayer de le trouver dans ce lieu achalandé. Au moment où elle s'apprêtait à rédiger sa missive, un individu l'agrippe fortement par-derrière, faisant en sorte qu'elle ne peut se retourner pour voir son agresseur. Elle ne doute point, par contre, de celui qui la tient prisonnière. Marc lui susurre à l'oreille, toujours en la maintenant solidement :

— Salut…

— C'est quoi ton problème ? rage-t-elle en tentant de se défaire de sa prise.

— Oh ! oh ! Douce, douce…

— Pourquoi tu me laisses sous-entendre que t'es avec une fille ?

— Il y a plein de filles, ici.

D'un mouvement habile, il la fait pivoter et la regarde toujours avec une assurance désarmante. Elle ne dit rien pendant un moment, les yeux vrillés aux siens, avant de se dégager subitement pour pouvoir le frapper sur le torse :

— C'est pas correct.

Il se protège de l'attaque avec ses avant-bras, puis l'enlace de nouveau de côté.

— Je suis avec mon collègue, le prof d'éduc. Toi ? T'es seule ?

— Non, avec Kat. Mais je veux pas qu'elle nous voie ensemble…

— Hum... on lui envoie mon collègue alors?

Trouvant l'idée géniale, Vicky agrippe son téléphone en songeant à une façon de s'en sortir. Elle y aperçoit un message de Katia:

(Coudonc, es-tu passée par le trou des toilettes???)

— ARRRRKKKK! Grosse tarte! Tu m'as volontairement envoyé le puant pour te débarrasser de moi? tonne Katia, insultée.

— Non, pour me débarrasser de lui, plutôt.

— OK! Donc là, tu me textes ton mensonge de pompier *sexy*... Je comprends la suite.

— T'es fâchée? fait Vicky, tout de même déçue de son attitude et de son stratagème pas très astucieux.

— Ben non. Je voulais m'en aller retrouver Jean, *anyway*...

— C'est vraiment compliqué votre soirée, observe Caroline, toujours un peu perdue.

— Marc est allé retrouver son collègue en lui disant qu'il t'avait vue en bas. Il lui a menti qu'il voulait retourner voir une fille du congrès de Zumba; il lui a suggéré de tenter une approche avec toi, prétextant qu'il avait remarqué que tu le regardais souvent durant le congrès… Il est parti à ta rencontre au grand galop, trop content.

— Re-ark! Il pouvait bien tenter des rapprochements dans le taxi, se souvient Katia.

— Qu'est-ce qu'on ne ferait pas pour un gars, se désole de nouveau Vicky.

— Êtes-vous restés tard en ville?

— Non, on est revenus à pied, c'était pas loin.

— Vous avez baisé dans un buisson sur la route?

— Non, en arrivant à l'hôtel…

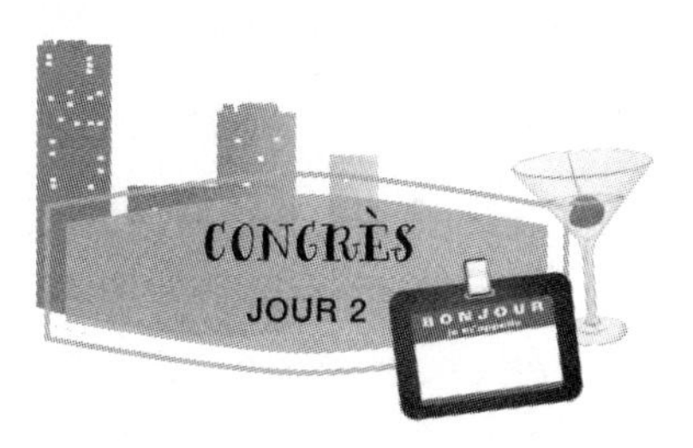

Sans trop se poser de questions, le couple se dirige vers le même corridor que leur escapade de la veille. Vicky marche d'un pas décidé. Il la suit docilement. Elle se rend jusqu'à la machine à glace et se retourne pour lui faire face. Habile, il croise les bras de Vicky sur son torse et la fait pivoter rapidement sur elle-même pour plaquer son corps contre son dos. La position ressemble à celle exercée pour contenir de jeunes enfants en crise. Évidemment, elle ne peut plus bouger. Elle adore cette soumission.

Plus fort qu'elle, il la maintient solidement par-derrière, se faisant onduler le bassin sur ses fesses. Il lui chuchote tout bas:

— T'es belle…

Elle se laisse bercer, les yeux mi-clos, par ses paroles douces murmurées au creux de son oreille. Il lui embrasse la nuque avec fougue avant de la mordiller. Des frissons lui parcourent la colonne vertébrale au point de la faire frémir et de créer un tressautement dans les épaules. Elle respire maintenant bruyamment en tanguant au rythme des mouvements de son partenaire. Sa colère précédente s'étant muée en désir sexuel, elle tente doucement de se libérer de sa contention. Complètement émoustillé lui aussi, il cède. Il ne lui libère pas les bras, mais les lève plutôt en l'air pour la faire tournoyer sur elle-même afin de les décroiser, un peu comme il a fait plus tôt dans le bar. Toujours en lui maintenant fermement les poignets, il la plaque contre le mur tout près de la machine à glace. L'air sévère, il la regarde avant de l'embrasser. La chaleur monte, le désir aussi. Trouvant trop risqué de faire l'amour à cet endroit, Marc l'attire dans les toilettes des hommes, à quelques mètres de là. De toute façon, qui utiliserait ces toilettes à cette heure tardive ? Le reste se passe rapidement. Encore tout habillés comme à leur habitude, il commence à lui faire l'amour sur le comptoir du lavabo et, dans leurs ébats, ils se retrouvent sur une toilette afin que Vicky le chevauche cavalièrement.

Par malheur, quelques minutes plus tard, quelqu'un entre dans la pièce. Au moment où le couple réalise qu'ils ne sont plus seuls, un homme les regarde par la porte du cabinet restée entrouverte. En apercevant le curieux à deux mètres de lui, Marc referme rapidement la porte avec son pied.

— Oups ! Désolé ! fait l'homme en s'avançant tout de même vers les urinoirs pour faire ses besoins.

Il commente, heureux comme un roi :

— Ce ne sera pas long... Voilà, terminé. Aaaah, les joies des congrès ! Bonne soirée !

Il ressort des toilettes. Vicky glousse en appuyant son front sur la clavicule de Marc. Il lui embrasse la tempe en rigolant à son tour. Ils reprennent de plus belle leur élan en laissant par contre la porte du cabinet fermée...

— Ah non ! C'était qui ?

— Vous me croirez pas... le prof de sciences qu'on a soupçonné de coucher avec la prof d'éthique. Avec son commentaire concernant « les joies des congrès », il devait justement revenir d'une planque de ce genre, où il a dû forniquer avec elle. Et je suis certaine qu'il lui a tout raconté, hein. Le reste du congrès, ils m'envoyaient tout le temps des petits regards complices comme : « Ne t'inquiète pas. On ne le dira pas à personne... », super heureux de s'impliquer dans ma vie. Ils me tapaient tellement sur les nerfs, là !

— Ah ! *My God* que c'est drôle !

Un message texte entre alors sur le portable de Vicky. Elle y jette un œil rapidement, mais n'en souffle pas mot à ses amies. Celles-ci désirent plutôt analyser la situation précédente plus en détail. En vérité, Caroline, toujours dans le néant face à leur « relation », pose une question supplémentaire :

— Pourquoi il t'a fait miroiter qu'il était avec une fille si c'était pas vrai ?

Chaussant de nouveau ses souliers de thérapeute-analyste-spécialiste en comportement mâle, Katia lui explique comme si elle se trouvait dans la tête de Marc :

— Pour la faire réagir. Pour valider son attachement pour lui. Il avait besoin de se faire rassurer la fibre masculine un peu.

Perplexe face à son verdict, Vicky prétend à son tour :

— Non, il voulait me mettre en colère. Lorsqu'il m'a avoué être avec son ami, il a justifié : « J'ai pas menti : je n'étais pas "tout seul". » Il me niaisait carrément.

Pas d'accord avec la théorie au premier degré de son amie, Katia secoue la tête en guise de désapprobation.

— Tut ! tut ! tut ! Colère égale jalousie. La jalousie fait partie de l'attachement. Attachement égale sentiment...

— Et l'arbre est dans ses feuilles maluron don dé, chantonne Caroline, qui trouve les explications de son amie un peu tirées par les cheveux.

— C'est un joueur, tout simplement, conclut Vicky, plus concise.

Caroline, qui semble avoir compris l'essentiel du message que Vicky voulait leur transmettre, abrège la saga de son amie :

— Donc, en gros, vous vous fréquentez plus ou moins sérieusement depuis déjà plusieurs mois. Voilà ton aveu ?

— C'est pas tout… Ç'a très mal fini. Est tellement poche la suite. Grosse, grosse erreur.

— Il t'a demandée en mariage et tu as dit oui ? présume Caro en donnant un petit coup sur son volant pour appuyer sa blague.

— Non…

— Vous vous êtes disputés ?

— Pire encore. Hier…

Freddy et Captain America, qui dansaient depuis un moment, reviennent vers le bar. Ils y retrouvent le trio de sapins, toujours fidèles au poste, et Caroline, qui discute encore avec le spécimen rigolo de couleur bleue.

Katia s'approche d'elle.

— Je me sens un peu mieux que tantôt.

— Une chance.

Bien qu'elle soit éméchée, Katia reste suffisamment alerte pour remarquer un détail :

— Où est Vic ?

— Elle m'a dit : « Je vais aux toilettes et si je reviens pas, c'est que je suis partie me coucher… »

— Ah ouin ? Déjà ? Elle est ben plate.

— Je lui ai pourtant fait remarquer: «Pour une fois que je fais la fête et que je reste tard», se désole Pocahontas.

— Pas grave, nous on s'amuse!

Sur ces entrefaites, Jean revient avec des petits verres pour tout le monde...

Pendant ce temps, Vicky se dirige encore une fois d'un pas décidé vers l'hôtel. Après avoir échangé quelques textos moins tumultueux que la veille, le couple a convenu de se rejoindre à leur point de rencontre habituel dans le lobby.

Sans rien dire, elle saisit sa main pour l'entraîner dans le corridor menant à l'ascenseur. En marchant, Marc-le-policier, toujours en uniforme, taquine un peu Vicky:

— Tes ballonnements, ça va mieux, j'espère?

Elle reste stupéfaite, étonnée de son commentaire effronté. Elle décide de lui dire la vérité à propos de cette histoire de ballonnements. Elle lui relate la première soirée d'intrusion au *party* des comptables ainsi que la suivante au *party* de la SAQ, pour terminer avec l'itinéraire du soir même. Elle ajoute à la fin que toutes ces escapades ont tôt fait de les épuiser et qu'elles se sont endormies dans la chambre cet après-midi-là – justifiant donc l'invention mensongère de Caro.

— Eille! Vous êtes terribles, j'en reviens pas. Je comprends maintenant pourquoi on ne vous voyait jamais le soir à nos *partys*, s'étonne celui-ci avant d'ouvrir démesurément grand la bouche.

— Voilà!

— Je trouve ça assez drôle, par contre, avoue-t-il.

« Sixième étage. *Sexe floor.* »

Voyant qu'elle semble décidément savoir où elle s'en va, il la questionne :

— Où est-ce que tu m'emmènes, belle danseuse de cabaret ?

— Dans mes appartements, cher policier.

En songeant à ce dernier détail, Vicky devient de plus en plus excitée par le costume de Marc qui représente clairement l'autorité. Au moment où elle glisse la carte magnétique dans la fente de la porte, il lui empoigne un poignet pour le tourner dans son dos.

— Désolé, je vous arrête pour mauvaise conduite.

Sa joue droite est légèrement écrasée contre la porte de la chambre au moment où elle tourne la poignée.

— Avec plaisir. Est-ce que je vais devoir danser pour vous, sergent ?

— Oui !

Le couple pénètre dans la chambre en tournoyant, tout en s'embrassant goulûment comme s'il n'y avait pas de lendemain. Elle ferme le loquet de sécurité intérieur au cas où arriverait l'une des filles.

— Vos appartements sont modestes, mais j'adore, plaisante Marc en tentant de lui enlever sa robe.

Pour être bouffonne, elle lui annonce :

— Il y a une autre pièce !

Puis elle se dirige vers les portes mitoyennes qu'elle essaie d'ouvrir.

Comme les filles y sont allées durant l'après-midi, la porte est naturellement restée déverrouillée de l'autre côté...

Katia se prend la tête à deux mains en criant à tue-tête :

—*PLEASE!* NON ! NON ! NON ! Dis-moi que ce n'est pas vrai, Vic ?

Celle-ci baisse la tête en soupirant. Caroline, complètement hystérique, hurle à son tour :

— Vous avez mis le feu à l'hôtel ? BEN VOYONS DONC !

— Arrêtez de gueuler après moi, pleurniche Vicky, presque au bord de la crise de nerfs.

— Calvaire ? Te rends-tu compte ?

— Oui, c'est beau, merci, je m'en rends compte ! beugle à son tour la fautive, en laissant finalement rouler quelques larmes.

Conscientes qu'elles la malmènent avec leurs propos incriminants, les deux filles tempèrent leurs élans. Vicky pleurniche toujours. Silence. Katia souffle avec sa bouche comme pour signifier à son amie qu'elle tente de se calmer. Caroline reprend sur elle également et l'interroge :

— Misère... Vicky... Qu'est-ce qui s'est passé, pour l'amour?

— Et pourquoi tu l'as emmené dans cette chambre?

— Je sais pas. À moitié soûle, je trouvais ça drôle; je voulais l'impressionner. Mais je prévoyais pas nécessairement y entrer, avoue Vicky, incertaine elle-même de comprendre son geste.

— Continue, la prie Caroline d'une voix plus douce.

— Donc, j'ai ouvert la porte...

Marc reste étonné de voir Vicky ouvrir la porte de la chambre voisine. Il hausse les épaules dans sa direction. Vicky allume la télévision pour tenter de trouver un poste de musique en expliquant vaguement:

— N'en parle pas, mais Kat se farcit un comptable, et voilà sa chambre!

Comprenant à tort qu'il s'agit de la chambre de Katia, il y entre sans gêne. Au son de la musique qu'elle est enfin parvenue à syntoniser, elle avance vers l'embrasure en se dandinant pour l'aguicher. Le dos appuyé sur le cadre de la porte, elle lève les bras au-dessus de sa tête et elle descend doucement en pliant les genoux. Lorsqu'elle le regarde, il tient en main une chandelle plongée dans un contenant de verre, trouvée sur la table de chevet, qu'il allume avec le briquet qui s'y trouvait aussi.

— Ambiance de cabaret, commente-t-il en reposant le tout sur la table de nuit.

Elle ne s'en soucie guère, trop préoccupée à se déhancher pour continuer à le troubler. Il s'approche d'elle pour la plaquer de nouveau contre le cadre de la porte en l'embrassant.

— Attendez, monsieur, mon spectacle n'est pas terminé.

Il retient son geste, reculant de quelques pas pour s'asseoir au sol, toujours du côté de la chambre de Jean, mais pas très loin de la porte. Il saisit la chandelle pour la poser par terre entre elle et lui afin de faire un effet de lumière original. Effectivement, la lueur de la flamme qui scintille donne un reflet très brillant à la robe de Vicky et à ses multiples franges qui virevoltent au gré de ses déhanchements lascifs. Au dernier mouvement de pied qui termine son court spectacle, Vicky s'agenouille pour rejoindre son policier. Ils s'embrassent. Sans qu'elle ne s'en rende trop compte, il lui menotte les poignets ensemble dans le dos.

— Hein ? fait-elle mi-amusée, mi-offusquée.

— Écoute-moi, maintenant, lui ordonne Marc en tentant de lui enlever sa robe.

Les menottes l'empêchant d'exécuter son geste, il les retire quelques secondes, le temps de la libérer de son vêtement, qu'elle lance vigoureusement dans sa propre chambre. Conciliant, il la menotte plutôt sur le devant pour lui permettre une plus grande latitude dans ses mouvements. Le couple s'amuse ainsi pendant un moment au sol. Ayant de nouveau atteint un niveau d'excitation quasi insupportable, ils se mettent à faire l'amour, toujours au sol, en position de la levrette. Vicky remarque que son pied gauche est près de la chandelle ; craignant de se brûler, elle la pousse vers le mur vitré donnant sur l'extérieur. Dans une extase charnelle indicible, Vicky, la tête entre ses mains menottées posées au sol, gémit en suivant les mouvements de bassin de son partenaire, à genoux derrière elle. À moitié habillé, Marc n'a enlevé que son pantalon pour lui faire l'amour, il lui tape vigoureusement les fesses, satisfait de la scène de douce domination, une fois de plus réussie. Tout à coup, sans crier gare, Vicky sursaute en apercevant le voilage du rideau de la grande fenêtre prendre feu en un clin d'œil.

— Attention, réagit Marc en la poussant plus loin.

Avant qu'il ne puisse se lever pour intervenir, l'autre pan du voilage ainsi que l'épais rideau décoratif s'embrasent également.

— *Fuck off!* Il y a trop de flammes, crie Marc en la déplaçant vers sa chambre après avoir ramassé leurs quelques effets personnels pour éliminer tout soupçon. Le système de gicleurs se déclenche au moment où il referme la porte communicante du côté de la chambre de Jean. L'alarme s'active aussitôt. Il verrouille la seconde porte de leur côté pendant que Vicky enlève les menottes, qu'elle lui tend. Heureusement, c'était un modèle sans clé. Pendant qu'elle enfile une camisole qui traînait sur le lit, Marc lui dicte rapidement la marche à suivre :

— Je sors et je me pousse. Toi, tu sors juste après comme si tu te réveillais à cause de l'alarme. Bye.

Il quitte la pièce en courant, les fesses nues, son pantalon et les menottes dans les mains. Vicky enfile une petite culotte et elle s'élance à son tour dans le corridor. En courant, elle tombe nez à nez avec Caroline…

— C'était Marc le tout nu? se surprend Caroline.

— Je suis traumatisée, Vic, avoue Katia en secouant de nouveau la tête, presque comme si elle allait pleurer à son tour.

— Pourquoi tu dis «Marc le tout nu»? s'inquiète Vicky en ne saisissant pas du tout l'allusion de son amie.

— À ma sortie de l'ascenseur, l'alarme s'est déclenchée et je l'ai vu courir de dos, nu-fesses, mentionne celle-ci.

— *Shit*, pour vrai? Quelqu'un d'autre l'a vu?

— J'ai vu personne. Les gens se sont mis à sortir de leur chambre tout de suite après par contre...

— Il devait y avoir des caméras de surveillance, non?

— Marc a fait le tour ce matin, en reprenant exactement le chemin emprunté hier soir, et il n'en a pas vues. Il y en a seulement dans le lobby, les salles d'entraînement, la piscine, les restaurants, certains corridors, mais pas tous.

— Vous êtes allés dans le sauna le premier soir, panique Caroline.

— Pas de caméra dans les vestiaires non plus.

— Ç'aurait pu vraiment mal finir, votre affaire.

— Je trouve que ç'a déjà assez mal fini de même, constate Vicky.

— Qu'est-ce qui serait arrivé si ç'avait été de vraies menottes, avec une clé ? s'imagine Caroline presque au bord de la crise de nerfs elle aussi.

— Si les rideaux en feu étaient tombés sur vous ? rajoute Katia en haussant le ton à son tour.

— OK, les filles ! Ça va faire vos mises en scène de films d'horreur. La réalité me suffit amplement, les prie Vicky en levant les deux mains en l'air.

— Donc, les policiers te soupçonnaient avec raison alors ? réalise Caroline.

— Mets-en et je les comprends. Eux, ils savent que la porte communicante était débarrée du côté de la chambre de Jean. J'étais la seule présente dans la chambre. À leur place aussi j'aurais fait un lien, mais bon, ils n'avaient pas de preuves suffisantes, je présume...

— Pourquoi aurais-tu posé un geste pareil de toute façon ? interroge Caro.

— Pour me venger de Jean. C'est ce qu'ils semblaient vouloir me faire dire durant les interrogatoires.

— Voilà pourquoi ils tentaient de savoir si toi ou une de tes amies avaient eu une relation avec lui. Tu aurais pu être en colère contre lui à cause de ça.

— Exact.

Caroline pouffe alors d'un rire nerveux et aigu.

— Voyons ? Explique-moi vite ce que tu trouves de drôle dans mon récit, parce que je vois pas du tout ce qui peut te faire rire, lui réplique Vicky, à pic.

— Ha ! ha ! ha ! Je viens comme de réaliser quelque chose. Tes genoux..., glousse Caro en riant encore de plus belle.

Katia, complètement perdue puisqu'elle n'y était pas, tambourine sur l'appuie-tête du siège de Caroline pour la presser de s'expliquer. Comme Caro ricane toujours, Vicky se lance à sa place :

— J'ai les genoux au vif à cause du tapis de l'hôtel et j'ai menti à Caro en lui disant que j'étais tombée du lit au moment où l'alarme s'était déclenchée, récapitule Vicky sur un ton monotone, comme si l'histoire n'était pas si drôle en réalité.

— Non ! Tu déconnes ? T'as mis une couverture ou un vêtement sous tes genoux ?

— Non.

— Vic, les éraflures de genoux à cause du tapis, c'est une erreur de débutante[32], d'adolescente, je dirais même. Chaque femme dans sa vie le fera une seule et unique fois, la plupart du temps autour de dix-sept ou dix-huit ans, mais après, c'est réglé. On apprend de ses erreurs et on ne le refait plus jamais, exagère Katia, comme si elle expliquait un phénomène social réellement appuyé sur une savante théorie.

---

32. Qui n'arrive bien sûr qu'aux autres...

Son attitude, et surtout le sujet, redonne une certaine légèreté à l'ambiance. Caroline qui rigole encore déclare :

— Même moi, ça m'est déjà arrivé !

Vicky, honteuse, avoue :

— Moi aussi, c'est ça le pire ; avec mon premier *chum*. On voulait pas faire craquer son lit parce que ses parents étaient là. On s'était dit : « On va aller sur le tapis, c'est moins pire que le plancher. » Eille ! J'ai eu le bas du dos presque en sang après.

— Comme tes genoux maintenant, décrit Caroline en tant que témoin oculaire des lésions en question.

— Les tapis ou les divans de cuir, ça râpe la peau, affirme Katia en toute connaissance de cause.

— Ah, tu vois, j'ai pas d'expérience antérieure de divan de cuir, s'étonne Vicky, désirant que son amie partage son savoir sur le sujet.

— Ça fait des cloques d'eau comme quand tu as une ampoule sur le pied, lui détaille Katia, en secouant la tête de bas en haut.

— Et ton gros bleu, lui ? lui demande Caro, en se souvenant qu'elle avait aussi une large ecchymose sur le côté de la hanche.

— Dans le sauna, jeudi soir.

— Ah, OK !

— Relation assez torride, merci : tu as été blessée au bas du corps ! exagère Katia, comme si elle livrait le compte rendu final d'une bagarre d'hockeyeurs particulièrement féroce.

Elle poursuit en ajoutant :

— Il y a quand même quelque chose d'ironique dans le fait que tu nous as fait croire que tu avais rencontré un pompier au bar en haut du Maurice, vendredi soir, avant de mettre le feu à l'hôtel.

— N'importe quoi. Le karma fait payer cher les mensonges, conclut Vicky, fataliste.

— Mais sans blague, Vic, tu disais t'en faire et craindre le pire, mais on peut considérer l'affaire comme classée actuellement, non ? présume Caroline, tout de même inquiète.

— Je sais pas trop. Marc pense que oui. De toute façon, comment voudrais-tu qu'ils prouvent notre culpabilité ? réfléchit celle-ci. Ils vont croire que Jean avait oublié sa chandelle allumée ou un truc du genre. En plus, en éteignant le feu avec leurs extincteurs, ils ont dû faire un sacré saccage dans la chambre.

— Toute une histoire...

— Ce qui s'est passé au congrès reste au congrès, hein, leur rappelle Vicky.

— Tu dis, dans le cas de tout le monde, je pense.

— Au Mexique, ce fut moi la pire, mais pas cette fois-ci, souligne Caroline, contente de ne pas avoir réellement subi de dommages collatéraux en lien avec le week-end.

Les deux filles la dévisagent alors drôlement. Croyant encore qu'elles font une autre allusion au fait qu'elle aurait pu tromper son *chum*, elle s'exclame avec impatience :

— QUOI ?

— Ben, il y a longtemps que tu t'es pas regardée dans un miroir, je pense, la taquine Katia en ouvrant grand les yeux.

— Ah, mes maudits cheveux à marde… Il faut toujours que je trouve une solution pour demain matin, hein, songe-t-elle, toujours peu convaincue du miracle qui pourrait lui éviter d'être la risée de toute la polyvalente.

Après presque une demi-heure de route supplémentaire, les filles sont presque arrivées lorsque Katia est prise d'une illumination subite.

— Eille ! Je vous ai finalement pas expliqué pourquoi moi aussi j'ai dû soudoyer Ramon !

— C'est vrai ! Avec la tragédie du feu, ça m'était complètement sorti de la tête.

— Pourquoi donc ? Pas pour la facture ? tente Vicky, en voyant là une possibilité.

— Non, je vous explique. Quand on payait la note de la chambre…

— On va plutôt lui demander d'aller se faire voir de notre part ! Non, encore mieux, est-il ici aujourd'hui ? Je vais moi-même aller lui livrer un char de marde « à son intention », bout Caroline, hors d'elle.

— Euh… Laissez-moi voir… non, il ne travaille malheureusement pas le dimanche, confirme doucement la femme, qui semble stupéfaite de l'attitude agressive de la cliente à l'endroit du jeune serveur. Mesdames, si vous avez eu quelque problématique que ce soit avec un employé du complexe hôtelier, nous aimerions en être avisés.

Puisque Caroline a haussé le ton comme si elle s'adressait à un sourd-muet, la totalité des voisins immédiats se tournent vers elles. Étant donné sa culpabilité face à l'incendie de la veille, Vicky, qui ne désire pas attirer davantage l'attention des policiers, confirme, expéditive :

— Non, tout va bien. Ajoutez juste le pourboire de base.

— On va pas payer ça ? s'oppose Caroline en se tournant vers son amie.

— Vous n'avez pas consommé ou utilisé les produits et services mentionnés sur la facture ? demande la réceptionniste, toujours désireuse de connaître le fond de l'histoire.

— On s'en va, chuchote Vicky à Caro, les dents serrées, en appuyant son commentaire de ses yeux les plus ronds. Non, tout va bien madame, on va payer.

— Juste une *gang* de beaux crosseurs, fulmine à son tour Katia, en croisant les bras, sans défense.

La femme derrière le comptoir hausse les épaules en guise d'impuissance avant d'effectuer la transaction. Katia, qui voit Ramon pousser un chariot de produits ménagers plus loin, s'élance dans sa direction.

Katia arrive près de lui, l'air jovial, et ce, bien qu'elle soit intérieurement très en colère. D'un côté, à cause de la malhonnêteté de Jean-le-polygame, et de l'autre, à cause de la vengeance de ce cher Alexis. Elle fait semblant de rien, comme si elle était juste venue gentiment le saluer.

— On s'en va, annonce-t-elle comme elle le ferait pour dire au revoir à un collègue rencontré au congrès.

— Noooo, tristé. Carrrolina ? fait-il en levant des yeux interrogateurs au loin, comme s'il se demandait pourquoi celle-ci ne venait pas aussi lui dire au revoir.

— Ouais... Carolina euh... doit payer et ensuite aller chercher la voiture. Mais je vais lui dire de venir te voir après, invente Katia, même si elle est convaincue qu'elle n'en fera rien.

— Aaaahhh, comprend le jeune Portoricain en souriant toujours.

Elle s'incline un peu vers lui comme si elle s'apprêtait à lui raconter un secret des plus intimes. Attentif, il l'imite en se penchant aussi.

— Écoute, Ramon, l'homme avec les cheveux bruns à côté de notre chambre, celui dont la chambre a pris feu en fait...

Bien entendu au courant de l'incident de la veille, il la coupe.

— Juan ?

— Oui, Jean. Tu le connais ?

— Juan, cé loui. Lé connais bueno. Lui vénir ici tous les mois, affirme avec persuasion le concierge.

Katia fronce les sourcils en entendant ce dernier détail. Elle ne doute cependant pas une seconde que Juan s'avère bel et bien la traduction espagnole de Jean. Elle accentue son air timide de fille-gênée-de-dire-ce-qu'elle-doit-dire.

— Tu sais, Ramon, j'ai passé beaucoup de temps avec lui ce week-end et...

Toujours avec son humour de pince-sans-rire, il déclare :

— Aaaahhh ! Toi et Juan marier bientôt ?

— *Yeeeeah !* C'est ça ! T'as deviné ! rigole stupidement Katia, comme si le futur mariage l'excitait au plus haut point.

— *Bueno !*

— La seule chose, c'est qu'il est parti et que j'ai perdu le papier sur lequel il m'avait noté son numéro de téléphone, et je suis vraiment triste. Tu sais, avec le feu, l'énervement...

— Si..., approuve Ramon en l'écoutant comme s'il se demandait ce qu'il pouvait bien faire pour l'aider à ce sujet.

— Est-ce que tu pourrais regarder dans l'ordinateur de l'hôtel pour moi, son numéro de téléphone doit sûrement figurer à côté de la chambre 622.

— Aaaahh !

Il réfléchit un instant, sans rien dire, et enchaîne en baragouinant :

— Hay une ordinador dans lé burrreau en bas. Yé vais revenir.

— Merci, je vais t'attendre ici.

Katia revient près de ses amies quelques minutes après son entretien avec le Latino. Elle jette un regard tout autour, paraissant bizarre. Pourquoi donc Jean viendrait-il ici tous les mois ?

La transaction terminée, Vicky prend les papiers et attrape sa valise avant de dire :

— On débarrasse, maintenant.

— Ha ! ha ! ha ! rigole Vicky, amusée comme tout de leur double abus envers le pauvre Ramon.

— Ensuite, on a eu droit à l'apparition subite de la madame du Club Optimiste, suivie de près par le 6e qui suce pour finalement réussir à se diriger vers la sortie...

— Et là, tu as feint d'aller aux toilettes pour attendre Ramon, conclut Vicky.

— Manipulons le Portoricain toutes en chœur ! s'amuse à son tour Caroline. Pauvre Ramon ! J'aurais dû lui dire bye mieux que ça. Surtout depuis que je sais que mes amies ont profité de lui.

— Mais quand t'es revenue à la voiture, tantôt, on t'a engueulée parce que c'était long, mais on ne t'a pas dit ce qu'on a vu en t'attendant devant l'hôtel, hein ? se souvient tout à coup Vicky.

— Non ? Quoi ?

— Quand on disait que l'adage populaire «Il ne faut jamais se fier aux apparences» était la devise du week-end, c'était pas des blagues...

— Accouchez! s'impatiente Katia, désireuse plus que tout de savoir.

— En t'attendant bien sagement dans la voiture...

— Eille! Je l'aurais étampée dans un mur avec plaisir l'autre folle avec sa carte! Non mais c'est la journée «faites-nous suer tout le monde» et en rafales en plus, rugit Caroline en avançant rapidement avec sa valise dans le stationnement souterrain.

Vicky l'écoute d'une oreille. Elle ressent pour sa part un grand soulagement d'enfin quitter le complexe hôtelier, ce qui diminue ses chances de se faire une fois de plus interpeller par les policiers. Caroline, les baguettes en l'air, peste maintenant contre Alexis.

Au moment de quitter, Caro glisse son ticket de stationnement dans la borne de paiement et dirige ensuite sa voiture vers le débarcadère, devant l'hôtel, pour y récupérer Katia. En arrivant à bon port, Vicky et elle constatent que des visages connus se trouvent près de la voiture jouxtant la leur dans l'allée. Caroline baisse le ton, même si les vitres sont à peine descendues de quelques centimètres. La fille blonde plantureuse et le vieux patron pervers font le pied de grue près d'une voiture de luxe. Les filles échangent un regard complice avant d'ouvrir grand les vitres comme si elles désiraient tout simplement prendre le frais. Elles écoutent la conversation du couple.

— C'est inhumain de s'ennuyer de même, décrit la fille, presque au bord des larmes.

— On avait décidé ensemble de venir passer du temps ici...

Vicky se penche pour chuchoter à l'oreille de Caro:

— Tu vois, elle a de la peine de partir et lui, il s'en fout. S'il la met à la porte maintenant, je sors du char pour m'en mêler, exagère celle-ci avant de reporter son attention sur la triste scène.

— On le fera plus si tu trouves ça trop dur, ma belle, soupire l'homme, qui semble se dégager de toute responsabilité en faisant peser celle-ci sur elle pour se déculpabiliser.

Silence de part et d'autre. Dans le véhicule de Caroline aussi. Les adieux ont l'air pénibles et compliqués, car ils restent immobiles, le regard perché haut, vers l'entrée de l'allée.

Caroline présume à voix basse:

— Gros dégueulasse, il doit lui avoir appelé un taxi pour pas être vu avec elle en ville.

— T'as raison, peut-être que je trouve ça trop difficile, avoue enfin la fille blonde en le regardant, attristée.

— La voiture arrive! s'exclame l'homme, l'air trop content qu'elle parte enfin.

Curieusement, à la vue dudit véhicule, la fille saute sur place dans une excitation palpable. Ce n'est pas un taxi. Les écornifleuses se dévisagent bizarrement, ne comprenant alors plus rien.

La voiture s'immobilise près de celle de l'homme, en plein milieu de l'allée de circulation. La fille blonde se rue sur la portière arrière.

— Allo, mes amours ! crie-t-elle après l'avoir ouverte.

Les deux curieuses se tournent alors carrément pour bien distinguer la scène qui se déroule tout près. La fille blonde détache un enfant d'un siège de bébé. Elle sort du véhicule une bambine de dix-huit mois tout au plus, qu'elle embrasse affectueusement sur les joues. L'homme qui s'était précipité de l'autre côté du véhicule en ressort une autre fillette, environ du même âge. On l'entend dire :

— Les deux belles filles à son papa, en cajolant l'enfant.

La scène est claire et nette. La blonde et l'homme sont en couple et parents de jumelles en plus.

— Quoi ? Jurez-le !

— Juré ! C'étaient les retrouvailles familiales les plus touchantes jamais vues de toute ma vie, exagère Caroline.

— On a ensuite compris, toujours en écornifiant, que c'était la sœur de l'homme qui avait gardé les jumelles le temps du congrès afin que le couple passe du temps en amoureux. Ils ont juste une bonne différence d'âge, c'est tout.

— Ayoye ! Nous autres, on a quasiment appelé les normes du travail pour dénoncer un abus de pouvoir, rappelle Katia.

— Ne jamais se fier aux apparences…

— Sauf dans le cas de Ramon, qui a été la seule personne gentille et honnête dans toute cette saga, souligne Caroline. Mais vous avez fini par abuser de lui !

— Abuser ? Pas tant que ça, il m'a juste ouvert une porte.

— Et moi, donné un simple numéro.

— Justement, parlant de numéro, pourquoi tu le voulais ? Pas pour l'inviter à souper certain, présume Caroline, avec conviction.

— Non…

— Pas pour partager ton voyage à Cuba avec lui non plus, ajoute Vicky.

— Non, répète Katia, espiègle.

— Alors ?

— Je suis trop curieuse. Je dois savoir c'est quoi son vrai poste dans la compagnie, ça me chicote trop, avoue Katia.

— Qu'est-ce que tu vas faire ? Appeler en prétextant vouloir des informations fiscales ?

— Non, pas nécessairement. Je veux juste entendre le message sur sa boîte vocale.

— Brillant, brillant, je dois te l'accorder, la flatte Vicky en approuvant d'un signe de tête.

— Appelle tout de suite ! s'excite Caroline, tout aussi curieuse de savoir.

— Je veux attendre d'être chez moi pour masquer mon numéro. Sur mon cellulaire, je crois que je peux pas.

Vicky fouille dans son sac à main et lui tend son téléphone en proposant :

— Prends le mien, il est toujours masqué. S'il répond, feins un mauvais numéro et raccroche.

— C'est vrai ! J'y avais même pas pensé, s'exclame Katia, trop heureuse.

Excitée comme une jeune étudiante le soir de son bal des finissants, elle attrape l'appareil. Caroline sautille sur son banc, tout aussi fébrile, en la priant :

— Mets-le sur mains libres.

Le papier de Ramon dans une main et le cellulaire dans l'autre, Katia compose le numéro dont l'indicatif régional commence par 418. Silence dans le véhicule. Tout le monde espère qu'il ne répondra pas. Deux coups, trois coups... Bingo ! On entend la boîte vocale qui débute :

« Bonjour, vous avez bien rejoint Jean Poitras, conseiller en vente automobile chez Hyundai Sainte-Foy. Veuillez me laisser un message après le timbre sonore. »

— *WHAT* ? Un *fucking* vendeur de chars ? hurle désespérément Katia dans le véhicule.

— Ha ! ha ! ha ! Jean Poitras ! Hein ? C'était un intrus dans le congrès des comptables, tout comme nous alors, rit Caroline en croyant presque s'échapper dans ses petites culottes.

— Voyons ? Personne fait ça ! s'égosille Katia, sous le choc.

— Moi, le monde qui va dans les congrès en disant exercer un faux métier, ça me choque assez, là, ironise Vicky.

— On se croyait super délinquantes nous autres. Dans le fond, c'est un classique ! exagère Caro, toujours morte de rire.

Katia secoue la tête de découragement, tout de même avec un demi-sourire, avant de déclarer :

— Tel est pris qui croyait prendre. Il ne faut jamais se fier aux apparences… JAMAIS !

ÉPILOGUE

SALLE DE PAUSE DU PERSONNEL. QUELQUES SEMAINES PLUS TARD...

Assises toutes les trois dans la salle des profs, comme le veut leur habitude matinale, elles dégustent un bon café en regardant les feuilles des arbres virevolter dans les bourrasques automnales.

— Maudit de compte rendu à marde. C'était tellement long à rédiger, se plaint Caroline en expirant bruyamment par la bouche.

— Tu dis !

— Eille ! Laisse faire, vous en avez fait la moitié à deux et je me suis tapée le reste toute seule, rectifie celle-ci pour étouffer dans l'œuf la plainte injustifiée de Katia.

— On t'a proposé de faire un compte rendu de notre après-midi à la piscine et t'as refusé, lui reproche Vicky, très sérieuse.

— Ouin, du genre : l'eau était assez chaude, bien qu'un peu trop chloreuse par contre. L'ambiance était à la détente et les lieux déserts, étant donné que tout le monde se faisait chier à leur congrès, rajoute Katia pour faire suer son amie.

— Ha! ha! ha! fait Caroline en appuyant bien sur les «a» de sa rigolade forcée.

Elle décroise les jambes et se redresse, puis ajoute:

— Mais j'ai terminé hier, se réjouit-elle en accrochant derrière son oreille une mèche de cheveux qui lui chatouillait le visage.

— C'est super beau tes cheveux, Caro, en passant, note Vicky, en analysant sa tête.

En effet, la coiffeuse de Caroline avait finalement fait une exception en la recevant à son salon le soir de leur arrivée. Lorsque son *chum* l'avait vue passer la porte, il avait cru, sur le coup, qu'elle portait une perruque. Quand son fils lui avait demandé pourquoi elle ressemblait à un clown, elle avait échappé quelques larmes avant d'appeler désespérément sa coiffeuse. Dur retour à la réalité. Celle-ci avait réussi à lui faire une coupe courte plus symétrique et très mode après avoir uniformisé les couleurs. Un beau brun chaud qui faisait maintenant ressortir son teint clair. La coiffeuse avait tout de même laissé une frange devant ainsi que des mèches plus longues sur le côté et derrière, lui donnant à la fois un air sage et contemporain. Bien sûr, il était difficile de cacher le côté rasé très court sur le sommet de son oreille, mais avec la nouvelle coupe, le tout donnait un résultat plutôt harmonieux et recherché.

Pour ceux qui connaissaient Caroline, cette coupe osée s'est avérée très surprenante; quant aux autres, ils n'y ont vu que du feu.

Caroline chuchote en direction de Vicky:

— As-tu revu Marc ?

— Ouin ? s'intéresse à son tour Katia, désireuse de savoir, mais craintive à la fois que quelqu'un n'entre dans la salle de pause et ne les entende.

Vicky tient réellement à ce que leur liaison demeure top secrète aux yeux du corps professoral.

— Oui, trois fois. Mais c'est bizarre, on s'appelle maintenant, fait-elle en grimaçant comme si ce détail en soi était presque dégoûtant.

— Vous vous parlez au téléphone ?

— Genre, ouais.

Vicky songe soudainement à quelque chose de comique à partager avec ses amies.

— Justement, en parlant avec lui... La semaine dernière, on discutait du congrès et il m'a révélé quelque chose. On se remémorait tout bonnement l'épisode où le prof de sciences nous a surpris dans les toilettes de l'hôtel et là, Marc m'a confié que ce prof-là travaille à l'école de son ami et que c'est l'ex-mari de la prof d'ECR, qui travaille aussi dans cette même école.

— Hein ? Ils ont été mariés ? se désole Katia, trouvant du coup leur aventure clandestine clairement moins excitante.

— Oui, ils ont eu des enfants et tout, les informe Vicky.

— Pourquoi ils se cachaient alors ?

— Aucune idée. Pour pas faire jaser leurs collègues, suppose Vicky.

— Nous autres on s'était imaginé un mégacomplot d'adultère super parfait, décrit Katia.

— Ne jamais se fier aux apparences, hein…

— Eh ben ! Mais pour en revenir à Marc, je trouve ça correct que vous vous parliez au téléphone. À un moment donné, baisons par-ci, baisons par-là, il y a une évolution qui doit se faire, les éduque Caroline en toute connaissance de cause.

— Je ne sais pas trop, je laisse les choses aller. Mais pas question de jouer trop au couple, je veux que le tout demeure excitant. Je sais même pas si je l'aime, semble réfléchir à voix haute Vicky, fixant toujours la grande fenêtre qui se dresse devant elle.

— Tu verras avec le temps, ne te mets pas de pression, la guide Caro, toujours aussi désireuse qu'un jour ses amies soient en couple une fois pour toutes.

— Parlant de pression ; au sujet de mon vendeur de chars…

— Lequel ? Ha ! ha ! ha ! pouffe Caro, divertie à souhait par sa propre blague.

— Jean Poitras ? rigole à son tour Vicky, toujours aussi amusée par le nom complet de l'homme sans trop savoir pourquoi.

— Non, celui qui m'a vendu mon char, précise Katia. Figurez-vous que quand je suis allée chercher mon auto finalement réparée, il a payé pour toute la communauté de crosseurs de vendeurs de chars du monde entier. Le pauvre ! Je lui ai vomi dessus toute ma frustration face à Jean Poitras (elle décoche un clin d'œil à Vicky) comme une vraie maniaque déchaînée. Au début, il devait comprendre que j'étais en colère car, dans le fond, c'était son erreur le bris sur mon auto. Mais plus je lui crachais mon venin dessus, plus il semblait comprendre que ma crise s'adressait pas à lui pantoute. Pendant que je gueulais comme une perdue, un des garagistes a même arrêté de travailler et un autre en a laissé tomber sa clé à molette.

— Mon Dieu que j'aurais aimé ça être un petit oiseau pour voir la scène !

— Non, je te confirme que non.

Silence. Les feuilles des arbres tourbillonnent toujours dans le vent.

— L'hiver arrive, hein ? s'attriste Vicky.

— Eille, j'y pense ! J'ai oublié de vous dire : Ramon m'a fait une demande d'amitié sur Facebook ! déclare Caroline, l'air stupéfait de ce dénouement.

— Il doit avoir fouillé dans la réservation de l'hôtel pour obtenir ton nom au complet, présume Katia.

— Non, la réservation était à mon nom, car j'ai payé avec ma carte, fait remarquer Vicky.

— C'est vrai, réfléchit Caroline, qui avait aussi mis cette possibilité en tête de liste de ses hypothèses.

Aucune des filles ne parle. Elles semblent toutes songer à la façon dont le jeune homme aurait pu mettre la main sur son nom au complet. À partir du compte de Vicky ? En parcourant toutes les Caroline de Gatineau inscrites sur Facebook ?

Tout à coup, sceptique face aux bonnes intentions du Latino, Caroline s'affole un peu :

— J'aime pas ça du tout. C'est quoi ? Un détraqué ?

La voyant ainsi se mettre en mode « parano », Katia ne peut s'empêcher de se confesser :

— C'est moi...

— Toi quoi ?

— Ma faute, je veux dire.

— Explications, s'il vous plaît ?

Mal à l'aise, Katia plonge son regard dans celui de son amie.

— Quand il m'a généreusement donné le numéro de Jean dans le lobby de l'hôtel...

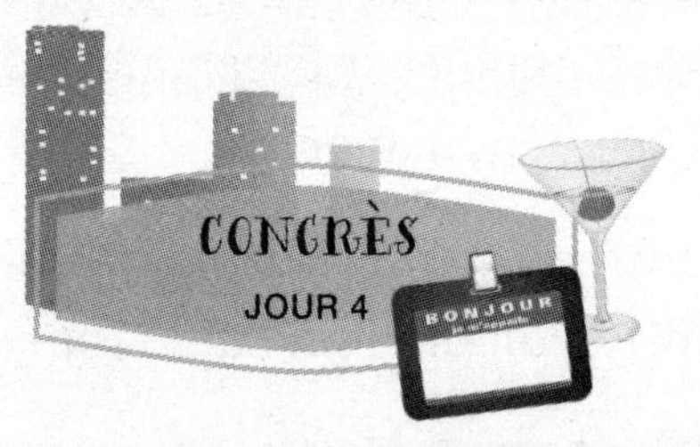

Caro et Vicky entrent dans l'ascenseur pour se rendre au stationnement souterrain. Comme il fallait s'y attendre, Katia ne se dirige pas aux toilettes, mais s'assoit plutôt dans un des fauteuils du lobby pour attendre Ramon. Celui-ci met presque dix minutes à revenir.

— *Disculpa*, voilà lé numérrro de Juan, se repend celui-ci en lui tendant discrètement un petit bout de papier.

— Merci beaucoup, Ramon, déclare Katia en se levant pour partir à son tour.

Le jeune Portoricain la dévisage avec une désespérance marquée dans les yeux. Il se tourne vers les portes tournantes avant de regarder de nouveau Katia. Comprenant qu'il s'attendait à voir surgir Caroline, elle lui ment de nouveau :

— Carolina devait prendre un appel important pour le travail dans son automobile.

— Aaaahhh...

Voyant sa déception, elle cède à une pensée qui a furtivement traversé son esprit. Elle coupe le papier en deux et prend un crayon dans la poche du chemisier de travail de Ramon.

— Tiens, elle m'a demandé de te remettre son nom au complet pour que tu puisses la trouver sur Facebook !

Heureux de ce dénouement, il insère précieusement le petit bout de papier dans sa poche, tel un trésor d'une grande valeur, en la remerciant de tout cœur :

— *¡Gracias! ¡Gracias!*

— Au revoir, Ramon, et encore merci ! fait-elle en levant le petit papier, toujours dans sa main, qui contient le numéro de téléphone de Jean.

SALLE DE PAUSE DU PERSONNEL

— Qu'elle est conne, cette fille ! envoie Caroline, à la fois découragée et amusée.

— J'étais bien trop mal à l'aise d'avoir profité de lui, je devais lui donner quelque chose en retour, explique Katia, sans se soucier du fait qu'elle a plutôt carrément « utilisé » Caroline.

— Non mais, ai-je l'air d'une monnaie d'échange? s'insurge-t-elle pour être comique, car elle trouve la situation bien cocasse en réalité.

— Je suis certaine qu'il est pas fatigant, Ramon. Tu me donneras son nom au complet, je vais l'ajouter dans mes amis aussi, décide Vicky, qui semble s'être attachée au charmant Portoricain.

— Moi, j'ai trouvé le profil Facebook de Jean Poitras, admet Katia, décidément en mode confession.

— Puis?

— Bof, presque tout est bloqué. On ne voit pas la ville où il habite ni l'emploi qu'il occupe, rien, sa photo de profil seulement. Du genre debout, en veston-cravate, un verre de scotch à la main. Il est beau...

— *Low profile!* décrit Vicky, très en contexte.

— *Exactly!* Mais réalisez-vous que cet homme-là va passer des week-ends entiers dans cet hôtel une fois par mois, en prétendant chaque fois être en congrès?

— Étrange, hein, approuve Caroline.

— Oui, mais en même temps, il est certain de rencontrer des gens qui veulent prendre du bon temps tout en travaillant un peu. Tout le monde a la tête légère en congrès. On se cachera pas que, oui, on a fait les nouilles et le *party* un peu, mais Dieu sait qu'on n'était pas les seules. C'est comme un phénomène social en soi, les congrès, ajoute Vicky, en décrivant ses impressions face à la chose après quelques semaines de recul.

— Dans le fond, ce gars-là, il fait comme dans le film américain *Wedding Crashers*, celui où les gars s'immiscent illégalement dans les mariages sans connaître qui que ce soit. Il boit sur le bras, fait la fête et espère rencontrer des filles en prime, analyse plus finement Katia.

— Un peu, beaucoup comme on a fait, précise ouvertement Caroline.

— Je suis convaincue que, certains week-ends, Jean Poitras (petit rire) se dit : « Ouf, ce congrès-là m'a coûté cher, il n'y avait rien d'inclus... » Et d'autres fois : « Super ! Presque aucune dépense sauf la chambre, et en plus, j'ai gagné un sac de sport dans le tirage des prix de présence et je me suis farci une secrétaire pas pire cochonne ! », fabule Vicky en se mettant à sa place.

— Hum...

— Les filles, il faut que je vous parle sérieusement, commence Katia.

— Ah là, si c'est pour d'autres révélations en lien avec le maudit congrès, je suis saturée. Plus capable, exagère Caro, comme si toutes ces intrigues lui pesaient réellement.

— Non, non, pas de secrets supplémentaires, mais... Même si on joue à l'autruche, vous vous souvenez que j'ai tout de même gagné un voyage pour deux à Cuba ?

— C'était dans le cadre d'une fraude de notre part, mais oui, on s'en souvient, reprend Caro, mal à l'aise face à leur usurpation d'identité.

— On s'en rappelle certain ! se réjouit Vicky, en la trouvant chanceuse.

— Je veux qu'on parte ensemble l'an prochain au jour de l'An ! On paye le billet supplémentaire à trois, déclare Katia d'un seul trait.

— OUI ! fait Vicky, qui s'éjecte d'un bond de son siège pour lui sauter dans les bras.

— C'est à nous trois après tout, on est une équipe, ajoute Katia en attendant une réaction de Caroline, qui n'a pas bougé d'un iota sur son fauteuil.

Vicky jubile, toujours en sautillant :

— J'avais tellement hâte de savoir ce que tu allais faire avec, mais en même temps, j'étais gênée de te le demander !

— Caro ?

Comme les cours vont commencer d'un instant à l'autre, celle-ci se lève pour aller porter sa tasse dans l'évier. En passant devant ses amies, elle leur explique, très calmement :

— Cette fois-là, les filles, ce sera sans moi, pour vrai. Allez-y toutes les deux. Vous avez deux billets gratuits, je vous jure que je serai bien contente pour vous.

Elle s'éloigne. Les filles la suivent sur les talons.

— Caroooo, nooooon, on veut que tu viennes avec nous.

— *Please!* supplie Katia, les mains jointes sous le menton.

— Eh non, désolée. Ça fait deux fois qu'on vit des aventures qui n'ont pas de bon sens et, chaque fois, je me dis : « Ouf, que je suis bien dans ma petite vie familiale tranquille, moi ! »

Marc, qui entre dans la salle de pause, coupe court à leur conversation.

— Tiens, le trio infernal !

— Pfft, fait Vicky en lui souriant beaucoup trop largement.

— Tiens, le pyromane, lance Katia sans pouvoir se retenir.

Marc la fusille du regard avant de se tourner vers Vicky en réalisant tout à coup que celle-ci a évidemment tout raconté à ses amies. Elle baisse les yeux, un peu honteuse.

Marc, déstabilisé ? Katia semble se délecter du moment comme on le fait en léchant sa première crème glacée molle à la cantine du coin chaque printemps. Caroline, à ses côtés, savoure aussi la scène, les bras croisés sur la poitrine, le regard hautain. Pouvoir inversé…

— Vic n'avait pas le choix de nous dire la vérité, si elle voulait qu'on vous couvre.

Marc rit nerveusement en constatant que beaucoup trop de gens connaissent la vérité sur leur mésaventure. Une mésaventure qui aurait pu lui coûter très cher. Katia, qui repense à toutes les fois où celui-ci a fait des allusions à propos de leur vidéo du Mexique en les menaçant presque de tout divulguer, pousse la note encore plus loin.

— Donc, si t'es gentil, l'incident va rester entre nous. Tsé, mon beau Marc, quand on crache en l'air, ça nous retombe sur le nez, termine-t-elle avec un ton tout ce qu'il y a de plus arrogant.

Marc, qui avait depuis quelques secondes l'air presque troublé, change drastiquement d'attitude. Son sourire mesquin habituel apparaît de nouveau sur son visage, et il s'approche d'un grand pas vers Katia. Vicky, spectatrice de la scène, ne dit rien. Caroline non plus. Le combat de coqs semble n'avoir lieu qu'entre Katia et Marc finalement.

Il lui susurre :

— Tu crois ?

Il se dirige alors tranquillement vers la patère pour y déposer son manteau. Il se retourne ensuite de façon très théâtrale et affirme, en pointant Katia :

— Je pense que c'est toi qui as craché en l'air ! Vous trois, en fait.

— Pfft ! Non monsieur, pas cette fois ! Et si tu parles de ton petit vidéo à la con du spectacle de l'hypnotiseur, on s'en fout...

Pas de réponse. Il fouille dans sa mallette et en ressort ce qui semble être une revue qu'il plie en deux et cache dans son dos. Il avance de nouveau vers elles, l'air supérieur et amusé à souhait. En s'approchant tout près, il leur murmure :

— Je pense que c'est vous trois qui allez devoir être gentilles, gentilles, gentilles...

Il déplie d'un mouvement sec la revue qu'il leur présente. Les filles plissent les yeux.

— AH MON DIEU ! crie Caroline.

— OH NON ? panique Vicky en ouvrant la bouche du plus grand qu'elle peut.

— *HOLY SHIT?* blasphème Katia, la main devant le visage, comme si elle préférait ne pas voir finalement.

La revue québécoise *Comptable Hebdo Magazine* présente en première page la photo couleurs des trois filles déguisées, et grimpées sur la scène, lors de la fête d'Halloween du congrès. En gros titre, on peut lire :

Trois Victoriavilloises raflent
le grand prix du congrès annuel !

— BOOM ! fait Marc, très satisfait de leur réaction affolée.

Katia, qui fixe toujours la photo, déclare, sans réfléchir :

— M'avez-vous vu la face de gelée ?

— Ah, parce que vous aviez pris de la drogue en plus, savoure Marc, toujours vif d'esprit et avide de ce genre de détails.

— ELLE a pris de la drogue avec les trois sapins, pas nous, rectifie Caroline comme si c'était réellement important.

— Pas obligée de le crier dans toute l'école ! s'égosille Katia en reculant d'un pas pour vérifier que personne n'arrive dans le corridor.

Tout sourire, il replie soigneusement la précieuse revue sur elle-même pour la glisser ensuite sous son bras, tel un pain baguette. Fier comme un paon, il leur dit simplement :

— Bonne journée, les filles !

Il ose même taper une fesse à Vicky au passage avant de quitter les lieux.

— Ah ! le con ! réagit Katia.

— On s'en fout de lui ! Réalisez-vous ? On est en gros plan sur le *Comptable Hebdo Magazine* ! Simonaque ! panique toujours Caroline, avant de se mettre à nouveau les mains devant le visage.

— Pas de panique. Personne lit ça *anyway*, rationalise Katia sans le savoir réellement.

— Maudit qu'on est tartes ! déclare simplement Vicky.

En silence et le dos courbé, l'air d'avoir perdu un long combat, les filles s'engagent dans le corridor pour se diriger vers leur classe. Katia pouffe de rire sans raison :

— Individuellement, on est pas pires, mais à trois, on s'en sort pas ! Malgré tout... maudit que je vous aime !

Les trois filles se serrent le cou tout en marchant dans le corridor. Moment d'amitié sincère. Caroline, qui regarde droit devant, leur déclare :

— Moi aussi je vous aime, et exactement comme vous êtes, les filles. Au fait, euh... ce serait quand exactement ce voyage à Cuba ?

(Toujours au son de la voix énigmatique et alanguie de Charles Tisseyre…)

De retour à la maison, le congressiste regrettera d'emblée sa participation à l'événement en réalisant que la semaine de travail régulière recommence dès le lendemain, sans lui donner plus de répit. Il ira dormir très tôt, épuisé par l'escapade, et surtout cerné de s'être couché tard. Levé tôt pour être présent au fameux buffet de croissants et brioches du matin et faire bonne figure devant ses collègues, il ne réalise pas que les mêmes personnes l'ont vu la veille debout sur une chaise et dansant la lambada ou encore faisant grossièrement des avances à l'adjointe administrative du bureau d'une autre ville.

La crédibilité en miettes et l'humeur massacrante, l'employé regagnera son poste en donnant aux collègues non présents des détails futiles concernant ses journées et soirées pour susciter de la jalousie chez ceux-ci, passant des repas gastronomiques au bon vin bu tous les soirs, sans oublier les jeunes filles se prélassant autour de la piscine intérieure ou le jeune serveur séduisant qui les a fait craquer. Il passera toutefois sous silence le fait qu'il doit maintenant payer pour avoir eu le privilège de se rendre au congrès en rédigeant des comptes rendus, la monnaie d'échange habituellement utilisée par les patrons pour justifier la participation d'un employé à ce genre d'événement. Ce partage des connaissances, très long à rédiger, et qu'environ zéro pour cent de ses collègues lira, fera réaliser au congressiste qu'il s'agit de sa pire semaine de travail de l'année et il se fera la promesse de ne plus jamais s'y faire prendre, jusqu'à ce qu'une autre occasion se présente…

N.-B. Hum… Cher lectorat de mon cœur, je vous donne officiellement rendez-vous pour une autre aventure avec notre trio : *Ce qui se passe à Cuba reste à Cuba !* ☺

Autres titres d' Amélie Dubois

Dans la série «Chick Lit»

www.facebook.com/pages/Amélie-Dubois

ame_dubois